The Concise History of Jewelry and Accessory in Japan

【カラー版】
日本装身具史
ジュエリーとアクセサリーの歩み

井上洋一 — Yoichi Inoue
露木 宏 — Hiroshi Tsuyuki
関 昭郎 — Akio Seki

美術出版社

はじめに

　装身具、すなわちアクセサリーやジュエリー(宝石・貴金属装身具)は、心の安らぎを得たり、おしゃれ心を満足させるという精神的な役割もあれば、権力、あるいは財力など世俗的な力のシンボルになることもある。いろいろな側面をもつ装身具を、日本人はいかに生活に取り入れ、どんな装身具で身を飾ってきたのであろうか。
　本書は日本の装身具の歴史を、その起源から、古代・中世・近世を経て、近・現代のジュエリーやアクセサリーまでたどった。
　日本の装身具について、古代など特定の時代を紹介したり、いくつかのアイテムや素材に限定して語ったものはこれまでにもある。しかし、すべての時代の装身具について全体の流れの中で概観したものは少ない。装身具はあまりに身近な存在であるため研究対象にしにくかったこともあろうが、装身具といえば虚飾の最たるものというイメージが先行し、正面から研究する人が少なかったという事情もあるようだ。
　しかし、序章でも述べているように、装身具という「飾る文化」は、人間だけがもつ固有の文化であり、人間の営みを解明する上でも、また日本人の装飾意識や身体観を理解する上でもおろそかにできないジャンルである。
　私たちはこのテーマの執筆にあたって次の点に留意した。
(1)装身具の概念を「身体を装飾するすべてのもの」ととらえ、衣服や履きものを除き、できるだけ多くのものを取り上げた。素材も限定せずに、宝石・貴金属類から石、布、生花までその対象とした。
(2)直接肌につけるものも衣服につけるものも等しく装身具とし、また、実用的なものであっても、自己を美化し他人に見せる要素をもったものは装身具に類するものとして、ここで取り扱うことにした。
(3)日本の装身具文化は連続して発展する時代もあるが、中断したり、大きく変化して新たな装身具と入れかわることもあった。これまでの日本の装身具史研究では断続面(特に、飛鳥・奈良以降について)の強調が目立つが、本書ではアイテムや素材は変わっても装身具自体は連続している点にも注目した。
(4)それぞれの時代の中から、時代を特徴づけている装身具を紹介することを主目的としたが、個々の装身具が生み出される時代背景や海外の影響、服飾・髪形との関連にも注意を払った。また、時代によって異なる装身具観にも必要な範囲で言及した。
(5)その他、本書は年表の充実に努めた。本編に記載した事項のほか、その他の関連事項も年表には記してある。多様な展開をした日本の装身具文化の理解に役立てていただきたい。
　日本の装身具史の体系的な研究はまだ始まったばかりである。本書は、充分ではないかもしれないが、今日の研究の一つの到達点を示した。日頃の学習に、研究に、大いに活用していただきたい。

編・著者　露木　宏

目次

The Concise History of Jewelry and Accessory in Japan

3 ·················· はじめに

序章――旧石器時代

8 ·················· **旧石器時代**
「飾る文化」の誕生 ＋ 旧石器時代の装身具

第Ⅰ章――縄文・弥生・古墳時代

12 ·················· **縄文時代**
石と骨角の装身具

18 ·················· **弥生時代**
青銅とガラスの装身具

24 ·················· **古墳時代**
金色に輝く装身具

第Ⅱ章――飛鳥・奈良時代

32 ·················· **飛鳥時代**
約100年間の装身具空白期 ＋ 仏教導入による護符意識の転換 ＋
服装の変化 ＋ 金銅製冠を否定した冠位十二階 ＋
薄葬令による装身具類埋葬の禁止 ＋ 隋・唐にならい耳飾りを止める

39 ·················· **奈良時代**
腰飾りと生花の髪飾りの発達 ＋ 男性の装身具 ＋ 女性の装身具 ＋
万葉集に詠われた髪飾り ＋ 正倉院の腰飾り ＋ 正倉院の七宝の宝飾工芸品

第Ⅲ章――平安・鎌倉・室町時代

52 ·················· **平安時代**
貴族文化と男女の装身具 ＋ 菅原道真の遺品 ＋
男性の束帯装束での装身具 ＋ 貴族女性の髪飾り ＋
その他の平安時代の装身具類

59 ·················· **鎌倉時代**
武家の世で装身具未発達 ＋ 武家の装身具 ＋ 公家の装身具

63 ·················· **室町時代**
貴族的装身具文化の終焉 ＋ 熊野速玉大社の装身具関連遺品 ＋
公家女性の髪飾り ＋ 武家の提物

第Ⅳ章――桃山・江戸初期

70 ·················· **桃山・江戸初期**
豪壮華麗と南蛮趣味 ＋ 西洋装身具との出会い

第Ⅴ章――江戸中期・後期

80 ·················· **江戸中期・後期**
大きく開花した髪飾り文化 ＋ 江戸中期(1639-1716)の髪飾り ＋
江戸後期(1716-1868)の髪飾り ＋ その他の髪飾り ＋
髪飾り以外の装身具 ＋ 江戸時代の宝石類

第Ⅵ章──明治時代

106 ················ **明治時代**
西洋式ジュエリーの移入 ＋ 明治初期 明治元年-明治16年 ＋
鹿鳴館の時代 明治16-20年 ＋ 明治後半期 明治20-45年

第Ⅶ章──大正・昭和初期・戦中期

124 ················ **大正・昭和初期・戦中期**
ジュエリー時代の到来と挫折 ＋ 大正・昭和初期 ＋
アール・デコのジュエリーへの影響 ＋ 戦中期

第Ⅷ章──戦後・平成から現代

140 ················ **戦後・平成から現代**
みやげものジュエリーからの再出発 ＋ 昭和20年代 ＋ 昭和30-50年代 ＋
モダン・ジュエリー運動の登場 ＋ 昭和60年代-平成 ＋
現代におけるジュエリーの価値

資料

154 ················ 日本装身具文化史年表
204 ················ 掲載作品データ
211 ················ 主要参考文献
215 ················ 索引
220 ················ 奥付

凡例

1｜本文中の図版番号は《　》で囲んだ。
2｜本文中のコラムは〈　〉で囲み、その図版キャプションは、本文図版キャプションとともに下段に記した。
3｜国宝、重要文化財（重文）に指定されているものは、図版キャプション中に記した。
4｜参考に挿入した絵画作品などの技法・寸法は、巻末の「掲載作品データ」に記した。
5｜所蔵者・館以外の写真提供者は、巻末の「掲載作品データ」に記した。

執筆者紹介

井上洋一〈東京国立博物館　事業部事業企画課長〉
露木　宏〈日本宝飾クラフト学院　理事長〉
関　昭郎〈東京都現代美術館　学芸員〉

The Concise History of Jewelry and Accessory in Japan

旧石器時代

井上洋一

旧石器時代

「飾る文化」の誕生

　人間と動物の違いは何か。人間は直立二足歩行を行う、道具を使う、言葉を操るなどなどが頭に浮かぶだろう。しかし、直立二足歩行や道具の使用に関してはすでに一部の類人猿に確認されていた。また、道具を使うことではチンパンジーの小枝などを使った蟻つりなどは有名であるが、この行為は類人猿のみならずカラスの仲間にもみられる行為でもあることが報告されている。さらに近年、石を使って食料を掘り出したり、石をハンマーのように使い、種や木の根、枝を砕き昆虫を食べていたサルの例が英・ケンブリッジ大学の研究チームによって確認されている。また、米・ジョージア大学などのチームによる観察でも、大きな岩の上にヤシの実を置き、石を打ち付けて割って食べるサル（南米フサオマキザル）のグループが見つかった。このサルの存在は、石器を獲得したわれわれの祖先の姿を彷彿とさせる。一方、言葉も人間のみが操るものでもない。様々な動物たちが自分たち独自の言葉でコミュニケーションをとっている。驚くべきはクジラである。彼らは数千キロ離れた仲間とも交信できるという。

　では、人間が人間として動物から画される行為とは何なのだろう。それは自らを別のモノで飾る。この「飾る文化」こそ、人間と動物を画するメルクマール（指標）になるのではなかろうか。動物が自らの身体を別のモノを使い自主的に飾る行為は現在までに確認されていない。こうした考えに立てば、「装身具」は人間を飾る重要なアイテムであり、人間が人間たる象徴とも言えるものである。こうした観点に立てば装身具を見ることによって、そこには人間を見ることができるのである。したがって、装身具史の研究は、実は人類の歴史を紐解くことにもつながるのである。

旧石器時代の装身具

　日本列島において確実に人間が生活を始めたのは、今から約3万年前と考えられている。日本列島に人々が住み着き、土器を用いた生活を開始するまでのおよそ1万2千年前までの時代を、一般に「旧石器時代」と呼んでいる。この時代は「先土器時代」、「岩宿時代」、「先縄文時代」などとも呼ばれる。

　この時代は地質学の年代では「更新世」にあたり、氷河の発達・後退を繰り返したので「氷河時代」とも言われる。ヨーロッパや中国では地層と出土する石器の形態変化との関係から前期・中期・後期の3時期に区分されているが、日本列島では群馬県岩宿遺跡〈コラム序-1〉に代表される後期の文化しか今のところ確実なものは発見されていない。

　氷河の発達は日本列島とアジア大陸

●序-1

●序-2

とを陸続きにし、その陸橋を通じて動物と人間の移動を促した。中国北部から日本列島へとナウマンゾウやオオツノジカなど黄土動物群、あるいはマンモス動物群と呼ばれる大型哺乳動物の移動に伴い、人々もそれらの動物を追って移住してきたと考えられる。

この時代の装身具の発見例はきわめて少ない。わずかにネックレスと考えられる石製の小玉類や頭部の飾りと考えられている石製品が知られるに過ぎない。

首飾り

北海道湯の里4遺跡では墓と考えられる土坑から5個の小玉類が発見されている《序-1》。これらはいずれも原石に孔を穿った単純なものである。この玉類の材質は、1個のコハクを除くとその他はダナイト(ダンカンラン岩)と呼ばれる深成岩の一種。分析の結果、このダナイトは国産ではなくロシアのバイカル湖周辺のものと考えられるという。また、同様の製品は北海道美利河1遺跡からも発見されている《序-2》。

岩宿遺跡〈コラム序-1〉

◆岩宿遺跡は、群馬県みどり市笠懸町にある旧石器時代の遺跡である。1946年、当時在野の考古学研究者であった相澤忠洋氏によって発見。その後1949・50年、明治大学考古学研究室と相澤氏による発掘調査が行われ、今から3万年ほど前の、石を打ち欠いて作った斧や、鋭い刃をもつ石器などが発見された。この発見によって、赤土(関東ローム層)の中、すなわち旧石器時代にも人が住んでいたことが証明され、日本にも旧石器時代が存在したことがはじめて明らかとなった。これ以降、日本全国において旧石器時代の遺跡の発見が相次ぐことになる。

●序-1　石製小玉類　北海道・湯の里4遺跡　北海道・知内町郷土資料館蔵
●序-2　石製小玉　北海道・美利河1遺跡　北海道・今金町教育委員会　ピリカ旧石器文化館蔵
●コラム序-1　槍先形尖頭器　長6.9cm　重要　群馬・岩宿遺跡　群馬・相澤忠洋記念館蔵

頭部飾り

三重県出張遺跡から発見された石製円盤《序-3》。径5センチメートルの円盤で中央に孔を穿つものである。同様のものは長崎県福井洞穴遺跡（石製と土製）や宮城県大原B遺跡からも発見されているが、洞穴遺跡のものはいずれも縄文時代草創期のものである。

こうした石製品は当初、糸を紡ぐ紡錘車と考えられていたが、今日では、ロシアのレンコフカ遺跡1号墳墓で発見された死者の頭部に装着する「ヘッドバンド（額飾り）」《序-4》と同様のものと考えられている。レンコフカ遺跡1号墳墓でこの円盤類とともに小玉類も発見され、両者がセットとなり頭部飾りを構成した可能性が指摘されている。また時代は下るが、中国青銅器時代の内蒙古・赤峰夏店でも同様なものが発見されている。こうした小玉類や石製品が大陸のものと酷似するという事実は、先に述べたように陸橋を通じて大陸から人々が移り住んできた一つの証ともなろう。

このように、この時代の装身具の主体は石製品であるが、この他、骨角製品や貝製品の存在も考えておかなければならない。例えば大分県岩戸遺跡では、スクレーパー（掻器—刃のある打製石器）と海産の巻貝（イシダダミなど）の破片が墓から発見されている。この貝の存在は、諸外国の事例と照らし合わせた場合、ネックレス等の装身具としての可能性を秘めている。

●序-3

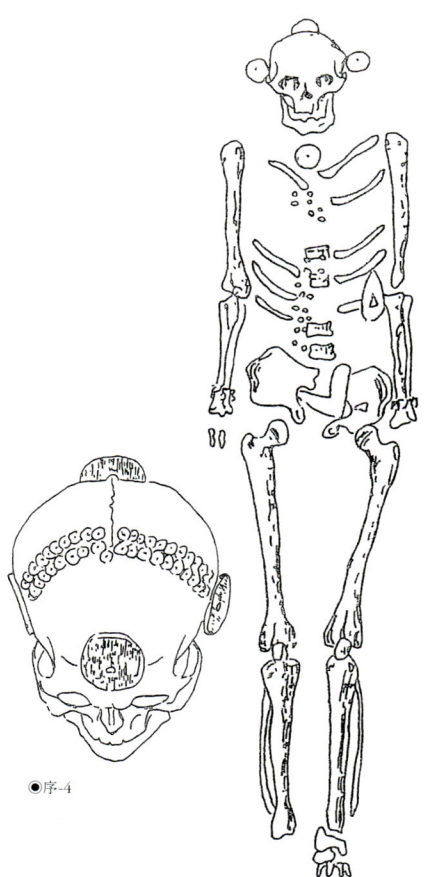

●序-4

●序-3　石製円盤（千枚岩）　三重・出張遺跡　三重・大台町教育委員会
●序-4　ヘッドバンド装着復元図（ロシア・レンコフカ1号墳墓）　[右] 発掘された時の状態、[左] 復元図
　　　　額と頭の両側とうしろの4カ所に、マンモスの牙で作った4枚の有孔円盤を、小さな玉を通した2本の紐でつないで付けていたと推定される。

The Concise History of Jewelry and Accessory in Japan

I

縄文・弥生・古墳時代

井上洋一

コラムI-3

縄文時代

石と骨角の装身具

　今から約1万2千年前、土器が作られ、使われ始めた頃から水田耕作が始まる2400年前までの約1万年間の縄文土器の時代を縄文時代、その文化を縄文文化と呼んでいる。縄文時代は一般的には草創期・早期・前期・中期・後期・晩期の6期に分けられている。

　縄文時代は旧石器時代に引き続き、狩猟・採集経済の社会であるが、狩猟対象動物の変化に伴い弓矢が発明されるなど、狩猟具である石器に大きな変化がみられる。また、同時に人々は縄文土器を生み、独特な文化を発展させた。

　人類は悠久の歴史の中で「土器」というきわめて便利な生活用具を獲得した。可塑性に富んだ粘土から生み出された自由な造形は、赤々と燃える火の力を伴って永遠なるものへと変化する。人間が最初に利用した化学変化である。縄文人はこの特質を最大限に利用し、強烈な個性をもった縄文土器を創造したのである。その姿は世界の先史土器の中でも群を抜いた造形美を誇っている。

　土器が編籠から誕生したことを思わせる草創期の土器、文様の多様化が図られる早期、施文技法の革新化が図られる前期、そして抽象の造形とも言える中期の土器群。繊細さ・洗練さが際立つ後期・晩期の土器群。しかし、こうした土器群にあって圧倒的な迫力をもって私たちに迫ってくるのは、やはり中期の土器群であろう。ダイナミックなデザインと巧みな文様構成。独特な宇宙観が土器の中に凝縮されているかのようだ。その典型が火焔土器《I-1》である。豪華な渦巻文は盛り上がった立体造形に巧みに絡み合い、全体に動的な美しさを醸し出す。この渦巻く曲線の集合体は、呪術的社会に生きた縄文人の躍動する精神を具現化しているようでもある。機能優先型の現代人には思いも寄らぬ造形意識である。世界でも類を見ない造形の豊かさ、文様の多様性、そして継続性は、四季を織り成す日本列島という地形・環境から生まれたと考えられる。

●I-1

　縄文土器とともに縄文人の造形意識の高さを示すのが土偶《I-2》である〈コラムI-1〉。土偶は抽象的なものから徐々に具象的な人形へと変化を遂げる。縄

●I-1　深鉢形土器　伝新潟・馬高出土　東京国立博物館蔵

縄文・弥生・古墳時代

- I-2a　土偶　国宝　長野・棚畑遺跡　長野・茅野市尖石縄文考古館蔵
- I-2b　土偶　高30.3cm　重文　群馬・郷原出土　個人蔵
- I-2c　大型板状土偶　重文　青森・三内丸山遺跡　青森県教育庁文化財保護課蔵
- I-2d　遮光器土偶　重文　宮城・恵比須田出土　東京国立博物館蔵
- I-2e　合掌する土偶　重文　青森・風張1遺跡　青森・八戸市博物館蔵

土偶にみる装身具〈コラムI-1〉

◆この土偶(みみずく土偶)の頭と耳に注目していただきたい。まず頭。いくつもの角が生えたような突起は独特な髪形に櫛や簪がつけられたさまを表現していると考えられている。また耳には目や口の表現と同じであるが、丸い耳飾り(耳栓)の表現がみられる。このように土偶は私たちに当時の飾り方の様子を伝えている。

文人が得意とする抽象と具象の巧みな融合が多くの神秘的な土器や土偶を生み出したが、そこには自然を畏れ敬う縄文人の精神世界が凝縮されていることを感じ取るべきであろう。

こうした縄文人の造形意識は土器や土偶だけでなく、様々な装身具にも遺憾なく発揮されている。

世界の原始社会では男も女も直接体に入墨をして身を飾るほか、様々な装身具で身を飾っていた。縄文社会でもそれは同様で、土、石、骨角牙、貝、木といった素材で独特な髪飾り(櫛・簪)、耳飾り、ネックレス、ペンダント、ブレスレットなどを製作し、身を飾っていた。しかし、それは現代的な単なるおしゃれではなく、勇者の象徴、権威の象徴、呪術的意味合い、同族の証など、きわめて社会的な意味の強い道具として発達した。

櫛

骨角製品が多い。東日本では縄文時代前期から発達しているが、西日本では多く見受けられるのは縄文時代後期になってからである。

櫛には形態的に全体が縦長で、櫛歯が長く、その数が少ない竪櫛と、全体が

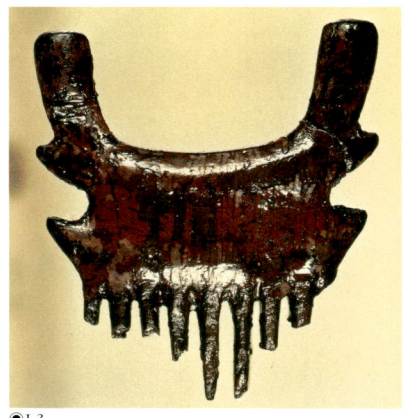

●I-3

●I-4

横長で櫛歯が短く、その数が多い横櫛があるが、横櫛の出現は古墳時代になってからであり、縄文時代の櫛は竪櫛のみである。また、製作技法的には竪櫛

●コラムI-1　土偶　埼玉・滝馬室出土　東京国立博物館蔵
●I-3　木製櫛　漆塗り　重文　福井・鳥浜貝塚　福井県立若狭歴史民俗資料館蔵
●I-4　木製櫛　漆塗り　埼玉・後谷遺跡　埼玉・桶川市教育委員会

では一素材から櫛歯を刻みだす刻歯式と呼ばれる一体型のもの《I-3》と、木または竹を素材とする櫛歯を紐状に繊維で結束する結歯式と呼ばれる組み合せ型のもの《I-4》の二種がある。一方、横櫛は刻歯式と同様一素材から作り上げるが、櫛歯を鋸状の工具を用い挽きだす挽歯式がほとんどである。

櫛の素材は、木・骨・角などが使われている。特に木製のものには赤漆や黒漆をかけ美しく仕上げたものが多い。こうした櫛は縄文時代後期から晩期にかけて、北海道や東北地方を中心にさらに発展を遂げる。

簪

いわゆるヘアーピンである。縄文時代早期から全国的に見られるが、中期以降のものは東日本からの出土例が圧倒的に多い。その形態は1本の針状を呈するものと先端が二股に分かれるものがある《I-5》。頭部に孔を穿つものもあり、先端は尖っている。その頭部には簡単な沈線文や複雑な文様を刻みだもの、あるいは人物・動物を彫り出したものもある。その装着例は墓の出土例から類推することができる。例えば福岡県山鹿貝塚では成人女性の頭部から2本の簪が発見されている。このことから簪は結髪を留めたり飾ったりするために用いられたと考えられる。その他の遺跡からも2本セットで簪が発見される例が多い。発掘例からすると男女の区別なく用いられたようである。ただし、こうしたものの中にはマントなどの留め具として用いられた可能性もあることを考えておかねばならない。

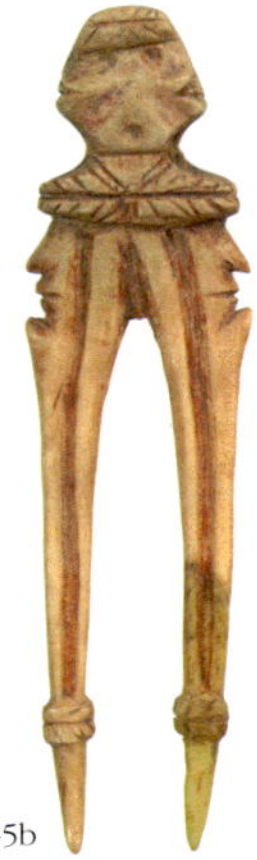

耳飾り

最古のタイプは石製の「玦状耳飾り」《I-6》である。縄文時代前期、関東から中部地方にかけて発達する。「玦」とは一箇所に切れ目のある円を意味する。縄文時代前期後半には、土製の玦状耳

●I-6

飾りが出現。さらに中期には「耳栓」と呼ばれるタイプの耳飾り《I-7》が出現する。この耳栓は中部地方で特に発達し、後期には西日本へ広がりを見せる。西日本の晩期には女性の成人骨に猪牙製の玦状耳飾りが着装されていた例もみ

●I-5a　骨角製装身具-簪　重文　宮城・沼津貝塚　宮城・東北大学文学研究科考古学研究室蔵
●I-5b　ヘアーピン　高8.4cm　宮城・沼津貝塚　宮城・東北歴史博物館蔵
●I-6　玦状耳飾り　［右］蛇紋岩製　高5.2cm　［左］軟玉製　重文　大阪・国府18（IV-3）号遺跡　大阪・関西大学博物館蔵

●I-7

●I-8

られる。また、東日本の晩期には、関東地方を中心に「滑車形耳飾り」と呼ばれる土製耳飾り《I-8》が発達する。この仲間には工芸的にも群を抜くつくりのものが存在する。

このほか、サルの前肢を構成する長骨の一つである橈骨、サメの歯や脊椎骨などを利用した耳飾りもある。

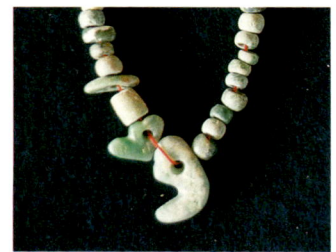
●I-11

●I-9

●I-10

- ●I-7　　耳飾り　重文　群馬・茅野遺跡　群馬・榛東村耳飾り館蔵
- ●I-8　　耳飾り　径9.1cm　重文　群馬・千網谷戸遺跡　群馬・桐生市教育委員会
- ●I-9　　[上段右4個]ツノガイ管状品、[その下段3個]イモガイ製品、[右下段2列]タカラガイ、[左下段2個]バイガイ穿孔品。牙製はサメ、クマの歯が素材で、[上段中央2個]は古い時期の牙製品　長野・栃原岩陰遺跡　長野・北相木村考古博物館蔵
- ●I-10　ヒスイの大珠　高11.1cm　山梨・三光遺跡　山梨・笛吹市教育委員会
- ●I-11　ヒスイの勾玉、首飾り　青森・上尾駮遺跡35号土坑出土　青森県埋蔵文化財調査センター

首飾り

　ツノガイやイモガイ類を輪切りにした貝製品や、ツキノワグマ・イヌ・キツネなどの犬歯に穿孔した骨製品《I-9》などが縄文時代の早期からみられる。
　中期には硬玉製（ヒスイ）の「大珠」《I-10》が出現。ヒスイは新潟県南部の糸魚川や姫川にのみ産出するきわめて貴重な石である。中期のものはかなり大型であるが、後期以降は小型の玉となる。それらの中には牙玉の影響を受けた「勾玉」《I-11》も出現する。

腕輪

　腕輪は縄文時代早期末頃に出現し、縄文時代晩期まで連綿と続く。腕輪は弥生時代・古墳時代まで材質や性格を変えながら継続してみられる。腕輪の代表的な素材は貝である。サルボウ・ベンケイガイ・イタボガキ・アカガイなどの貝が主体をなすが、猪牙製、石製、土製、木製、植物製などの製品もある。型式的には貝殻の頂部を削った単純なもの《I-12》と貝殻の縁の部分を複数組み合わせたもの《I-13》がある。貝製のものは、貝輪や貝釧といった名称でも呼ばれる。
　木製の腕輪は晩期から漆仕上げのものが見られるようになる。中には黒漆と赤漆を巧みに用いているものがある《I-14》。

指輪

　指輪は今のところ縄文時代晩期の東北地方ならびに北陸地方でごくわずか発見されているに過ぎない。宮城県二月田貝塚から発見されたものは彫刻をあしらった骨角製《I-15》、石川県北塚遺跡から発見されたものは石製でその造形は現代的感覚に近い《I-16》。

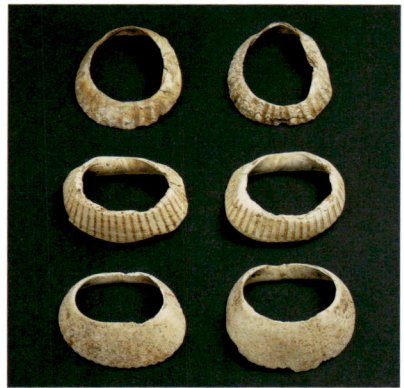
● I-12

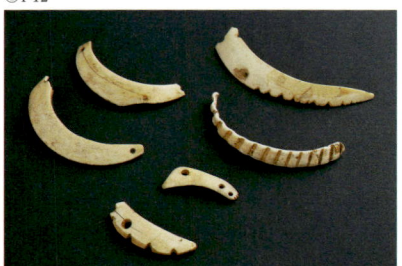
● I-13

● I-14

● I-15

● I-16

- ● I-12　　貝輪　［右上］長8.8cm　熊本・轟貝塚、愛知・吉胡貝塚　大阪府立近つ飛鳥博物館蔵
- ● I-13　　腕輪　［右上］長11.0cm　愛知・吉胡貝塚　大阪府立近つ飛鳥博物館蔵
- ● I-14　　木製腕輪　赤色漆塗り　重文　青森・是川中居遺跡　青森・八戸市縄文学習館蔵
- ● I-15　　骨角製指輪　宮城・二月田貝塚　塩釜女子高等学校蔵　宮城・東北歴史博物館保管
- ● I-16　　石製指輪　石川・北塚遺跡　石川・金沢市埋蔵文化財センター

弥生時代

青銅とガラスの装身具

　今からおよそ2400年前、日本列島に住む人々の生活にきわめて大きな変化がもたらされた。中国の華中・華南から直接あるいは朝鮮半島南部を経て北部九州に到来した水田稲作農耕の到来である。およそ1万年にわたり長く続いた縄文時代は狩猟・漁労・採集を基盤とする食糧採集経済であった。これまで自然に順応して生活していた人々は、これを機に自然を巧みに改造することを覚え、より豊かな安定した生活を営むための知恵を獲得したのである。水稲耕作は安定した食糧を供給し、人口を増加させ、社会を飛躍的に発展させる原動力となった。この段階の文化を弥生文化、その時代を弥生時代と呼んでいる。おおむね3世紀後半ころまでと考えられる。弥生時代は一般的には早期・前期・中期・後期の4期に分かれている。この時代はまた、鉄器・青銅器に代表される金属器登場の時代でもある。こうした金属器の登場は人々に農業生産の拡充とそれに伴う新たなまつり、そして新たな社会をもたらしたのである。

　人々の生活は食糧採集経済から米を主体とする食糧生産段階へと大きく変貌を遂げた。この変化は、人々の造形意識にも大きな影響を与えたと考えられる。縄文の造形は、呪術的世界を反映した強烈にして個性的な立体造形。これに対し弥生の造形は、こうした意識から脱却し、実利・機能を優先する造形を志向し、現在の工業デザインにまでつながる機能美を誕生させたといえる。またこの時代、金属器やガラス器に代表される大陸文化が急激に流入する。人々はその影響を受けながら、自らの造形をより洗練させ、そこに様々な色彩を組み込むことにも成功した。異なる美意識の重層構造が弥生の美を熟成させたといえるだろう。

　こうした意識は縄文社会がそうであったように、より様々な装身具にも反映されている。

　弥生人は縄文人と同様、動物の牙・骨・角あるいは貝などを巧みに加工し、

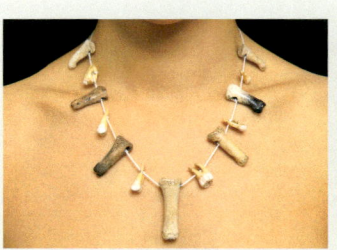

指の骨と歯のネックレス〈コラムI-2〉

◆群馬県八束脛遺跡から発見された人間の指の骨と歯。当時の人々はこれを大事にネックレスに加工した。愛しき人といつまでも生活を共にしたいとの思いからであろうか。時代が変わっても人間の営みは変わらない。死者をいつくしむ深い愛情がうかがえる。

装身具として用いた。その代表的なものが髪飾りに用いられる櫛・簪、各種の首飾り類、そして腕飾り、腰飾りなどである。当時の人々は、動物の牙や骨で作ったアクセサリーを身につけることで動物のもつ呪力や霊力を得られると考えたのだろう〈コラムI-2〉。こうしたアクセサリーは縄文時代からの伝統的なものである。一方、弥生時代に新たな装身具として加わるのが銅釧と呼ばれる青銅製の腕輪や鉄釧と呼ばれる鉄製の腕輪である。また各種ガラス製品の存在も見逃せない。特にガラスは装身具として金属とはまた違った形で弥生人を魅了した。その技術は金属の鋳造技術の延長上にある。ガラス小玉や管玉は新たな魅力的なアクセサリーとして弥生社会に浸透した。

櫛・簪

弥生時代の櫛は、基本的に縄文時代から受け継がれたものであり、竪櫛の結歯式《I-17》と刻歯式《I-18》の二種がある。素材も縄文時代同様、木ないし竹で赤漆を塗ったものが多い。また漆を用いず桜皮でとじるだけの湾曲結歯式と呼ばれるもの《I-19》もある。

簪も縄文時代から受け継いだもので、赤漆を施した木製のもの《I-20》や骨角製のものがある《I-21》。

●I-17
●I-18
●I-19
●I-20
●I-21

●I-17　結歯式竪櫛　竹製朱漆塗　三重・納所遺跡　三重県埋蔵文化財センター
●I-18　刻歯式竪櫛　木製赤彩　滋賀・服部遺跡　滋賀・守山市教育委員会
●I-19　湾曲結歯式竪櫛　木製赤彩　石川・野本遺跡　石川県埋蔵文化財センター
●I-20　簪　木製朱漆塗　大阪・安満遺跡　大阪・高槻市埋蔵文化財調査センター
●I-21　簪　骨製　愛知・朝日遺跡　愛知県埋蔵文化財センター

耳飾り

　一般に弥生時代には耳飾りはなくなったと考えられてきた。しかし、近年、頭蓋骨の両側に管玉・ガラス小玉などが置かれていた例や愛知県亀塚遺跡から発見された壺の胴部に沈線で描かれた人物の顔に耳飾りと思われるような表現が見られるものも発見されている《I-22》。また顔面のついた壺の耳にはいくつかの孔が開けられたものもある《I-23》。さらに古墳時代の埴輪には耳に小玉を複数個あしらった例もある〈コラムI-3〉。こうした事例から弥生時代にも耳飾りは存在したと考えた方がよかろう。

首飾り

　首飾りは縄文時代同様、基本的に玉類で構成される。弥生時代の玉類には、縄文時代以来の硬玉（ジェイダイト）や牙など《I-24》に加えて、碧玉（ジャスパー）

●I-22

埴輪にみる装身具〈コラムI-3〉

◆人物埴輪は、古墳時代の服装ならびに装身具の実態を端的に私たちに教えてくれる貴重な遺物である。この埴輪は今日でも一般的なイヤリング・ネックレス・ブレスレット・アンクレットまで表現している。

●I-23

が多用され、新素材としてガラスが加わる。一般に硬玉で勾玉、碧玉や鉄石英で管玉、ガラスで勾玉・管玉・小玉が作られた《I-25, 26, 27, 28》。また北海道では縄文のヒスイ玉に変わって、コハク玉に威信財としての性格をもたせた。北海道芦別市滝里安井遺跡P-22号墓では、1000～2000個の玉が連珠状で発見されている《I-29》。

　日本においてガラス玉の製作が開始されるのは弥生時代からである。しかし、それはあくまで原料ガラスを用いた加工

- ●コラムI-3　　埴輪-女子（巫女）　重文　群馬・大泉町大字古海　東京国立博物館蔵
- ●I-22　　胴部人面付土器　愛知・亀塚遺跡　愛知・安城市歴史博物館蔵
- ●I-23　　口縁部人面付土器　茨城・女方遺跡　東京国立博物館蔵
- ●I-24　　牙・骨・角などで作ったアクセサリー　［左上］長20.3cm　愛知・朝日遺跡　愛知県埋蔵文化財調査センター
- ●I-25　　玉類　碧玉、水晶、ガラス　［左］長2.2cm　福岡・高木遺跡　福岡県教育委員会

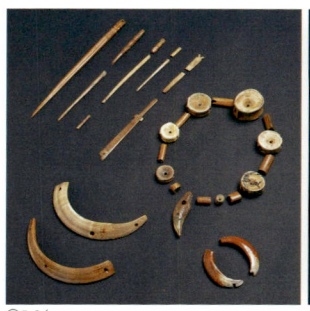
●I-24
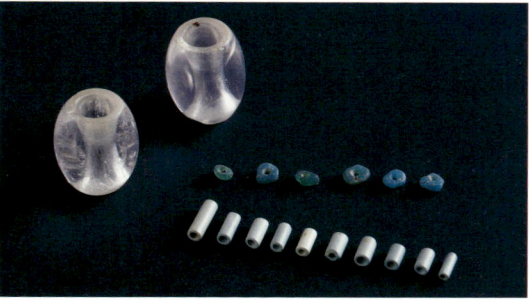
●I-25

●I-26
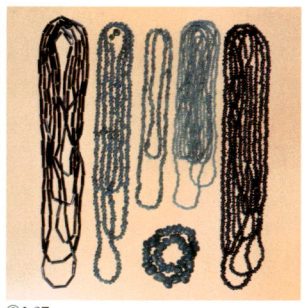
●I-27

●I-28

●I-29b

●I-29a

処理であり、ガラスの原料を調合し、熔融し始めたのはようやく飛鳥・奈良時代に入ってからのことである。原料ガラスを用いたガラス玉の製作は青銅器の生産とも密接に絡み合い、弥生社会において重要な役割を演ずるようになる。

　ガラス玉は単なる装身具という枠を超え、政治的・宗教的色彩の強い文物として弥生社会に流通した。

●I-26　　ヒスイの勾玉と碧玉製管玉　　重文　　福岡・吉武高木遺跡　　文化庁蔵　　福岡市博物館保管
●I-27　　ガラス管玉とガラス小玉　　重文　　佐賀・二塚山遺跡26号土壙墓出土、同22号土壙墓出土　　佐賀県教育庁佐賀県立博物館保管
●I-28　　トンボ玉　　長崎・原の辻遺跡3号甕棺墓出土　　長崎県教育委員会
●I-29a　　連珠状に繋いだコハク玉　　北海道・滝里安井遺跡P-22号墓出土　　北海道・芦別市教育委員会　　星の降る里百年記念館蔵
●I-29b　　I-29aのコハク玉を繋ぐ前の状態

腕輪

サルボウ・ベンケイガイ・イタボガキ・アカガイなどの貝殻の頂部を削った貝製の腕輪を着装する例は縄文時代から引き継がれ弥生時代にもみられる。しかし弥生時代前期後半にはこれらに加えて、当時入手が非常に困難であったと思われるゴホウラ、イモガイといった南海産大型巻貝を用いた腕輪《I-30,31》が出現する。なかには広田遺跡出土の貝輪のように、特殊な文様が施されたものもある《I-32》。そして中期にはそれらが広く用いられたが、やがて後期に至りしだいに衰退していく。しかしその一方で、北部九州を中心とした地域では、それらを青銅で模した銅釧が出現するという注目すべき現象がみられる。

銅釧はその製作技法により大きく二分される。一つは鋳造品であり、もう一つは曲げ輪造りとも呼ぶべき銅板をまるめた円環状のもの（帯状円環型）である。

前者は大陸と密接な関係のもとに生まれたと考えられる円環型《I-33》と南海産大型巻貝を祖形とするゴホウラ縦型《I-34》、イモガイ縦型《I-35》に分類できる。さらにゴホウラ縦型には鉤の有無がある。この有鉤銅釧《I-36》は九州から関東地方まで広い範囲に分布している。沖縄の先島地域に残る民俗例などから棘のように突出したこの鉤が邪悪なものを払いのける役目があったのではないかと考えられている。円環型は西日本を主体に分布し、帯状円環型《I-37》は、中部地方から東海・関東地方に偏在する傾向をもつ。円環型は前期からみられるが、帯状円環型は、そのほとんどが弥生時代後期のもので、一部古墳時代前期にずれ込むものもある。

この帯状円環型とほぼ重なり合う分布を示すのが鉄釧である。単体のものや螺旋状に巻き上げられたものがあるが、弥生時代後期末から古墳時代前期

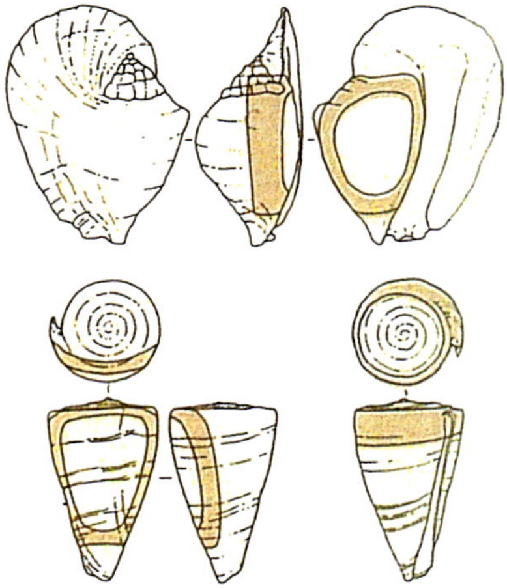

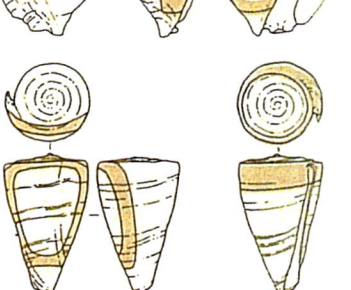

●I-30

●I-31

●I-32

- ●I-30　　ゴホウラ、イモガイ製貝輪の利用部位による分類図　　[上]ゴホウラ立岩型　　[下左]イモガイ縦型　　[下右]イモガイ横型
- ●I-31　　立岩型貝輪　　重文　　福岡・立岩遺跡　　福岡・飯塚市歴史資料館蔵
- ●I-32　　貝輪（貝釧）　　重文　　鹿児島・広田遺跡　　千葉・国立歴史民俗博物館蔵
- ●I-33　　円環型銅釧　　径7.0cm　　佐賀・宇木汲田遺跡38号甕棺墓出土　　佐賀県立博物館蔵
- ●I-34a　　銅釧　　長7.1cm　　兵庫・田能遺跡　　兵庫・尼崎市教育委員会

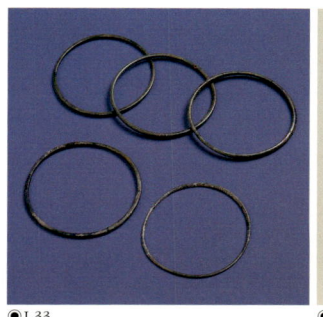
●I-33

●I-34a

●I-34b

●I-35

●I-36

に属するものが多い。

　貝輪の金属器化は、国産青銅器の生産活動の活発化と深くかかわるが、単にそれだけでなくそれ自体がもった光をたたえ、堅固で再生可能という金属の特質が貝輪の呪力をより一層強めるものとして当時の社会に浸透していったのであろう。

指輪

　巻貝製《I-38》・青銅製《I-39》・銀製

●I-37

《I-40》・骨角製などがある。巻貝製は山口・長崎、青銅製は東海・関東地方に偏在し、なぜか北部九州や近畿地方にはほとんど指輪はみられない。巻貝製は弥生時代前期から中期、青銅製は中期後半から後期にかけてみられる。稀な例として弥生時代中期後半に位置づけられる佐賀県惣座(そうざ)遺跡の3点の銀製指輪が知られる。他の指輪のほとんどが国産品であるのに対し、これらは大陸からの輸入品である。

●I-38 　　　　●I-40

●I-39

- ●I-34b　木棺墓に葬られた人物の左腕に、I-34aの銅釧をつけて発見された状態
- ●I-35　　イモガイ貝輪を模した銅釧　長約8.5cm　重文　佐賀・千々賀庚申山遺跡　大阪歴史博物館蔵
- ●I-36　　有鉤銅釧　長9.6cm　福井・西山公園遺跡　東京国立博物館蔵
- ●I-37　　円形の鉄製腕輪と青銅製腕輪　群馬・有馬遺跡　群馬県教育委員会
- ●I-38　　貝製指輪　沖縄・宇堅貝塚　沖縄・うるま市教育委員会
- ●I-39　　青銅製指輪　静岡・登呂遺跡　静岡市立登呂博物館蔵
- ●I-40　　銀製指輪　佐賀・惣座遺跡　佐賀市教育委員会

古墳時代

金色に輝く装身具

　古墳時代は、大王の時代といわれるように、絶大なる権力を掌握した特定個人が出現した時代である。その権力は彼らの墓、すなわち「古墳」に反映された。それ故、長い間、定型化された大型前方後円墳の出現をもってその始まりとするという考え方が主流を占めてきた。しかし、近年の研究では、共同墓地から離脱して丘陵上に特定個人の墳墓を造成する「墳丘墓」の出現をもって、その始まりとしてもよいのではないかといった意見も出されており、その開始時期はこれまでの考えより遡りつつある。

　こうした考えに立てば古墳時代は3世紀半ばまで遡る可能性があるが、一方では3世紀後半ないしは4世紀初頭とする考えも根強く残っている。したがって、ここでは大まかに日本列島において古墳が盛んに造られた3世紀から7世紀中頃までを古墳時代と呼ぶことにしたい。しかし、その終焉の時期は文献史学でいう飛鳥時代と重複している。また、5世紀の中頃を境に前半と後半と呼び分けるのが一般的である。

　古墳時代には権力者、支配者のための器財が増大する。特に中国大陸や朝鮮半島からもたらされた金銀の装飾品や武器の類、青銅の鏡、貴重な石を用いた装身具の数々、そして巨大な墓に供えられた埴輪などはその典型といえる。それらはまさに支配者の威信を高め、その墓を荘厳に整えるために用いられたものである。私たちはこうした器財の中に「絶対的権力」の存在を読み取る必要がある。

　古墳時代の前半の装身具は、勾玉・管玉・小玉といった各種玉類が主体をなし、ごくまれに貝輪がみられる。しかし、本来腕輪として用いられた貝輪は、その材質を碧玉に変え、石釧や車輪石などといった儀器へと変化する。こうした装身具のあり方は、弥生時代の伝統を引いたものといえる。この時代、副葬品としては、銅鏡、鉄剣、玉杖といった威信財も多くみられる。また、特殊な装身具として青銅製の額飾り、金銅製の帯金具などもみられる。

　しかし、これが古墳時代中期（5世紀中頃）になるとその様相は一変する。まず副葬品では銅鏡がしだいに少なくなり、碧玉製の各種石製品も見られなくなる。そして新たな副葬品として朝鮮半島南部の百済・伽耶の地域からもたらされた金・銀・金銅に輝く武器・武具、馬具、装身具や精巧な銅器や陶磁器類が加えられたのである。時の支配者は貴重な金銀の加飾を多用し、その優位性を一般大衆に強烈にアピールしたのだろう。

　この時期にみられる装身具には、金・銀・金銅・ガラス等で華やかに飾られた冠・耳飾り・首飾り・帯飾り・指輪・足飾りなどがあげられる。

縄文・弥生・古墳時代

● I-41

● I-42

● I-43

冠

　5世紀代には被り物に金製ないしは金銅製の方形飾りを縫い付けた比較的単純なものが若干みられる。これに対し6世紀代には頭部全体を覆う装飾華美な金銅製のものが主流となる。

　5世紀後半の奈良県新沢千塚126号墳から出土した金製冠飾り《I-41》は、中国固有の文様である龍をモチーフにした舶載品である。しかし、6世紀後半に位置づけられる茨城県三昧塚古墳《I-42》ならびに奈良県藤ノ木古墳〈コラムI-4〉から出土した金銅製冠はそれぞれ馬や鳥をモチーフにした国産品と考えられている《I-43》。金の地金を重視した舶載品に対し、金の色のみを拝借した国産品のあり方はそのまま当時の社会を反映している。この金色へのこだわりは、冠に限らず他の装身具にも共通している。

藤ノ木古墳〈コラムI-4〉

◆藤ノ木古墳は、6世紀後半の円墳（直径約50メートル、高さ約9メートル）である。横穴式石室の奥に安置された家形石棺には金銅製冠・筒形銅製品・金銅製履・金銅製大帯・銀製垂飾金具・空玉・ガラス玉といった華麗な装身具に身を包んだ二人の成人男性が葬られていた。このほか、銅鏡4面・大刀5本・剣1本・経錦なども確認されている。また棺の外からは金銅製の鞍金具・心葉形鏡板付轡・壺鐙・障泥縁金具・歩揺付辻金具・棘葉形杏葉なども発見された。特に鞍金具は透彫やガラス細工など精緻な装飾が施されており、当時の金工技術の高さを知ることができる。またそれぞれのモチーフは東アジアの各地から取り入れたきわめて国際色豊かなものである。

● I-41　　金製冠飾り（透彫方形盤）　重文　奈良・新沢千塚126号墳　東京国立博物館蔵
● I-42　　金銅製馬形飾り付冠　茨城・三昧塚古墳　茨城県立歴史館蔵
● I-43　　鳥形飾り金銅製冠（復元品、原品は国宝）　奈良・藤ノ木古墳　奈良県立橿原考古学研究所付属博物館蔵
● コラムI-4　　藤ノ木古墳の家形石棺内の遺物出土状態

● I-44

● I-45

● I-46

●I-44 　金の耳飾り　長15.3cm　国宝　熊本・江田船山古墳　東京国立博物館蔵
●I-45 　金の耳飾り　長6.9cm　国宝　熊本・江田船山古墳　東京国立博物館蔵
●I-46 　ガラス小玉付き金銅製耳飾り　［右上］径2.4cm　大阪・富木車塚前方部第Ⅲ主体出土　大阪市立美術館保管　高石市教育委員会へ寄託中

耳飾り

　金・銀・銅・鉛・金銅製がある。5世紀から6世紀にかけては金製で耳にはめる細い環に鎖状の垂飾が付くタイプが主流を占める。この鎖状の垂飾は1本のものから複数本のもの、またその長さも短いものと長いものがあり、それぞれの先端にはハート形の飾り金具が付く《I-44》。これに対し、6世紀中頃以降は銅の地金に金銀の箔を貼ったものや金めっきを施した新羅系の太い円環タイプ《I-45》が主流となる。また、円環にガラス小玉を組み合わせたもの《I-46》が大阪府富木車塚古墳から出土している。その装着法は埴輪にみられる。古墳時代を通し装身具の主流であった耳飾りは7世紀以降急速に衰退し、再び流行するのは第二次大戦後のことである。

首飾り

　勾玉・管玉・丸玉・小玉・棗玉・切子玉・算盤玉《I-47》といった単独の玉類

●I-48

や各種の玉を組み合わせたものがある。材質は硬玉・碧玉・メノウ・水晶・コハク・滑石(タルク)といった貴石類に加え、ガラス・金・銀・金銅製などがある。ガラス玉の中には西アジアを起源とするトンボ玉《I-48》も含まれている。トンボ玉は日本では弥生時代からみられる。金属製の玉類の多くは5世紀後半から6世紀代のもので、金銀を打ち出して作る空玉《I-49》である。

　玉類のなかでこの時代を象徴するのは、やはり勾玉《I-50》であろう。勾玉は縄文時代からみられるが、その起源はオオカミ・クマ・イノシシといった獰猛な動物の牙に求める説が有力である。形態的には弥生時代にC字形が定着。

●I-47

●I-49a

●I-49b

●I-47　　首飾り(勾玉、管玉、小玉など)　[ガラス小玉]径0.5cm　重文　兵庫・宮山古墳第3主体出土　兵庫・姫路市教育委員会
●I-48　　トンボ玉(ガラス玉)　径1.2cm　香川・中東出土　東京国立博物館蔵
●I-49a　　雁木玉(ガラス玉)と金箔玉(ガラス玉)　[右]高0.9cm　重文　奈良・新沢千塚126号墳　東京国立博物館蔵
●I-49b　　銀の空玉　玉径0.8cm　重文　奈良・新沢千塚126号墳　東京国立博物館蔵

●I-50

●I-51

古墳時代にはC字形で頭部の孔から2〜4条の溝が刻まれた丁字頭式と呼ばれる勾玉《I-51》が象徴的にみられ、特別な呪力をもった親玉(中心となる玉)として用いられたと考えられる。

帯

革や布の帯に金属の飾り金具を打ち付けたものや帯自体を金属で作ったものがある。

前者の場合、革や布は腐食し金属部分だけが残っている。この帯金具には朝鮮半島系のものと中国系のものがある。朝鮮系は岡山県榊山古墳から出土した馬形帯鉤と呼ばれるもので、6枚の馬形青銅製品と1個の環からなる《I-52》。馬形と環は革か布の帯の両端に取り付けられ、馬形から伸びる鉤が環にかけられることにより固定された。韓国ではこの種の帯金具が原三国時代の古墳から発見されており、2〜4世紀頃に広く用いられたといわれている。一方、中国系は奈良県新山古墳《I-53》・兵庫県行者塚古墳・大阪府七観古墳などから出土した中国・晋式の金銅製帯金具である。もとは鉸具・銙・帯先金具・帯端金具・蛇尾から構成される《I-54》。この帯先金具・帯端金具には龍文が、銙には植物文が透かし彫りされている。これらは4〜5世紀代のものであり、中国王朝との関係が偲ばれる。その後、朝鮮半島を経由し日本にもたらされた帯金具の一部は6世紀前半までみられる。

一方、後者の帯自体を金属で作ったものは金銅製大帯とも呼ばれ、群馬県観音山古墳《I-55》、千葉県金冠塚古墳、奈良県藤ノ木古墳などの例が知られている。いずれも6世紀後半段階のものである。この装着例は埴輪にみることができる。

●I-52

●I-50　金製勾玉　和歌山・車駕之古趾古墳　和歌山市教育委員会
●I-51　硬玉製勾玉　重文　大阪・黄金塚古墳　東京国立博物館蔵
●I-52　馬形青銅製帯鉤　岡山・榊山古墳　宮内庁

縄文・弥生・古墳時代

● I-53

● I-54

● I-55

- I-53　金銅製帯金具（銙・鉸具）　奈良・新山古墳　宮内庁
- I-54　金銅製帯金具　京都・穀塚出土　東京国立博物館蔵
- I-55　金銅製鈴付大帯　長105.0cm　重文　群馬・綿貫観音山古墳　文化庁蔵　群馬県立博物館保管

●I-56　　●I-57

●I-59

●I-58

●I-60　　●I-62

●I-61

腕輪

　貝製・石製・金・銀・青銅製・ガラス製など多彩な腕輪が存在する。しかし、本来腕輪として用いられた貝輪は、先にも述べたように、この段階でその材質を碧玉に変え、石釧や車輪石《I-56》などといった儀器へと変化する。この変化は日本独特のものである。

　金属製の腕輪は円環型《I-57》のものと帯状円環型のものに大別できるが、銅釧に関しては弥生時代の伝統を引くもので、4世紀代の墓に限らず集落からも発見されている。金製・銀製のものは円環形がほとんどであるが、なかには滋賀県田上羽栗町出土の銀製釧《I-58》のように本体に小さな金環を伴う特殊なものもある。これらは5世紀から6世紀にかけてのものである。

指輪

　金・銀・銅製のものがある。福岡県沖ノ島遺跡《I-59》や奈良県新沢千塚126号墳《I-60》から出土した金製の指輪のように宝石をちりばめた痕跡を残すものもある。このほか、帯状の板を単純に曲げたものやそれを金箔で覆ったもの《I-61》、また刻みを入れた針金を螺旋状に巻き上げたもの《I-62》などがある。

　これらは5世紀から6世紀初頭にかけてのものがほとんどであり、6世紀中頃以降にはみられなくなってしまう。どうやら指輪は当時の日本人の趣味には合わなかったらしい。

●I-56　　碧玉製車輪石　京都・西車塚古墳、東京国立博物館蔵
●I-57　　金製腕輪　径6.7×7.1cm　重文　奈良・新沢千塚126号墳　東京国立博物館蔵
●I-58　　銀製釧（金環付）　長径7.3cm　滋賀・田上羽栗町出土　東京国立博物館蔵
●I-59　　金製指輪　国宝　福岡・沖ノ島祭祀遺跡　福岡・宗像大社蔵
●I-60　　金製指輪　重文　奈良・新沢千塚126号墳　東京国立博物館蔵
●I-61　　金箔で覆った指輪　埼玉・牛塚古墳　埼玉・川越市教育委員会
●I-62　　金製指輪　重文　奈良・新沢千塚126号墳　東京国立博物館蔵

The Concise History of Jewelry and Accessory in Japan

飛鳥・奈良時代

露木 宏

飛鳥時代

約100年間の装身具空白期

　古墳時代と重なる7世紀中頃までは、一方、仏教の時代でもある。

　538年、朝鮮半島の百済から仏像と仏典が伝わり、これ以降のわが国の大きな精神的支柱となる。仏教の教えを敬う聖徳太子が推古天皇（女帝）の摂政となったのは593年（推古1）。本書ではこの頃を飛鳥時代の始めとするが、これから710年の平城京に遷都するまでの約120年間は大陸文化と朝鮮半島文化の急速な受容期であり、国家意識も強くなった時代である。

　先進国の中国では589年に隋が国内を統一し、618年には唐が成立。わが国は遣隋使や遣唐使を派遣し、新しい制度や様々な文化を導入した。中国ばかりではなく、朝鮮半島の高句麗や百済の制度と服飾などの文化も積極的に取り入れた。そして、それらの国々との関係を強め、律や令という法律で国を治め、権力を中央（奈良）に集める中央集権国家へと進んでいった。

　通常、こうした海外、特に先進国との交流が活発な時期は装身具の発展にとっては好機と考えられる。先進国で流行している装身具や仏像を飾るインド風装身具が生活に入って、その結果前代に匹敵するか、それ以上の装身具繁栄

●II-1a

●II-1b

●II-1a　女子群像（部分）　高松塚古墳壁画西壁　国宝　文化庁蔵　奈良・明日香村教育委員会保管
●II-1b　男子群像（部分）　高松塚古墳壁画東壁　国宝　文化庁蔵　奈良・明日香村教育委員会保管

の時代を迎えたとしても不思議ではない。ところが飛鳥時代の装身具は意外な展開をたどる。

前章、古墳時代の藤ノ木古墳などの例でも分かるように、6世紀後半頃すなわち、飛鳥時代直前までは装身具を身につける人々がいた（ただし、ヒスイの勾玉（まがたま）の流行はすでに終わり、藤ノ木古墳からも発見されていない）。異変が起きるのは7世紀前後からで、この時期から勾玉などの玉類や金の耳飾り、金銅（こんどう）製の冠（せい）などの装身具は著しく衰退し装身具で身を飾る者はいなくなった。こうした状態は次の奈良時代まで100年余り続き、7世紀末から8世紀初頭の奈良・高松塚古墳の男女壁画を見ても、耳飾り、首飾り、腕輪などはつけていない《II-1》。

なぜ、あれほど盛んだった装身具の習慣が突如として消えたのか、多くの歴史家や考古学者がこの謎の解明に務めた。

装身具消滅の要因としてはこれまで、仏像渡来による護符意識の転換、金色（こんじき）の装身具の規制、服装の変化、冠位十二階の制、薄葬令（はくそうれい）などが挙げられてきた。ここでは、これらに加えて、耳飾りについては隋・唐の影響ということも考えてみた。服装の変化や精神的、制度的規制が複合的に作用し、さらには大陸の直接的影響もあって装身具は歴史の表舞台から姿を消したものと思われる。

仏教導入による護符意識の転換

仏教が装身具、特に、ヒスイの勾玉の消滅と関係しているという説から紹介す

●II-2

●II-2　飛鳥寺塔心礎出土埋蔵品　奈良・飛鳥寺蔵

●II-3　救世観音像　国宝　奈良・法隆寺蔵

る。

　この時代は、仏教に伴って大陸の文化が急激に流入し、政治、文化、生活のすべてに一大変革が起きた。

　その中で古代の人々の依りどころである護符(お守り)意識にも変化が起き、ヒスイの勾玉のような護符的要素の強い装身具は、新しい心の依りどころである仏教にとって代わられたという説である。

　それを裏付けるように飛鳥寺の発掘調査で仏塔の礎石の上からヒスイの勾玉や金の耳飾りほか多数の玉類などが出土している《Ⅱ-2》。これらは、593年に仏舎利(仏陀の遺骨といわれるもの)の埋納の時に、荘厳具(仏を飾るもの)として埋められたもの。玉類が寺院の要ともいうべき仏舎利に添えられていたということは、この時代の護符がヒスイから仏教関連の器物へ転換したことを意味すると受け取られている。

　仏教は金色の装身具を規制する働きもした。仏像の多くは金色であったため、金の価値観に大きな影響を与え、金色は仏教という聖なる世界のシンボルとなった。そのため、通常の人々は金色の装身具をつけることはなくなり、荘厳具などに転用された。

　豪族たちの好んだ金銅製の冠も信仰の対象である仏像の頭を飾るのみで、これで身を飾ることはなくなった《Ⅱ-3》。

　仏教が勾玉や金色の装身具を抑制したというこの説には聞くべきところが多い。しかしこれだけで装身具消滅のすべてを説明するのには無理がある。装身具と密接不可分の関係にある衣服との関連、あるいは強制力をもった制度の中で装身具がどう捉えられていたかという観点からの考察も重視するべきである。

服装の変化

　この時期は服装も変わった。大化改新(645)頃の衣服の様子は中宮寺(奈良)にある天寿国繡帳が示している《Ⅱ-4》。この刺繡は、聖徳太子妃の橘大女郎が太子の没後間もない622年(推古30)、太子を偲んで作らせたもの。男子の上衣はやや丈長で詰め襟の盤領(まる襟)である。下にはズボンのような細めの袴をはき、その上にプリーツのある褶という腰衣を巻いている。褶の着用は605年(推古13)に義務づけられた。頭部は破損しているが、被り物をつけている。女子は同じような盤領の上衣に、長めの裳をまとい、袈裟らしきものをかけている。古墳時代の人物埴輪に見られる衣服との共通性はあるものの、ゆったりとした感じはなくなり、なんとも異風である。これが当時の貴人たちの最先端の服装で、朝鮮半島風(高句麗系)ないしは北方騎馬民族の胡服に通じる衣服であるといわれる。

　衣服と装身具は一体のものであり、衣服が変われば装身具も変わる。とすれば、この新しい装いに既存の装身具や仏像が付けているような新様式の装身具が似合ったかどうかは大いに疑わしい。服装が変化したことも装身具が顧みられなくなった一因であろう。

飛鳥・奈良時代

●Ⅱ-4a

●Ⅱ-4b

金銅製冠を否定した冠位十二階

　さらに、この時代は天皇の権力を強くし、豪族たちの勢力を抑えようとした時期である。そのため、豪族たちの華美な金銅製冠などは冠位十二階の制により抑制の対象となった。

　冠位十二階とは、603年(推古11)に定められた、冠帽と衣服の色によって位階、すなわち序列を表わす制度であり、高句麗の十二階制や百済の十六階制などに学んで定められたといわれる。

　冠の色は最高位が紫で、以下、青、赤、黄、白で最下位は黒と決められ服も共色とされた。冠とはいっても金属ではなく絁(絹布)で作ったもので形は袋状。その様子を『日本書紀』では「髪は頂きにまとめてくくり、袋のように包んで縁飾りをつけた。元日だけは髻花を挿した」と記す。ここにでてくる髻花(「髻華」とも書く)が冠位十二階のもとで許された唯一ともいえる装身具で、髻(髪を集めて束ねた部分)に挿したのでこの名がある。高句麗にあった冠帽に鳥の羽を挿す風習をまねたものだろう。日本では位階によって金、豹の尾、鳥の尾の区別があった。陸奥国で金が発見されるのは749年、豹は当時日本にはいなかったから、これらは渡来品であろう。

　このように冠位十二階の制により冠の

●Ⅱ-4a　天寿国曼荼羅繡帳(部分)-女性　国宝　奈良・中宮寺蔵
●Ⅱ-4b　天寿国曼荼羅繡帳(部分)-男性　国宝　奈良・中宮寺蔵

色や形状・素材が決められたため、豪族たちはこれまでのように華やかな金銅製の冠を用いることはできなくなった。金銅製の冠は権威と富のシンボルとして古墳時代後期の豪族たちがたいへん好んだ装身具である。頭上を豪華に飾ることへの強い関心は、冠位十二階によって否定され、布の冠帽へと巧みに吸収されていった。冠位十二階はその後、682年（天武11）に廃止されるまでに647年（大化3）、649年（大化5）、664年（天智3）に改定された。647年の改定の時には、これまでの髻花にかわり、唐式の「釦」と呼ばれる蟬形金具（金・銀・銅とあった）で冠帽の正面を飾るようになった（『日本書紀』）。

薄葬令による装身具類埋葬の禁止

646年（大化2）に定められた薄葬令も、華美な装身具やヒスイなどの玉類を間接的にではあるが規制したようである。

薄葬令は人々がむやみに立派な墓を作ることを禁じた墓制である。終末期古墳の例でも分かるように、金銅製の冠や金銀の耳飾りに対する執着は根強いものがあり、簡単に忘れられるものではなかった。ところが薄葬令では「金・銀・銅・鉄を墓に収める必要はない」「死者に含ませる珠玉は必要ない。玉の飾りを用いた衣や珠玉の飾り箱は無用」（『日本書紀』）と金、銀やヒスイの装身具類の埋葬を禁じた〈コラムⅡ-1〉。

薄葬令は死後に関する規定ではあるが、古代人にとって死後の世界は現世

古代中国の玉信仰〈コラムⅡ-1〉

◆「死者に含ませる珠玉」「玉の飾りを用いた衣」などは中国で行われていた埋葬風習である。古代中国（漢）では、王族や貴族の埋葬に際して、口には蟬形の玉（ネフライト）を含ませた。また体は1,000個以上の碧玉（ジャスパー）を金や銀の針金でつないで作った玉衣で覆うという風習があった。玉には長寿や不老不死の効き目があるとされ、玉を含ませ、玉衣を着せることによって遺体は腐らないと信じられた。

と連続した世界ともいえる。死後に、大切な装身具類を何ら持って行けないとすれば現世で装身具を持つ意欲は大きく減じたのではなかろうか。

隋・唐にならい耳飾りを止める

金銅製の冠より広く普及していた金色の耳飾りの消滅については、金色の装身具の規制、服装の変化に加え、同時代の大陸の隋・唐の直接的影響も考慮した方がよさそうである。

『古代人の化粧と装身具』や近年の中国装身具研究をまとめた『中国五千年女性装飾史』によると、中国では紀元直前の戦国時代末期から前漢初期にかけて耳飾りの流行を見た。しかし隋・唐の時代には女性、ことに貴族の女性の間では基本的には耳飾りの習慣はなく、この時代の彫刻や絵画にも耳飾りをしている女性を見出すことはないといわれる。これは主に耳に穴を開けることを蛮風として嫌ったところから始まった風習であると考えられている（耳飾りが復活するの

「耳飾りは用いない」という先進国の情報は、遣唐使、あるいは来朝した隋・唐の人々によって直ちにわが国に伝えられたのではあるまいか。野蛮な国と見下されたくない当時の日本が、この情報によって、前代まで盛んだった耳飾りのすべてを捨て去ったとしても不思議ではない。

以上のような諸要因から飛鳥時代には装身具は著しく衰退し、一時途絶えたものと思われる。しかし、装身具がまったくなかったかといえばよく分からないところもある。例えば最初に紹介した高松塚古墳には、実は装身具として使えるような穴のあいたガラス製やコハク製の玉類が残っていた。これらは玉枕と呼ばれる装飾的な枕用のものであろうともいわれるが、首飾りや腕輪などに用いられた可能性も捨て切れたわけではない。また『万葉集』(巻十一・2352)には手玉を詠った歌もあり、中央の意向が伝わりにくい地方の人々や庶民の間には前代の装身具が残っていた可能性をうかがわせる。飛鳥時代の装身具にはまだ謎が多い〈コラムII-2〉。

飛鳥時代の金銀・宝石工房〈コラムII-2〉

◆飛鳥時代は装身具が衰退したが、貴金属や宝石類がなかったわけではなく、7世紀後半から8世紀初めにかけての飛鳥池遺跡(奈良)からは金銀工房やガラス工房跡も発見されている。

金銀工房からは金銀片や金の粒、金箔、銀の針金など80点ほどが出土。また金や銀を溶かす容器である坩堝も見つかった。わが国で、初めて金が産出したのは749年、銀が産出したのは674年。この産出年からすると銀は国産のものを使っていた可能性はあるが、金は新羅や高句麗から輸入されたものであろう。ガラス工房からは原材料となる石英、長石などのほか、カラフルなガラス玉、水晶、コハクなどが見つかった。古代の人々にとってガラスは宝石であり、そこに天然の宝石もあったとなると、ここはガラス工房というよりは宝石工房といった方がふさわしい。これらの工房では、時代的に見て、主に仏教関連の荘厳具などが作られていたものと思われる。

●コラムII-2　金銀工房跡出土品　[右]金を溶かしたるつぼ、[左]銀を溶かしたるつぼ、[下]金銀片など　奈良文化財研究所飛鳥資料館蔵

奈良時代

腰飾りと生花の髪飾りの発達

　平城京に遷都した710年から平安京に遷都する794年までが奈良時代。短い期間ではあるが、この時代はすべてにおいて大陸の唐風が貴族、官吏社会に蔓延した。装身具においても前代に衰退した装身具を取り戻すかのように腰飾り、髪飾りを中心とした唐風装身具が身につけられた。また万葉集にも詠われているように、自然素材の髪飾りも用いられた〈コラムII-3〉。

　大陸的な装身具が盛んに用いられた背景には奈良時代直前の701年（大宝1）に唐の制度を参考に定められた大宝律令がある。これは伝わっていないために明らかではないが、大宝律令は718年（養老2）の養老律令（施行は757年）で改修され、その内容は官撰の注釈書である『令義解』（833年完成）の衣服令で知ることができる。

　服制には、礼服、朝服、制服の3つの制度があった。礼服は高位高官が朝廷での重大な儀式の時に着用し、朝服は官吏が公務で着用し、制服は無位の官吏と民衆が宮廷儀式に奉仕する時に着用するもの。それぞれの服飾は男女別に分けられ、また男性はさらに文官、武官別になっている。

　装身具については礼服の時の男女が最も華やかであり、朝服の時の男性がそれに次ぐ。

男性の装身具

　この時代の男性の唐風の服装と装身具は、奈良時代の作といわれる聖徳太子像によって、おおよその姿を知ることができる《II-5》。頭には黒布の頭巾状のものをかぶり、丈が長く袖がゆったりとした袍という上衣を着、下にはズボンのような細い袴をはいている。装身具は礼服用のものと朝服用のものが混在しているようであるが、衣服は朝服姿を描いたものと思われる。

　この時代に装身具は唐に倣い、多くは腰部に集中していたが、それ以外にも笏という装身具に類する携帯品や豪華な冠もあった。

注目すべき奈良時代の装身具〈コラムII-3〉

◆奈良時代の装身具はこれまで飛鳥時代と一括りに論じられることが多く装身具衰退の時代、あるいは装身具不在の時代とされていた。確かに首飾り、腕飾り、耳飾りなどは発達しなかったが、腰飾りや髪飾りの着用は盛んであった。現代的（すなわち欧米的）見方でこの時代の装身具を否定的にとらえる研究者が多い。しかし、装身具とは身を飾るすべてを指す概念であり、どんな素材であろうと、また直接肌に付けるものも衣服の上に付けるものも同じように装身具である。そう考えれば、腰飾りや生花の髪飾りも立派な装身具であることを再確認すべきであろう。

日本装身具史

組紐の腰帯

　礼服の時に文官は平組みにした組紐の帯（絛帯）を用いた。太子像に見える赤や紺などで矢筈形（矢の弓づるにあてがう部分の形）を組み出した帯がこれであろう。正倉院にはこの絵と同じようなものが伝わり、法隆寺献納宝物には真珠がついているものもある。

革帯

　礼服時に武官は金銀装の黒漆塗りの革帯をつけた。朝服では文官は金属飾

●II-5　聖徳太子二王子像（部分）　宮内庁

りのついた革帯を用い、上級武官は金銀装の革帯を用いた。太子像に見える金具のついたベルトのような帯がこれに相当する。

袋(たい)

朝服の時に文官は腰に袋または衣袋(いたい)という装飾的な袋をつけた。色は服の色に従って決められた。中には随身符という門鑑(もんかん)(出入りの許可証)のようなものを入れた。太子像にある腰のハート形の袋がこれであろう。

太刀(たち)

礼服と朝服の時、武官は金銀装の太刀、すなわち反りのない直刀(ちょくとう)を腰に帯びた。太刀は武器というより身分を示す儀礼用の佩飾品(はいしょくひん)(腰の飾り)であり、装身具の一種。太子像の組み紐の腰帯から垂らした太刀がこれである。

笏(しゃく)

官位のある人が儀式の時に手に持つ細長い薄板で、これによって身分を示した。本来は文字を記して忘れることに備えるために使ったといわれる。礼服時、朝服時に文官、武官ともに用い、太子像にも見られる。牙笏(げのしゃく)(象牙製)と木の笏があり、上位の者は牙笏を用い、下位の者は木笏を用いることが719年(養老3)に決められた。貴重な象牙製の笏は装身具に類するものと考えていいだろう。

玉佩(ぎょくはい)

太子像にはないが、玉佩は高い身分を表わす重要な佩飾品。礼服の時、親王、諸王と上位の諸臣は玉を連ねた垂(たれ)飾りで右の腰部を飾った(かざ)(天皇は左右に

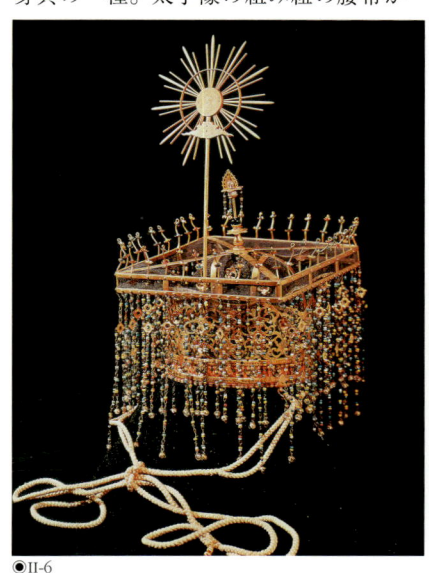

●II-6

●II-7

- ●II-6　孝明天皇(在位1846-66)の冕冠(参考品)　上部冕板(方形の枠)から玉類がすだれ状に下がる　宮内庁
- ●II-7　礼冠残闕(鳳凰形、日光形、葛形、花枝形ほか)　奈良・正倉院蔵

垂らした)。正倉院には玉佩と思われるものが伝わる。

礼冠・冕冠

これも太子像にはないが、礼冠は礼服の時に文官がかぶる冠。玉冠ともいう。天皇と皇太子の礼冠は中国での呼び方に従って特に冕冠《II-6》と称された。これらの完成品は残っていないので正確な形は不明だが、残闕を見ると礼冠・冕冠が、いかにきらびやかなものだったかが想像できる《II-7》。この残決は東大寺盧舎那仏の開眼法要(752年)に実際に用いられたものの断片である。金銀や金めっきの地金を日光形、葛形(つる草形)、鳳凰形、花枝形、小花形などに繊細かつ高度な技術で細工してある。冠に連ねて垂らした各色のガラス、サンゴ、真珠などの玉も残っている。

女性の装身具

この時代の装身具を含む女性の服飾を示すものに、薬師寺に伝わる吉祥天女画像がある《II-8》。この絵は当時の女官の礼服姿を表わしているといわれる。
髪は高く結い、衣服は袖口が広い大袖、長袂である。背子という袖なしの短衣を着て、肩からは領巾という布を長くひいている。足には錦の織物などで作られた金、銀の飾りのある舄という爪先の上がった履をはく。

宝髻

高貴な女性は金や玉で髻(髪を集めて束ねた部分)を飾ったのでこの名がある。吉祥天女像では少し分かりにくいが髪を頭上に結い上げている(高髻、双髻)。その根元あたりを金銀製の釵子と呼ばれる二本足の簪や花形飾りで華やかに飾った。

法隆寺には孝謙天皇(女帝)が用いたといわれる瑞雲(めでたい雲)を透かし彫りした銀製釵子が伝わっていた《II-9》。

領巾

領巾というショールのような布も用いられた。ひらひらする様子からこれを「ヒレ」と呼んだ。領巾を振り、あるいは風にゆれることにより人の目を引きつける装身具的効果は大きかったであろう。領巾は礼服の時以外にも用いられたようで、正倉院の樹下美人絵(鳥毛立女屏風図)のように、くつろいだ姿の絵にも見られる《II-10》。

首飾り、腕輪

吉祥天女像に見られるように、礼服の時には黄金製(または金銅製)と思われる豪華な首飾りと腕輪をつけることもあった。唐風を積極的に取り入れていた時代だけに唐の装身具風俗を真似たものであろう。飛鳥時代の項で述べたように、同時代の中国では耳飾りは用いられなかった(吉祥天女像にも耳飾りは見えない)。しかし首飾りや腕輪は用いられていて、特に腕輪は盛んであった。日本の身分の高い女性も特別の場合はこうした豪華な装身具で身を飾ったものと思われる。しかし、この吉祥天女像を仏

飛鳥・奈良時代

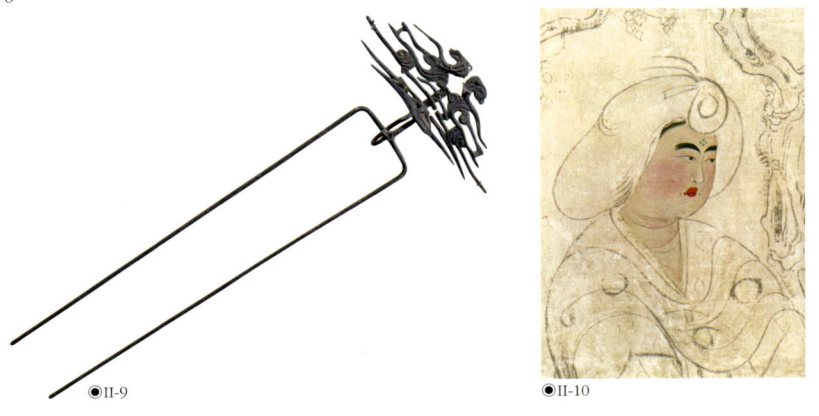

●Ⅱ-8

●Ⅱ-9

●Ⅱ-10

●Ⅱ-8　吉祥天女像(部分)　国宝　奈良・薬師寺蔵
●Ⅱ-9　瑞雲形銀釵(簪)　長14.7×幅6.0cm　重文　東京国立博物館蔵
●Ⅱ-10　鳥毛立女屏風(樹下美人の屏風)(部分)　奈良・正倉院蔵

画とみなし、そのため特別に首飾りや腕輪を描き加えたもので、実際にはこのようなものはなかったという見解もまだ根強い。

万葉集に詠われた髪飾り

礼服、朝服など改まった場での装身具のほかに、この時代には櫛や生花の髪飾りである鬘、挿頭花などがあり、日常の生活を彩っていた。飾り櫛は女性のものであるが、それ以外は男性も用いた。その多くは『万葉集』に詠われていて、そこからは公務を離れた時に身を装うことをいかに楽しんでいたかを知ることができる〈コラムII-4〉。

生花の髪飾りは、花好きの日本人が好みそうな装身具であるため日本独自のものと考えられがちだが、同様の髪飾りは唐でも流行していた。中国人にはよく知られる唐代の美人画「簪花仕女図」には6人の女性が描かれているが、このうち5人までが高髻を結い、髪には一輪の生花を挿している。中国では、このような風習は昔の漢代にすでに始まっていたといわれる。

櫛

唐の影響から、それまでの縦長の櫛は少なくなり、横長の櫛へと変わった。木と牙の櫛があり、木櫛は平城京跡などから発見され、象牙の櫛は正倉院に伝わっている。櫛は髪を梳くための実用櫛(梳櫛)としてだけではなく、飾り櫛(挿櫛)として用いられることもあった。

飾り櫛は『万葉集』の長歌の一節に「黄楊の小櫛 押え刺す うらぐはし子 それぞ我が妻」(ツゲの櫛を刺している姿のかわいい娘、それなのです、私の相手は)(巻十三・3295)と詠われている。

鬘

頭部の飾りとして男女とも用いたもので『万葉集』にたくさん出てくる。「縵」や「鬘」の字も用いられる。柳、菖蒲、稲穂、その他の四季折々の草花を輪状にして頭に載せて飾ったもので「大宮人のかづらける」(宮廷に仕える人々が鬘にしている)(巻十・1852)などと詠われている。これは上流の人々の歌であるが一般庶民の様子を詠ったものもある。

挿頭花

「髪挿し」を縮めた言葉と思われ、「挿頭」とも書く。この時代の人々は身分の上下、男女に関係なく、草木の花や枝を髪に挿して飾りとした。『万葉集』には

生花の髪飾り〈コラムII-4〉

◆櫛以外の髪飾りは人工的に細工をしたものではなく、季節の草花を手で折って男性は冠に挿し、女性は髪に飾った。いかにも風情のある光景であるが、古代の人々は自然の花や芽などには神秘的な生命力が宿ると考えていたようである。この場合も、頭に草花を飾ることにより自然のもつ生命力を体内に吸収できると信じていたのであろう。草花の髪飾りは、古代の人々にとって美と生命力の双方に効果を発揮する装身具であった。

「春さらば　かざしにせむと　我が思ひし　桜の花は　散りゆけるかも」（春がめぐってきたら、挿頭花にしようと決めていた桜の花はもう散り失せてしまったのだ）（巻十六・3786）などの歌がある。ほかにも、梅の花、萩の花、藤の花、なでしこの花などの歌がある。挿頭花は奈良時代の流行の装身具といえよう〈コラムⅡ-5〉。

正倉院の腰飾り

　正倉院宝物には聖武天皇の遺愛品を中心に、大仏開眼の時に使用されたものや諸外国からの献納品、貿易品など、様々な工芸品や装身具が保存されている。
　装身具では、すでに紹介した礼冠・冕冠の残欠のほか、玉帯や玉佩などの腰の装身具が含まれている。男性用がほとんどだが、女性用と思われるものもある。

玉帯

　正倉院に伝わる革帯は多いが、中で

髻花〈コラムⅡ-5〉

◆挿頭花と同じようなものに髻花がある。髻花は飛鳥時代の冠位制のもとでのほぼ唯一の装身具であったが、それが奈良時代にも引き継がれた。ただし素材は金銀ではなく花や小枝など身近にある自然物に変わった。挿頭花が私的な髪の装飾として広く用いられたのに対し、髻花は主に公的な冠位の標識として、あるいは神官の神事の髪飾りとして用いられた。枝花の中では、橘が多く用いられたようで、祭儀に仕える廷臣を詠んだ『万葉集』の歌に「島山に　照れる橘　うずに挿し」（御苑の山に照り輝く橘を髪飾りに挿して）（巻十九・4276）という一節がある。

も紺玉帯と呼ばれるラピス・ラズリで飾られた黒漆塗りのベルトは豪華である《Ⅱ-11》。ラピス・ラズリはアフガニスタン特産の宝石で、はるばるシルクロードを通って日本にもたらされた。皮質は牛革らしい。鉸具と呼ばれるバックルは銀製。ラピス・ラズリの裏側には銀板の座があり、銀の鋲で取り付けてある。唐からの輸入品であろう。

●Ⅱ-11

●Ⅱ-11　紺玉帯（ラピスラズリ飾りの革帯）　長158×幅3.3cm　奈良・正倉院蔵

玉佩

玉佩は高位高官の礼服時の腰の飾りであるが、正倉院には水晶、コハク、メノウの玉があり、これらは玉佩として用いられたものであろう。丸玉を腰に提げる方法には、1個を組緒（組紐）で結ぶ場合《II-12》と、いくつかを網の袋に入れる場合の二通りがあった。古代中国では軟玉（ネフライト）を玉佩に用いた。軟玉は中国本土よりはるか西方の崑崙山脈に源を発するホータン付近の川から発見される宝石。貴重で入手困難なため、日本では国内産の水晶やコハクで代用したものと思われる。

刀子

鞘に入った小刀で、組紐などで帯に吊るして腰に提げた。小振りのものや華麗なものは女性も用いた。一対で用いられたもののほか、3本（三合鞘刀子）、10本（十合鞘刀子）と組み合わせて用いられるものもあった。これらは国産と思われる。「橘夫人奉物」と奉納当時の木札がついた刀子が伝わるが、これは聖武天皇の後宮の橘夫人が愛用していたものといわれる《II-13》。この刀子は柄は犀角（サイの角）、鞘は銀の唐草で装飾してあり、所々に緑色ガラスと真珠の花飾りのついた華やかな作りである。

●II-12

●II-13

- ●II-12　佩飾（玉佩）　奈良・正倉院蔵
- ●II-13　刀子（小刀）　鞘の長13.8cm　奈良・正倉院蔵

飛鳥・奈良時代

● II-14

● II-15

魚佩(ぎょはい)

　魚形の佩飾品。魚は繁殖力が高いところから古代中国では吉祥文様として貴ばれた。正倉院には国産と思われる緑色ガラス、水晶、犀角、コハクで作った小型の魚佩が伝わる《II-14》。それぞれには吊り提げられるように小さな穴があけてある。国産と思われる。

香袋(こうぶくろ)

　正倉院に7個の小さな香袋が伝えられる《II-15》。蘇芳(すおう)(暗赤色)色の地を雑色の組紐で飾り、同色の口紐をつけたかわいい香袋もある。中国には香料を入れる香嚢(こうのう)または香袋といわれる布製の小袋があるが、それを真似て作ったものであろう。中に入れる香料には麝(じゃ)香鹿(こうしか)からとれる麝香やジンチョウゲ(沈丁花)科の植物からとれる沈香(じんこう)が用いられた。これらは日本にはない貴重な香料である。

小合子(しょうごうす)、小尺(しょうしゃく)

　小合子とは蓋(ふた)のついた小さな容器。正倉院には水晶で作られた六角の蓋と身から成る小合子がある(身の方は後で補ったもの)。これを網で囲んで腰から吊るしたと思われる。犀角製のものや紫檀(したん)金銀絵の小合子もある。中には真珠や紫水晶(アメシスト)などの宝石を入れたのではないかといわれる。

　小尺とは、小さな物差し。正倉院には犀角製とガラス(瑠璃)製がある。目盛りがあり片方の端に紐が通せるように小さな穴がある。穴に組紐がついているものも残っている。

● II-14　瑠璃(ガラス)魚形佩飾品　[右端の魚]長7.3×幅3.0cm　奈良・正倉院蔵
● II-15　香袋　奈良・正倉院蔵

正倉院の七宝の宝飾工芸品

装身具の他、正倉院には様々な宝石類を材料にして作った調度品などの宝飾工芸品が伝わる。

この時代の宝石観は仏教経典でいう七宝(「しっぽう」ともいう)で表わされているが、この七宝を使った工芸品も少なくない。七宝とは一般的に、金、銀、瑠璃、玻璃、珊瑚、瑪瑙、硨磲、琥珀を指すが、真珠が入ることもある〈コラムII-6〉。

金

金は少ないが、すでに紹介した礼冠・冕冠の残欠の葛形の金具を見ることができる。国産説が有力。

銀

銀は銀壺、銀盤(皿)、銀鉢、銀薫炉、一部めっきの金銀花盤《II-16》と呼ばれる花形の皿などがある。これらは渡来品。

瑠璃

ガラスのことであるといわれる。ガラスは古代においては大変珍重され、宝石として扱われた。正倉院には前項で紹介した魚佩のほか、数多くのガラス玉がある。ガラス玉は国産とされ、寺院の荘厳用に作られたとみられる。瑠璃は、ガラスであるとするのが一般的だが、本来はラピス・ラズリのことであったという説もある。

玻璃

水晶と思われるが、水晶はありふれているので天然ガラスではないかという説もある。またガラスの別名とされることも多い。水晶ならば正倉院には国産の小穴のあいた水晶玉がある。数珠や寺院の荘厳用として用いられたらしい。

珊瑚

サンゴが日本に初めて登場するのは奈良時代である。正倉院には、大仏開眼の時に使われた礼冠・冕冠の垂飾りとして真珠、ガラス玉などとともに用いられた

●II-16

で「金、銀、瑠璃、珊瑚、琥珀、硨磲、瑪瑙」。『法華経』では「真珠」を七宝の一つに入れている。

仏教の教えでは、仏の国(極楽浄土)は七宝の木々が生え、七宝の池があり、地も建物もすべて七宝で作られた華やかな世界である。仏教の世界で珍重された宝石類と、これらを使った工芸品類は当時の貴族たちの憧れであったろう。

七宝〈コラムII-6〉

◆七宝について書いた仏典は様々あるが、中でも『無量寿経』、『阿弥陀経』、『観無量寿経』の浄土三部経や『法華経』がよく知られる。『無量寿経』では「金、銀、瑠璃、玻璃、珊瑚、瑪瑙、硨磲」の7種、『阿弥陀経』では「金、銀、瑠璃、玻璃、硨磲、珊瑚、琥珀」の7種が七宝となっている。『観無量寿経』もほぼ同じ

●II-16　金銀(銀に金めっき)花盤　径61.5×高13.2cm　奈良・正倉院蔵

●II-17

サンゴの管玉7個と丸玉10個が残っている。その他、サンゴの原木も一本ある。

瑪瑙

　メノウはうつわ（瑪瑙杯）や経巻（経文を書いた巻物）の飾りに用いられている。メノウの勾玉も多くあるが、これは寺院や仏像の荘厳用とみられている。

硨磲

　美しい貝殻や珍しい貝殻のこと。熱帯の海にすむシャコ貝に由来すると思われる。工芸としては夜光貝など南洋の海で採れる貝を文様に切り抜いて器物に埋め込む螺鈿細工を指す。正倉院には螺鈿細工の琵琶や螺鈿細工で背面を装飾した鏡がある。鏡の中には背面の地にトルコ石やラピス・ラズリの砕石粒をちりばめた宝飾鏡の名にふさわしい華やかな螺鈿の鏡もある《II-17》。これは唐製と思われる。ラピス・ラズリはアフガニスタン産。トルコ石はイラン産、または中国産と思われる。

琥珀

　すでに紹介したコハク製の魚佩のほか、小合子などがある。また、螺鈿琵琶や螺鈿鏡の花の部分などにポイントとしてコハクがはめ込まれている。正倉院のコハクは赤みが強いため、日本（岩手県久慈、千葉県銚子海岸）のものではないといわれる。

真珠

　真珠は礼冠・冕冠の残欠中に3,800個以上ある。多くは直径3ミリに満たないものであるが、連ねるための小穴がある。大半は天然のアコヤ真珠であるがアワビ真珠も若干含まれている。今日の養殖真珠と比較するといかにも小さい真珠であるが、天然で大きなものは稀にしか出ないため当時はこれでも貴重であ

●II-17　平螺鈿背八角鏡　径27.4cm　奈良・正倉院蔵

った。そのほか、真珠は刀子の飾り金具に配されたり、礼服の時に使用する儀式用の履(くつ)に所々用いられている〈コラムII-7〉。

〈コラムII-8〉

様々に用いられた真珠〈コラムII-7〉

◆真珠は人気の高い宝石で、工芸品などを飾る以外にも用いられた。万葉集には真珠を題材にした歌が多数ある。真珠は「白玉(しらたま)」、「鰒玉(あわびだま)」などと呼ばれ、想う人への贈り物として表現されることが多い。万葉集最晩期(8世紀中頃)の作とされる大伴家持(おおとものやかもち)の長歌(巻十八・4101)によると、真珠は髪飾りである鬘(かづら)の一部に用いられていたようだ。奈良時代の人々に真珠が特別のものであったことは古事記の撰者である太安萬侶(おおのやすまろ)の墓(723年死去)から真珠が出てきたことでも分かる。

珍しい用いられ方としては東大寺の不空羂索観音像(ふくうけんさくかんのんぞう)(749年以前安置)の眉間の白毫(びゃくごう)に使われている真珠がある。白毫とは光明を放つという額でうずまく白い毛のこと。ここに径8ミリ強の扁平の円形真珠が使われている。当時としては最高級品質の照りの強い真珠が用いられたものと思われる。

正倉院の七宝以外の宝飾工芸品〈コラムII-8〉

◆正倉院には七宝といわれる宝石類以外に、ヒスイ、碧玉(へきぎょく)、軟玉(なんぎょく)、玳瑁(たいまい)、象牙などを用いた荘厳具や工芸品もある。

ヒスイ(ジェイダイト)や碧玉(ジャスパー)は勾玉に加工されているが、装身具用ではなく寺院や仏像の荘厳用とみられている。ヒスイは新潟、濃緑色の碧玉は島根の産。軟玉(ネフライト)で作られているものには玉杯(ぎょくはい)や玉器がある。これらは東洋での軟玉の主産地である中国西方のホータン付近の玉(ぎょく)を用いて唐で制作したもの。玳瑁(べっ甲のこと)で作られたものもあり、如意などの僧が持つ仏具の他、螺鈿を施しコハクを配した玳瑁螺鈿(たいまいらでん)八角箱(はっかくのはこ)などが伝わる。象牙には象牙の肌をそのまま生かした作品と、紺・紅・緑などに染めて線彫りで文様を施した撥鏤(ばちる)という技法で作った作品がある。撥鏤作品には琵琶を弾くための撥、儀式用の尺(しゃく)、碁石(ごいし)、刀子(とうす)の外装などがあり、それぞれ花鳥などの模様が美しい。これらは唐製とみられる。象牙の肌をそのまま生かした作品には前述の笏(牙笏)、櫛のほか、笛や尺八、刀子などがあり、この中には国内で加工されたものも多い。

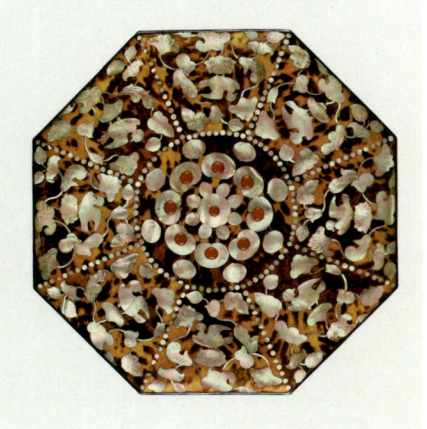

●コラムII-7　不空羂索観音菩薩立像頭部　国宝　奈良・東大寺蔵
●コラムII-8　玳瑁螺鈿八角箱の蓋　径39.2×高12.7cm　奈良・正倉院蔵

The Concise History of Jewelry and Accessory in Japan　Ⅲ

平安・鎌倉・室町時代

露木　宏

平安時代

貴族文化と男女の装身具

桓武天皇は平城京から794（延暦13）年に平安京に都を移した。律令制体制の建て直しを計ることが目的であったといわれる。この平安京遷都から1192年に源頼朝が鎌倉幕府を開くまでの約400年間が平安時代である。

894年には遣唐使が廃止され大陸との公式な関係がなくなった〈コラムIII-1〉。同じ平安時代でも遣唐使廃止前の100年間と廃止後の300年間は文化・風俗の様相は多少異なる。

遣唐使廃止前の平安初期は奈良時代の延長線上にあり、唐の文物を積極的に取り入れた大陸文化の模倣時代。貴族の衣服は男女とも全体にゆるやかで袖幅が広くなった。男性の装身具は奈良時代と同じく、唐風の装身具で腰を飾った。女性の髪形はアップに結った髪から垂らした髪へ移行しつつあった《III-1》。そのため髪飾りは前代ほど用いなかったようである。

遣唐使廃止以降は、唐の文化を基調としながらも、それを変化させ日本独自の文化を形成した。平安後期の10世紀後半から12世紀末には王朝時代と呼ばれる雅な宮廷の貴族文化が栄えた。男性は従来の公服である礼服着用の機会が減り、束帯と呼ばれる新たな朝服が通常礼服として用いられた。男性の束帯にあたる女性の公服（女房装束）は十二単の名で知られる装飾的な重ね着衣裳である《III-2》。十二単は装身具的要素を多分にもった衣服で、あでやかさや襟元や袖口の色の組合わせ（色目）で美を競った。

遣唐使廃止後の男性の装身具（主に腰部の飾り）は遣唐使廃止前とほとんど変わらないが、女性の装身具（主に髪飾り）は髪形の影響で変わった。この時代は十二単のヴォリュームに合わせるように、通常は長い髪を垂らした垂髪で過ごすようになった。この髪形では髪飾りが固定しにくいため、髪飾り類を用いる機会は減った。

しかし、前代からの女性の髪飾りはなくなったわけではなく、「髪上げ」とい

遣唐使廃止以降の交易〈コラムIII-1〉

◆遣唐使廃止以降、大陸との公式な交渉は途絶えたが民間貿易は続いていた。交易された品々については11世紀中頃に書かれた『新猿楽紀』（八郎の真人〔商人〕）に記されている。輸入品は、香木、薬、顔料、器物、織物など。その中には豹や虎の敷物、メノウの石帯、瑠璃（ガラス）の壺など貴族好みの異国の贅沢品も含まれている。「本朝物」、すなわち日本産のものとして、貴金属、宝石類、鉱物、絹布類などが挙げられている。宝石類は真珠、水晶、コハクなど。中でも真珠は貴重な交易品であったようで、『今昔物語』（巻二十六第16）の説話には中国の商人が真珠を求める様子が書かれ、『宇治拾遺物語』（巻十四）には、真珠が中国との間で高値で取引されたとある。

平安・鎌倉・室町時代

●III-1

●III-2

●III-1　仲津姫命像　国宝　奈良・薬師寺蔵
●III-2　佐竹本三十六歌仙絵断簡　小大君像（部分）　重文　奈良・大和文化館蔵

って、重要な儀式の時などには髪の中央を一結びして高くして髻を作り、釵子（簪）や櫛を挿すこともあった。また、ひたい（額）と呼ばれる髪の飾りもこの時代に登場している。

菅原道真の遺品

遣唐使廃止前の装身具は道明寺天満宮（大阪）にある菅原道真の遺品から知ることができる。銀装革帯、象牙の笏、そして女性用らしき象牙の櫛など。すべて唐からの輸入品と思われるが、それらが遣唐使廃止を建議した人物の遺愛品であるというのは興味深い。

銀装革帯

正倉院に伝わる玉帯と同系列のもので銀装の金具類で装飾された束帯用の革帯《III-3》。銀装とはいっても銅に銀めっきしたものらしい。金具には水晶玉が嵌め込まれ、周囲は騎馬人物や鴛などの図柄が打出されている。

象牙の笏

束帯の時、右手に持つ儀礼用の薄く細長い象牙の板である。このような貴重な材料で作られたものは装身具に類するものといえよう（長さ36センチ、幅6センチ弱）《III-4》。

象牙の櫛

棟（櫛の上部）の細工などから判断すると、本来は女性の飾り櫛と思われる。花弁文様が彫り込まれ、朱の上にべっ甲を嵌めてある。当初はかなり華やかであったろうと想像がつく《III-5》。

●III-3

●III-3　銀装革帯（菅公遺品）　国宝　大阪・道明寺天満宮蔵

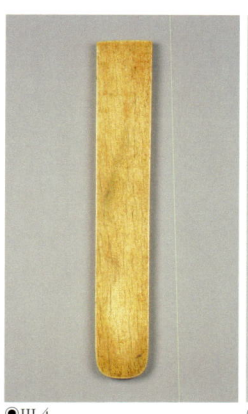

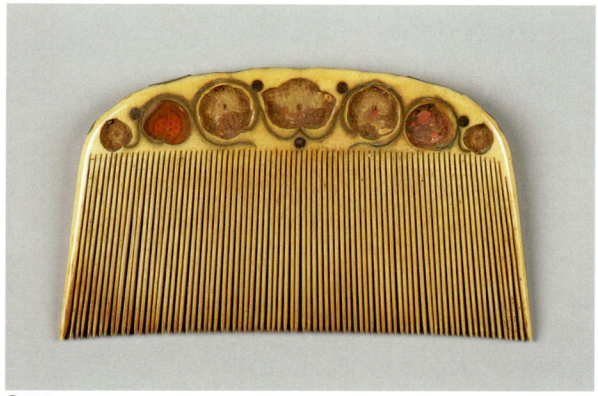

●III-4　　●III-5

男性の束帯装束での装身具

　遣唐使廃止以降の束帯装束（束帯時の装い）の時は石帯、太刀、魚袋など、基本的には奈良時代以来の唐風装身具と同様の装いで身を整え、飾った。

石帯

　この時代の革帯は石帯と呼ばれた。「いしのおび」ともいう。束帯装束の「束帯」という言葉はこの石帯で表衣を束ねたところから出たものである。黒皮の帯の背の方は様々な玉石で飾られていて、位によって種類も違っていた。玉石類としては白玉（白色の石）、べっ甲、メノウ、象牙などが用いられた。

太刀

　奈良時代の太刀と比べると刀身がわずかに反り、後世の日本刀の雰囲気を感じさせる形になってきた《III-6》。高位の貴族が儀式の時に用いる飾太刀は外装が美しく飾られた。この飾太刀は、柄には鮫皮を巻き、鞘には螺鈿で尾長鳥を描く。全体を引き締めるように華麗な透かし彫りの金具が施されている。

魚袋

　儀式の時に魚袋という袋状の飾りを石帯から吊るした。奈良時代に袋または衣袋といったものと同じようなものである。

　そのほか、束帯では笏を持ったが、笏は木製が用いられたので装身具的要素が少なくなった。

●III-6

●III-4　　牙笏（菅公遺品）　　長36.0×幅5.8cm　　国宝　　大阪・道明寺天満宮蔵
●III-5　　玳瑁装牙櫛（菅公遺品）　　国宝　　大阪・道明寺天満宮蔵
●III-6　　梨子地螺鈿金装飾剣　　長104.8cm　　国宝　　東京国立博物館蔵

貴族女性の髪飾り

王朝絵巻でも垂髪と十二単が強調されるため、この時代の髪飾りは忘れられがちである。しかし、つける機会は限られていたが、釵子、元結、ひたい（額）などの髪飾りがあった。

釵子

釵子とは2本足の簪のことで髪上げをして、髻を小さく結った時に用いられた。この時代のものは頭部に飾りのないU字のピン状のもので、素材としては金や銀、銅などが使われたようである。釵子は王朝文学にも登場し、『紫式部日記』（寛弘五年九月十一日）には「さいしさして」とある。釵子は宮中で食事を司る女官も用いた。前髪が垂れるのを防ぐために髪上げをし釵子で止めたもので、釵子には、所々濃い色の紫の紐が提げられた《III-7》。

元結

長い黒髪を紐や糸で結び束ねることもあり、その時用いるのが元結。元結は男性や庶民の女性も用いた。前述の『紫式部日記』に「白き元結」とあるように白が多かったようであるが、貴族社会では紫色の元結を用いることもあった。紫の高貴な色の元結は髪飾りの一種といえるだろう。

櫛

垂髪で過ごすことが多かったため櫛を挿すことは少なかった。しかし、髪上げなどして櫛を挿すこともあった。例えば、『枕草子』（二段）には正月七日のこととして、めでたい馬の見物のため牛車に乗り合わせた女性たちが牛車が揺れたため互いに額を打ちあて、挿櫛を落としたことが記されている。また、「あさましきもの（なんたることかと思われるもの）」として、挿櫛を磨くうちに、なにかにぶつかって折ってしまった時の気持ちと書いている。

●III-7

●III-7　紫式部日記絵巻（五島本第二段）　国宝　東京・五島美術館蔵
髪上げした女官の図（中央の3人）。頭上に小さな髻が見え、左側の女官の前髪にはかすかに釵子が見える。

●III-8

重要な儀式では後述の日陰蔓を結び留めるのに櫛を用いることもあった。『後拾遺和歌集』(雑五)に「さしぐしにひかげのかづらをむすびつけて」とある。

ひたい(額)

ひたい(額)と呼ばれる髪飾りがあった。平安時代になって初めて用いられたもので、初期には、髪の前を蔽って飾りとする(『倭名類聚抄』)というところから「蔽髪」という字が当てられた。『宇津保物語』あて宮の巻などにも登場し、大事な儀式の時などに髪上げをして額部分を飾った。形はよく分かっていないが、『年中行事絵巻』《III-8》で舞姫がつけている宝冠風の髪飾りがそれではないかといわれる(室町時代で紹介する平額がこの時代にあり、それを指すという説もある)。

これらのほかに、ヒスイ(翡翠)科の鳥であるカワセミの羽の釵子(簪)もあった。『新猿楽記』(十二の公〔美女〕)には「翡翠の釵 滑らかにして」(かわせみの羽で作った簪が髪になめらかに調和して)とある。

その他の平安時代の装身具類

以上のほか、平安時代の装身具類として、男女とも用いたものには手に持つ扇と頭を飾った日陰蔓がある。主に男性が用いたものとしては奈良時代以来の挿頭花、女性のものとしては首に下げる懸守があった。懸守はこの時代から始まった装身具的要素の強い携帯品である。

扇

扇は、この時代に最も注目を集めた装身具に類する携帯品である。本来は風を送ったり虫を払ったりする用具だが、顔をあからさまに見せないようにしたり、物を指し示すのに使ったりするほか、優美な動きによって相手の注意を引きつける小道具としても用いられた。扇には、ひのきの薄い板をとじ合わせた檜扇と、竹の骨に和紙を貼った蝙蝠という紙扇がある(蝙蝠は夏に用いた)。

檜扇の原型はすでに奈良時代にあったが、著しく発達するのは平安時代からである。最初のころは白木の檜扇を男性が用いていたが、しだいに貴族女性に広まっていき、極彩色の装飾的な扇になっていった。

厳島神社(広島)には、華麗な檜扇が伝わる《III-9》。白い粉の下地(胡粉地)に雲母をひき、その上に金銀の切箔や粉末を蒔き、表には人物、裏は梅花の咲く野辺を濃厚な岩絵具で彩絵する。要は鳥と蝶の金具(銀の鍍金)。

●III-8 年中行事絵巻「内宴」 模本(原本は平安)(部分) 個人蔵

●III-9

●III-10

日陰蔓

　天皇の即位後に催される大嘗祭などの重要儀式の時、貴族は絹糸でできた数本の撚り紐で頭部を飾った。日陰糸ともいう。967年に施行された『延喜式』(成立は927年)にも出ている大切な飾りで男性は冠後部の巾子から垂らし、女性は髪に釵子などで留めて垂らした。由来は奈良時代の頭の飾りである鬘であろう。最初はシダ植物の「日陰のかずら」が使われていたが、平安時代には絹の撚り紐に代わり、色も清浄の色とされた白が主に用いられるようになった。

挿頭花

　奈良時代に盛んだった草花の挿頭花は主に男性が引き続き用いた。中期以降には造花の挿頭花も登場した〈コラムIII-2〉。

平安時代の挿頭花〈コラムIII-2〉

◆この時代の挿頭花は奈良時代の自由さは失われ、飾る花の種類によって位を表わすことも多くなった。大嘗祭での挿頭花は、天皇・大臣は藤の花、納言は桜、参議は山吹、以下の者は時々の花をかざすと決まっていたようである。ところが大嘗祭は秋に行われるため、藤、桜、山吹など春の花は造花であった。この造花は色とりどりの細い絹糸を並べて張り合わせたもので糸花ともいう。

　挿頭花は人気が高かったようで、王朝文学にもしばしば登場する。『枕草子』(二百八段)では、何とも言えず趣があるものとして、挿頭花にチラホラと舞う雪が取り上げられている。『紫式部日記絵巻』には挿頭花をつけた姿が描かれているので着用の様子が分かる。

懸守

　本来は、身の安全を祈るために護符を入れて身につけたもの、すなわち、お守りである。装飾的な作りになっていて、外出の際に首に懸けた。四天王寺(大阪)には長さ(横)7センチ前後の華麗な7個の懸守が伝わる《III-10》。楕円形、箱形、桜花形などの筒状の箱の上を美しい錦でくるみ、その上を花、鳥などを透かし彫りや打出しで加工した銀、銀に金めっきした金具で華やかに加飾してある。

鎌倉時代

武家の世で装身具未発達

　源頼朝が征夷大将軍となり、1192年（建久3）に鎌倉に幕府を打ち立て武士の政治が始まった。それから幕府が倒れる1333年までが鎌倉時代。貴族支配から武士支配へと大きく転換した歴史上の節目の時期（古代から中世へ）にあたる。

　武士の世にはなったが、文化・芸術面では武士が影響を与えたものや新たに創造したものは少なく、宮廷貴族の文化が依然として支配的であった。男女の衣服、髪形は、質実剛健を旨とする武士の信条が反映され、平安時代の華麗なものから一変し、簡素・軽装に向かった。

　一般の武家男子は烏帽子という黒いかぶり物と直垂を常服とした。直垂は、もとは私服的なものであったがこの時代から武士の平常服となった。

　朝廷に仕える公家も、権力を失うとともに経済的余裕がなくなり衣服は簡素な方向に進んだ。略式の礼服である束帯や直衣（「直」は普段の意味）という前代の私服が正装として用いられた。

　公家女性の十二単のような大げさな服は見られなくなり、重ね着を少なくしたり、また日常には小袖という現在の着物に近い形の衣服を着るようになった。

　女性の髪形も活動的になった。絵巻物の中の人物を見ると平安時代と同じ垂髪であるが短めの垂髪が多くなり、元結で結んだ姿が増えた。

　衣服、髪形をはじめ、生活のすべてが簡素化されたのが鎌倉時代である。飾りは虚飾とされる風潮の中で新たな装身具が発達することはなかった。

武家の装身具

　上層の武家は公家の服飾を取り入れ、貴族が狩りの時などに着用した狩衣や水干（狩衣の略服）を礼装とした。また、晴の儀式の時は公家の装束である束帯を用いた。その束帯姿は神護寺（京都）にある伝・源頼朝像に見ることができる《III-11》。儀礼用の笏を手に持ち装飾的な太刀で腰を飾っている。絵からは分からないが、束帯姿であるからには石帯を腰に巻いたであろう。

　頼朝像に見える太刀は、柄の中央が毛抜き形に透かされているところから毛抜形太刀と呼ばれるもので、平安時代のものであるが同形のものが春日大社（奈良）に伝わる《III-12》。鞘全体に金粉が蒔かれ、竹林で雀を追う猫が描かれた優雅な太刀である。

　なお、特殊ではあるが、鎧・兜も見方によっては装身具の一種ともいえなくもない〈コラムIII-3〉。

　武家女性の装身具についての記録は見つからない。髪飾りを用いた様子もない〈コラムIII-4〉。

平安・鎌倉・室町時代

日本装身具史

●III-11

武装の美〈コラムIII-3〉

◆武士の世は、身体装飾品とでも呼びたくなるような鎧(よろい)や兜(かぶと)を発達させた。鎧・兜、すなわち甲冑(かっちゅう)は武士の本来の姿ともいうべき戦時における武装である。いざ出陣となれば、武将クラスは鎧・兜で身を固め愛馬にまたがって戦場に出る。甲冑は実用的にいえば防具として堅固であればよいのだが、晴(はれ)の装いとして美を求め過剰なまでの装飾を施した。

武運を願って寺社に奉納された甲冑も多い。図は春日大社(奈良)に奉納された赤糸威鎧(あかいとおどしよろい)と呼ばれる全体を赤く染めた組紐で綴り合わせた大鎧(威すとは「緒(お)を通す」の意味)。兜には竹や雀、菊、桐などが透し彫りされた飾り金具が被せられている。工芸品としてもこの時代を代表するものの一つである。

●III-11　伝源頼朝像(部分)　国宝　京都・神護寺蔵
●コラムIII-3　赤糸威大鎧(竹虎雀飾)　国宝　奈良・春日大社蔵

◉Ⅲ-12

公家の装身具

　公家の服装は簡素になったが、束帯姿の時の装身具類は平安時代と同じようなものが用いられた。

　石帯は、前代の1本の長い形状のものが二分され、本帯と上手の2つになった（上手は背に回し帯に挟む）。また、金具がなくなり両端に紐をつけ（片方は輪状）、締め合わせる形式になった。

　笏は、貞応期（1222-24）からはほとんど木製となった。

　檜扇や紙扇（蝙蝠）も引き続き用いられたが、装飾されていない扇が多かったようである。

　即位礼など重要儀式の時は礼服が用いられ、天皇は冕冠をかぶり、左右の腰を玉佩で飾った。すでに述べたように正倉院には礼冠・冕冠の残欠があるが、これは、1242年、後嵯峨天皇即位にあたり、制作の参考に取り出した時に破損したものである。

北条政子の梳櫛〈コラムⅢ-4〉

◆実用櫛（梳櫛）だが、装飾的な櫛の遺品がある。三島大社（静岡）には、紫檀製で、櫛の背の部分に梅の花の形に貝を埋め込んだ螺鈿櫛が伝わる。北条政子が奉納したものと伝承される。源頼朝の妻である北条政子は鎌倉時代で最も有名な女性であるが、櫛でも後世に名を残した。政子の名から付けられた政子形（鎌倉形ともいう）という、ゆるやかな曲線（円棟）の櫛がある（下図）。この櫛は後の江戸時代後期に飾り櫛として流行し女性たちの髪を飾った。

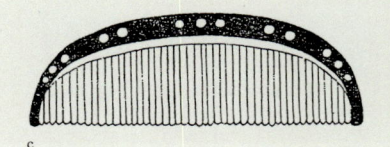

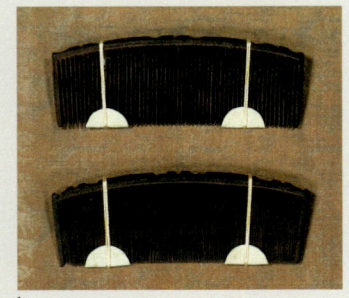

●Ⅲ-12　金地螺鈿毛抜形太刀　総長96.3cm　国宝　奈良・春日大社蔵
●コラムⅢ-4a,b　梅蒔絵手箱（櫛箱）と紫檀螺鈿櫛（梳櫛）　国宝　静岡・三島大社宝物館蔵
　コラムⅢ-4c　政子形櫛図　『歴世女装考』より

公家女性の十二単のような装飾過剰な服はすたれ、衣は5枚となった（五つ衣）。衣服は簡素化されたが、平額（「ひたい」の鎌倉時代からの呼称）や釵子（簪）は平安時代から続いていた。扇も用いられていたと思われる。

その他、平安時代からあった懸守という信仰的な装身具も続けて用いられた。その着用の様子は、鎌倉末期の「石山寺縁起絵」《III-13》の寺詣の女性（画面中央）などに見ることができる。この時代、女性も積極的に旅に出るようになり神社仏閣への参拝が盛んになったが、こうした外出時には懸守を身につけ旅の安全を願った。

なお、鎌倉時代には挿し櫛の風習はなく、公家女性も飾り櫛を用いることはなかったようである。

●III-13

●III-13　石山寺縁起絵　巻五第一段（部分）　重文　滋賀・石山寺蔵

室町時代

貴族的装身具文化の終焉

室町時代は、鎌倉幕府滅亡(1333)から天皇家が2つに分かれて争った南北朝の時代を経て、室町幕府の滅亡(1573)までの期間である。

政治の中心が京都に戻ったので、文化は優雅な公家風と剛健な武家風が混じり、貴族趣味の武家文化を形成。その最盛期は金閣(1398年建立)で有名な足利義満の北山文化の頃で、この時代前後は平安時代に流行した扇が動く装身具として再流行するなど華やいだ世であった。衣服に変化は少なく、装身具も公家、武家とも大きな変化はなかった。

しかし、京都を焼き尽くした応仁の乱(1467-1477)以降は、銀閣(1489年完成)で知られる義政による東山文化はあったが、幕府の力は弱まり各地に群雄が割拠する戦国の時代となった。武士が烏帽子を止め、額から頭上にかけて髪を円く剃る月代という頭が常態化したのも戦国期からである。

応仁の乱で経済はすっかり疲弊し、公家は今までの服飾を維持することが困難になっていた。式典の時などは損料と呼ばれた使用料を出して束帯などを借りたほどであった。後柏原天皇の即位の時(1500)などは皇室財政の窮乏により即位の大礼が行えないほど行き詰まっていた。

この頃を境にして、平安時代以降命脈を保ち、武家の装身具にも影響を与えてきた貴族的装身具文化は事実上終わりを迎えることとなる。

熊野速玉大社の装身具関連遺品

熊野速玉大社(和歌山)には、応仁の乱以前の南北朝時代の懸守、檜扇、玉佩、挿頭花などの装身具類が伝わる。

懸守

女性の護符的な装身具で平安時代からある。速玉大社の懸守は紺地の錦に籬(竹などで粗く編んだ垣根)に梅樹模様の金銅製金具が据えてある《III-14》。懸守はこの時代に用いられることが多かったようで、「七十一番職人歌合」には巫女の懸守姿のほか、歌舞を職業とする遊女と呼ばれた女性が懸守を提げた姿が描かれている。

●III-14

●III-14　金銅装錦包懸守(一懸)　国宝　和歌山・熊野速玉大社蔵

日本装身具史

◉III-15

◉III-16a　　　　　　　　　　　　　　　　　　　　　◉III-16b

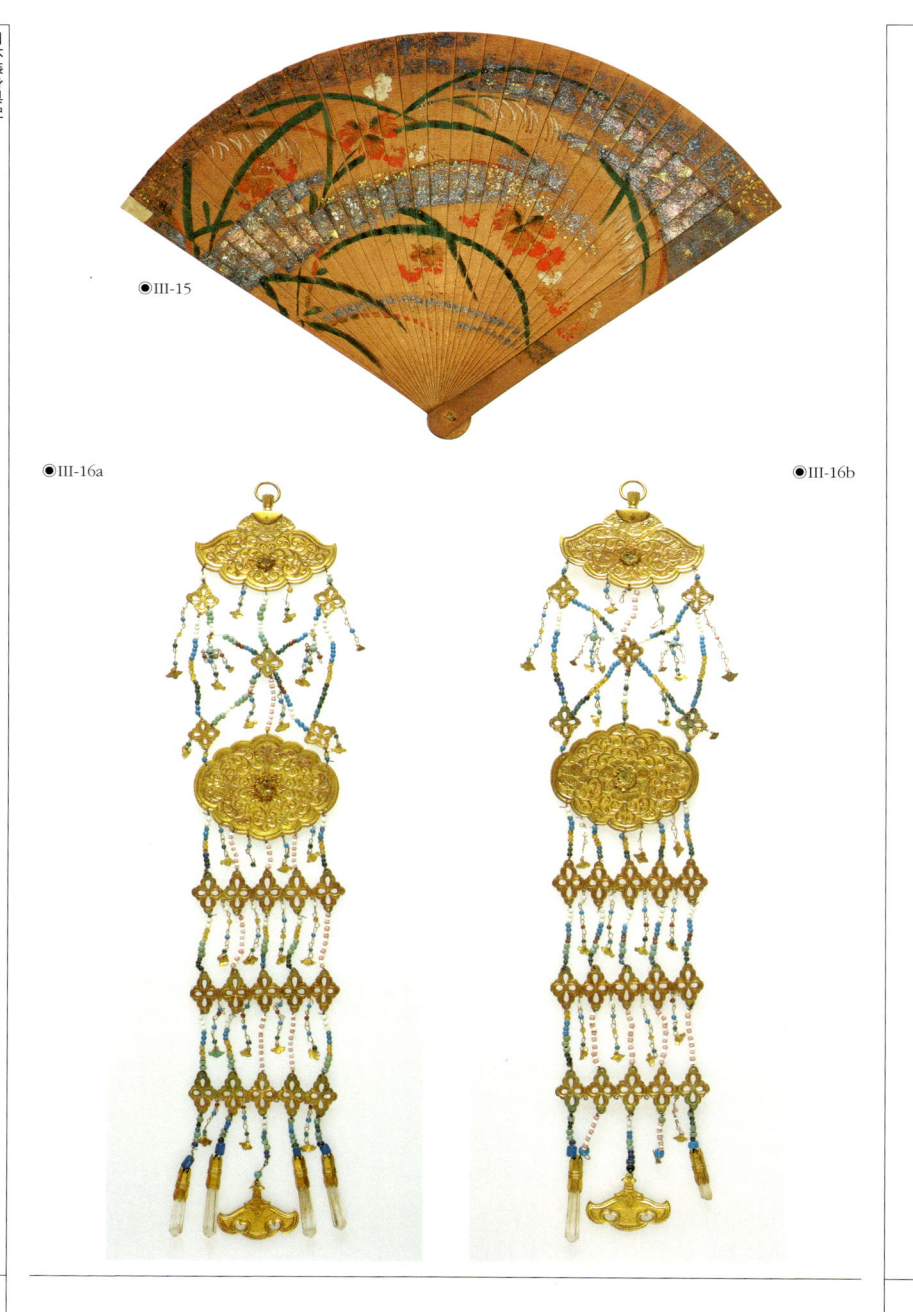

●III-15　　　彩色檜扇（一握）　国宝　和歌山・熊野速玉大社蔵
●III-16a,b　玉佩（二旒）　国宝　和歌山・熊野速玉大社蔵

●III-17a

檜扇
ひおうぎ

　公家たちが使用したものと思われる華やかなもので、平安時代の厳島神社にある扇より大振りで絵画的である。《III-15》は伝わるものの1本で、両面に雲母をひき、金銀の切箔や野毛（切箔の細長いもの）を散らして霞を表現し、表に秋草図、裏には芦雁雪景図が描かれている。

玉佩
ぎょくはい

　玉佩は公家男性の礼装用の腰の飾りだが、これが2本伝わる《III-16》。臣下は右腰に提げ、天皇は左右に提げると

●III-17b

いう決まりからすると、これは対のようであるから天皇用のものであろう。玉（色ガラス）で飾った華やかな玉佩である。

●III-17a,b　挿頭花　国宝　和歌山・熊野速玉大社蔵

挿頭花

造花の挿頭花がほぼ完全な形で保存されている《III-17》。挿頭花は息の長い髪の飾りで、奈良時代には自然の草花が用いられ、平安時代から造花のものも登場した。この挿頭花は絹糸を貼り合わせた精巧なもので、枝葉は緑色と朽葉色（赤みがかった黄色）、花は各色で、梅、藤、菊、桃、椿、野菊、蔦、山吹など季節の草花が作られている（長さ14～18センチ）。

公家女性の髪飾り

絵元結

応仁の乱以降、朝廷に仕える女官や武家女性は絵元結という直径1.2～1.5センチぐらいで、表面に金箔を押し、表面を彩色絵で描いた元結を用いた。自分の髪に髢（添え髪）を足して長い垂髪

●III-19

にしたい時に、継ぎ目にこの太めの絵元結を掛けた。《III-18》の絵元結は江戸時代のものであるが、この時代のものも同じようであったと思われる。

平額

絵元結が用いられ始めた頃だと思うが、公家女性は儀式の時に平額という髪飾りで頭部前面を飾るようになった。

●III-18

●III-18　絵元結　東京国立博物館蔵
●III-19　平額[中央]ほか髪上具一式　東京国立博物館蔵

平額飾り〈コラムIII-5〉

◆平額には、心葉(作りものの枝や花)という梅形の飾りのついたものがあった。これは大嘗祭などの時に日陰蔓とあわせて宮中女官が用いた。男性用の心葉もあり、こちらは金銅の台に立て冠の巾子の前につけた。心葉は挿頭花が形式化したものといわれる。初めの頃は金銀めっきの金属枝に貝の梅花を付けていたが、江戸時代になると金属だけで作ったものが多くなった。図は江戸期のもので、左が女性用、右が男性用。

平安時代以降のひたい(額)が変化したものであろうが、平安時代の宝冠風とは異なり、この時代になると下端がやや欠けた円形の上に3本の笏または剣が立ったような形になった《III-19》。これに釵子と櫛を組み合わせて用いた。現在なお宮中の大礼に際して用いられているものとほぼ同じもので、見るべきものが少ない室町時代の装身具の中では注目に値する。〈コラムIII-5〉

武家の提物

次の時代になると印籠、たばこ入れなど腰に提げる実用的な装身具が盛んになるが、そうした提物の風習は戦国時代頃から始まった。戦国武将として名高い武田信玄(1573年没)の像といわれて

●III-20

●コラムIII-5　平額梅形飾り(心葉)　東京国立博物館蔵
●III-20　武田信玄像(部分)　重文　和歌山県・高野山霊宝館蔵

きた絵には、左腰前に提物が見える《III-20》。たばこ入れのようにも見えるが、たばこが日本に伝わるのは16世紀末から17世紀初めといわれるから、信玄の時代より少し後になる。そのため、この提物はたばこ入れではなく、火打石や火口を入れる火打袋のようなものと思われる。火打袋は、『古事記』にも登場するくらい古くからある提物である。〈コラムIII-6〉

刀装具の発達と装剣金工・後藤家〈コラムIII-6〉

◆彫金の技術を駆使した刀装具の制作が本格的に始まったのは室町時代である。応仁の乱後の戦い方は鎌倉時代とは違った。ポルトガル人によって伝来した鉄砲（火縄銃）が作られ、また槍の使用も多くなった。従来の重い甲冑では動きにくく当世具足という実戦向きの甲冑になった。同時に刃を下にして腰に吊るした太刀は後退し、刃を上にして腰にさす打刀が主流になった。そのため打刀用の鐔、小柄、笄、目貫など刀装具の需要が増えた。

ここに登場したのが八代将軍・足利義政に仕えた後藤家の祖、後藤祐乗。祐乗は格式の高い精巧な高彫りで、竜、虎、獅子などの動物文様を目貫や笄、小柄などに彫り出し名声を博した。後藤家は祐乗以後も豊臣家や徳川家にも仕え、明治・大正・昭和と彫金の家系は続いた。最後の第十九代の後藤年彦は昭和30年代から始まる創作ジュエリー運動と係わりも深い。

The Concise History of Jewelry and Accessory in Japan

IV

桃山・江戸初期

露木 宏

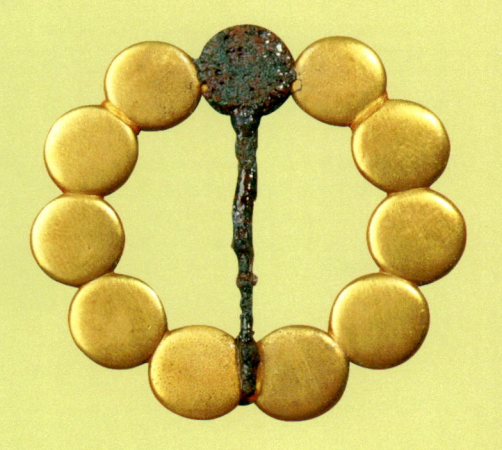

桃山・江戸初期

豪壮華麗と南蛮趣味

　安土・桃山時代（以下、桃山時代と呼ぶ）は室町幕府滅亡の1573年から1603年の江戸幕府の成立、あるいは豊臣氏滅亡の1615年頃までの半世紀にも満たない期間である。

　この時代は短いが、中世から近世への転換期であり、ヨーロッパ文化が入ってきた画期的時代である。

　江戸時代の初めは桃山時代の風潮が強く残っていた時代で、風俗においてはその延長線上にあった。ここでは鎖国令が出された1639年頃までを江戸初期とし、桃山時代と一緒に扱う。

　この時代は、織田信長、豊臣秀吉の両雄の好みに代表されるように、豪壮華麗とスペイン人、ポルトガル人によってもたらされた南蛮趣味を文化の特徴とした。

　衣服は袖口が狭く、前を合わせて着る小袖が一般的になった。応仁の乱（1467-77）以降に用いられた、今日の着物の原形となる衣服である。

　武家は小袖の上に肩衣をはおり、袴をつけて礼服とした。武家女性は小袖に細い帯で、晴れ着として冬は小袖の上に打掛（丈の長い小袖）を着た。庶民の服装も基本的には武家と同じく小袖である。

　公家の服飾は、戦国時代の衰退の極みを脱し活気を取り戻したが、もはや武家への影響力はほとんどなくなっていた〈コラムIV-1〉。

　女性の髪形は大きく変化し、大名夫人、公家女性など一部を除いて髪を束ねるようになった（束ね髪）。後頭部に引き上げた髪を束ねまとめた今日にも通じる唐輪髷（中国風の髪形で天正髷ともいう）も登場する。江戸初期の「松浦屏風」《IV-1》に描かれた左側上の女性の髪が束ね髪、下の女性が唐輪髷である。しかし、女性の髪飾りは未発達で、まだ飾り櫛や簪は登場しない。キリスト教布教のために来日したルイス・フロイスも、『日本覚書』で、ヨーロッパの女性は頭の装飾のために多くの髪飾りを用いるが日本

公家女性の懸帯〈コラムIV-1〉

◆男性は束帯をはじめとする従来の服飾が復活しただけで大きな変化はなかった。公家女性の装飾には懸帯という肩から前面に垂らして中央で結ぶ美しい色の紐状の帯が加わった。その姿は仙波東照宮（埼玉）にある「三十六歌仙額」に見ることができる。懸帯の起こりは室町時代頃ともいわれるが一般的になったのは桃山時代からのようである。

●コラムIV-1　三十六歌仙額　三十六面の内「中務」（部分）　重文　埼玉・仙波東照宮蔵

桃山・江戸初期

の女性は頭には何も付けていないと、その違いを記録している。

西洋装身具との出会い

　桃山・江戸初期は、ヨーロッパの大航海時代と重なり、ポルトガル人やスペイン人が来航した時代である。そのため異国の服装などを好む南蛮趣味が大名や臣下たちの間で流行し、ロザリオなどの西洋の宗教的装身具を求めるものも多かった。その様子をイタリア人巡察師

●IV-1　婦女遊楽図屛風（松浦屛風）　右隻（部分）　国宝　奈良・大和文華館蔵

ヴァリニャーノは1592年の記録の中で、「彼ら(キリシタン大名たち)が我々に注文するのは、聖像、数珠玉、すなわちロザリオである。それらの物で日本で作られたものはほとんど何ら価値を認めず、ヨーロッパやローマで作られたものを非常に欲しがり熱望する」と述べている。

また、1593年のイエズス会報告の中には、朝鮮出兵の拠点である名護屋(現在の佐賀県)にいた九州の諸大名や秀吉の臣下たちの間にはポルトガル風の服飾を真似るものが多く、「金の鎖、ボタンが流行」とある。翌、1594年に宣教師フランチェスコ・パッシオがポルトガル本国に出した手紙によると、諸大名の中にはキリシタン(キリスト教信者)でないのに「胸には流木製のロザリオ(数珠)をかけ、脇または腰から十字架」を垂らすものもいたという。さらには何に用いるかは不明だが、高い金を払って「キリストや聖母の御影(神霊)の聖宝が入っている卵形の耳輪(耳飾り)の制作を注文」するものまでいたと記録している。

大名たちから始まった南蛮趣味は、新奇を好む女性たちへ広まり、「松浦屏風」の束ね髪の女性のようにロザリオ風ネックレスをする女性も現われた。

このように、宣教師たちは布教を進めながら、装身具を含む様々な記録を残した。その中には西洋と日本の宝石観・財産観の違いに言及した記録もある《コラムIV-2》。

桃山・江戸初期という時代は、装身具においては過渡期であるが、戦乱の世から開放されたため身を飾る欲求は高まっていた。ロザリオ風ネックレスなどもその欲求の現われと理解することができよう。その他、装飾的な頭巾やたばこ入れ、印籠など実用を兼ねた装身具もこの時代に登場した。また、わずかではあるが指輪やブローチ、ペンダントなどの西洋装身具、すなわちジュエリーも日本に入ってきた。

西洋人が驚いた日本人の宝石・財産観〈コラムIV-2〉

◆16、7世紀のヨーロッパ人の日本観の基本になったといわれる資料に、ヴァリニャーノの『日本要録』がある。その中で、「驚異に価する」ものとして日本人の宝石観・財産観を取りあげ次のように記す。

「私たちにとって児戯に類し笑いものであるが日本では主要な財産であり彼らはこれを私たちの装身具や宝石類のように尊重する」。これとは名工によって作られた鉄釜、茶入れなどの茶器で、キリシタン大名の大友宗麟などはヨーロッパ人から見れば鳥に水を与えること以外に役立ちそうもない土製の茶入れに大金を投じている、と不思議がっている。また黄金でなく、ただの鉄にすぎない刀の鐔を度を越して珍重するのも理解しがたいと述べている。

ヨーロッパの人々が大切にする宝石については、なんの役にもたたぬ「小石」とされ、そんなものを買うヨーロッパ人に日本人が大切にしている茶器などを非難される理由はないと反論されている。名工が作った生活に役立つもの(実用品)を貴重品とする日本人と、金や宝石などの素材価値が高いものを貴重品とするヨーロッパ人。その価値観の違いがはっきり出ている記録として興味深い。

ロザリオ風首飾り

《IV-2》は、江戸初期の「歌舞伎草子」に出てくる十字架のついたロザリオと金のネックレスらしきものを二重にかけた男装の女芸人。額には結び目の大きい鉢巻をし、腰には当時流行していた名護屋帯という細帯を幾重にも巻き、帯には瓢箪、巾着、袋などを提げている。衣服の色や模様も華やかで、これ以上ないぐらい派手な格好である。

こうした芸人以外にも、前で紹介したように「松浦屏風」にもロザリオをかけた女性が見え、ロザリオの広がりをうかがわせる。ロザリオは桃山から江戸初期

●IV-2　歌舞伎図巻（歌舞伎草子）　二巻の内下巻（部分）　愛知・徳川美術館蔵

●IV-3

の異国ブームを特徴づける装身具である。しかし、幕府によって1613年にキリスト教の禁令が出され、1637年に島原の乱で多数のキリシタンが犠牲になった。それ以後は、キリシタンと間違えられるのを恐れ、ロザリオを身につけるものはいなくなった。

頭巾

かぶり物である頭巾は平安時代以降、尼僧などによって用いられていた。この時代になると、染め模様が施されるなど、

●IV-3 花下遊楽図屏風（部分） 狩野長信 国宝 東京国立博物館蔵

桃山・江戸初期

●IV-4

結髪と髪飾りが未発達の時代の装飾として多くの女性が用いた。若い男性も祭りの時などには用い、その様子は「花下遊楽図屏風」にいきいきと描かれている《IV-3》。結び目を大きくとり、左右に垂らした部分は動きによって揺れている。鉢巻のような巻き方もあり、それぞれが巻き方を工夫したものと思われる。

たばこ入れ、印籠(いんろう)

　桃山・江戸初期には帯から提げるた

●IV-5

●IV-4　本多平八郎姿絵屏風（部分）　重文　愛知・徳川美術館蔵
●IV-5　菊蒔絵印籠　宮城・瑞鳳殿蔵

●IV-6

ばこ入れなどの袋物や印籠が登場し、初期風俗画の中にもしばしば描かれている《IV-4》。

印籠は蒔絵などで装飾された楕円形の細長い小箱で、もともとは印や印肉を入れたが、江戸時代になると薬類を入れるようになった。この印籠や袋物に伴う根付（留め具）や緒締（締め具）もすでにあり、図《IV-4》の画中には赤い珊瑚のような緒締玉が見える。

遺品では、菊蒔絵印籠と呼ばれる印籠が残っている《IV-5》。これは戦国武

●IV-6　支倉常長像　国宝　宮城・仙台市博物館蔵

桃山・江戸初期

●IV-7

将として知られる伊達政宗の印籠で現存する最古のもの。後世のものと変わるところがなく、印籠の形式は江戸初期に完成していたことが確認できる。

指輪

　ヨーロッパの指輪は、すでに前代の戦国末期に国内に入っている《コラムIV-3》。桃山・江戸初期にもロザリオと同じくキリシタン関連品の一つとして日本に入ってきた。また、海外に出た日本人の中には支倉常長のように指輪をつけた肖像画を残した者もいる《IV-6》。常長は1613年に伊達政宗の命によりポルトガル、スペイン、ローマに渡った。西洋服を着た肖像画には、ロザリオを挟んだ左手の指にルビーらしき赤い石のついた金製の指輪が描かれている。海外での着用であるが、この絵は近世の日本人が指輪をしていることを確認できる最も古い肖像画である。なお常長は1615年にローマで法王パウロ5世と謁見し、この時、銀の十字架、首飾り、メダルなどを贈られている。

　指輪は当初「指がね」または「指かね」と呼ばれたようである。1591年頃から1614年頃まで島原、天草、長崎でキリスト教布教用の書物がローマ字や日本字で印刷された。このキリシタン本には指輪に触れたものもあり、約束のしるし(『ロザリオの経』)、守護の象徴(『伊曽保物語』)として登場している。

　近世初期の指輪の遺品は、長崎の築町遺跡から出土している《IV-7》。左側の3点(1点は金製)は1630年代以前の地層から発見されたというから鎖国前ということになり、古代以降では最古の指輪である(右のガラス製の指輪は表土

ヨーロッパの指輪、初伝来〈コラムIV-3〉

◆イスパニア(スペイン)の宣教師であるフランシスコ・ザビエルが鹿児島で布教を始めたのは1549年。それ以降、様々なヨーロッパの文物が宣教師や商人などによって日本にもたらされた。指輪初伝来のことは、宣教師として来日したルイス・フロイス(ポルトガル人)が『日本史』に記録している。同著によると、1563年に洗礼を受けた長崎のキリシタン大名・大村純忠は、ポルトガル船の総司令官が付けていた「宝石のついた金の指輪」を貰っている(この時、同時に「金の鎖」も貰った)。西洋の指輪についての記録としてはこれが最初のものである。

●IV-7　指輪　長崎・築町遺跡　長崎市教育委員会

●IV-8

●IV-9

層から出土したため正確な年代は不明）。これらはヨーロッパで作られたものと思われるが、国は特定されていない。

ブローチ、ペンダント

　伊達正宗が生涯を閉じたのは1636年であるが、その遺体の発掘調査が1974年に行われた。そこからは前述の菊蒔絵印籠のほか、金のブローチ《IV-8》や銀のペンダント《IV-9》などの西洋装身具類が発掘され注目された。

　いずれもヨーロッパ製である。入手経路ははっきりしないがヨーロッパに行った支倉常長が主君のために持ち帰ったものかもしれない。金製ブローチは留めピンに11個の純金の小円板を環状に並べた装飾が付いたもので、ピン部分はめっきがかかっていたと思われる。銀製ペンダントには吊り下げるための環があり、文様はシュロヤシの一種を形どったパルメット文。ただし、これらを政宗がブローチやペンダントとして用いたかどうかは明らかでない。

●IV-8　　金製ブローチ　宮城・仙台市博物館蔵
●IV-9　　銀製服飾品（ペンダントヘッド）　宮城県・仙台市博物館蔵

The Concise History of Jewelry and Accessory in Japan

江戸中期・後期

V

露木 宏

V-39a

江戸中期・後期

大きく開花した髪飾り文化

　鎖国（1639）以降の江戸時代を、ここでは髪飾りが全盛を迎える享保期（1716-36）を境に、享保以前を中期、享保以降から江戸時代末の1868年までを後期とした（区分はしないが嘉永元年・1848年以降の幕末期は江戸末期とした）。この時代は鎖国により海外との交易はオランダ・中国とのみ、わずかに行われるだけになった。しかも窓口は長崎の出島に限定された。そのため異国の風俗の影響を大きく受けることはなく、髪飾りを始めとする日本独自の装身具文化が開花した。

　寛文（1661-73）頃から元禄（1688-1704）を中心とした江戸中期は、町人が台頭することにより町人文化が盛んになった。江戸後期の享保から文化・文政（1804-30）にかけては町人がさらに力をつけ、その経済力を背景に武家文化と拮抗するまでになった。

　一方、公家は政治と経済の埒外にあり、文化においても影響力はなく、宮廷儀式中心の生活であった。公家の女性においては、町人風俗の影響を受けたものさえある。それは「おすべらかし」（大垂髪）という今なお宮中の大礼の場合に用いられる髪形で、これは後に述べる燈籠鬢という横に張り出した髪形を京都の宮廷女官たちが真似て始まったものである。

　江戸時代の華といえば何といっても町人女性たちの髪飾りであるが、髪飾りは江戸中期以降に髪を結い上げる結髪の習慣に伴って発達した。櫛（飾り櫛）、笄、簪の中で最初に登場したのは櫛と笄であった。笄とは、髷に横に挿す細長い棒状の結髪用具を兼ねた髪飾り。櫛、笄に続いて耳掻きのついた簪も登場し髪飾りは世界でも例を見ないほどの発達を遂げた。《V-1》は髪飾りが盛んになる享保頃か、その少し後に描かれた「櫛売」の図である。当時はこのように、商品を持って売り歩く行商が多かった。

江戸期の装身具記録〈コラムV-1〉

◆江戸時代に書かれた随筆、図録、見聞録の中には同時代の装身具について言及したものも多い。中でも本書でしばしば取り上げている『我衣』、『人倫訓蒙図彙』、『珉瑠亀図説』、『近世風俗志（守貞謾稿）』は江戸期の装身具研究には欠かせない。

『我衣』は江戸後期にまとめられた聞書集で古写本からの絵などを多数掲載。『人倫訓蒙図彙』は古い本で元禄初期の1690年刊。元禄頃に盛んだった様々な商人や職人の仕事を図入りで解説したもの。『珉瑠亀図説』は1841年に書かれた彩色本で、べっ甲の櫛・笄・簪の変遷を詳しく図解。『近世風俗志（守貞謾稿）』は喜田川守貞という人によって書かれた江戸風俗誌。刊行は江戸末期の1853年で江戸後期の装身具の移り変わりがよく分かる。以上の書はすべて復刻されている。

●V-1

帯に提げる腰の装身具も発達し、武士の印籠や町人のたばこ入れなどには贅を凝らしたものが増えた。胸から覗く女性の紙入れや箱迫という装飾的な携帯品も登場し、さらに、近代に入り多様な展開をする帯留や指輪も江戸後期に誕生した。

江戸中期・後期は、髪飾りや着物にまつわる装身具が中心ではあったが、身分の上下に関係なく男女とも様々な装身具で身を飾った。それらの装身具の多くは明治以降も用いられた。宝石類の使用も多い。

このように、江戸中期・後期の装身具はまことに多彩であり、特に後期は、明治時代と連続する近代的要素を多くもった装身具文化であった。

以下、大きく開花したこの時期の各種装身具について紹介するが、中心となる櫛、笄、簪については江戸中期と後期に分けて少し詳しく見ていく。髪飾りの構造は単純であるが、大小、厚み、角の丸み、材料、絵柄などはその時代時代の流行で目まぐるしく変化した。それを当時の記録〈コラムV-1〉から紹介する。

江戸中期(1639–1716)の髪飾り

櫛・笄

江戸中期の櫛、笄については主に『我衣』と『人倫訓蒙図彙』によって説明する。櫛と笄は、1600年代中頃の明暦(1655-58)頃には京都・大阪方面ですでに用いられていた。ただし、その頃はべっ甲などはなく、素朴な黄楊の櫛と鯨の鰭、竹、角で作った棒状の笄が一般的であった(象牙も出ていた)。この頃の挿櫛は寛文6年(1666)刊『訓蒙図案』に出ているが、梳櫛とほとんど変わらない質素なものであった。笄は変わったところでは天和・貞享頃(1681-88)に鶴の足(脛骨)の笄もあり、当時としては最高の笄といわれた《V-2》。

●V-2

●V-1 　櫛売(部分)　奥村利信　東京国立博物館蔵
●V-2 　鶴骨製蒔絵笄の表と裏　長22.4cm　東京国立博物館蔵

櫛・笄が贅沢になるのは、元禄（1688-1704）からで、この頃になるとべっ甲やべっ甲の表面を蒔絵で装飾したものまで出ていた。元禄といえば井原西鶴の文芸作品が有名だが、そこにはべっ甲の櫛なども登場している〈コラムV-2〉。また、『人倫訓蒙図彙』にも櫛を挿した女性が出ている。《V-3》はその一つであるが、この女性は水茶屋の女性である。水茶屋とは寺社の境内などで湯茶を供する店であるが、こうした店で働く庶民までもが櫛を挿し始めた。

笄が広まったのは、元禄中頃に京都から起こった笄髷という髪形によるところが大きい。笄髷は、笄に巻きつけて髷を作ることからある名で、この髪形が全国に流行することで笄も一般化した。

元禄の終わりには金銀を一部に使った高価な櫛や笄もあったようで、幕府は元禄17年（1704）に「女のさし櫛か（こ）うがいに金銀のかなもの無用候」と禁令を出している。しかし、その後の進展を見るとこの禁令がさほど効果があったとは思えない。

●V-3

中期末の正徳（1711-16）頃には江戸後期の山高形櫛の元となる、大振りで棟幅（上端と歯の間）が広めで厚みの薄いべっ甲櫛が登場したようである（享保頃まで流行）。初期浮世絵の懐月堂派の美人画にもその櫛を挿した姿が描かれている《V-4》。現存品は少ないが、山高櫛に比べて両サイドの親歯が細いのがこの櫛の特徴である《V-5》。また、華やかな木櫛も人気があり、金銀粉を蒔いた厚い木櫛も流行した。

簪（かんざし）

簪の発達は櫛と笄より少し遅かったが元禄初め頃には用いられていた。《V-6》は菱川師宣の肉筆画で元禄期の娘姿として知られる「見返り美人図」。玉結びという髪に小振りの櫛（黄楊櫛か）、そして透かし彫りの簪を挿している（素材は不明）。しかしこの当時、簪は笄と同一視されていた〈コラムV-3〉。そのため、これらは簪ではなく笄と呼ばれることが多かった。

この、笄と呼ばれた簪にはべっ甲製の団扇形のほか、銀杏形もあった。銀

西鶴作品の中の髪飾り〈コラムV-2〉

◆天和2年（1682）の井原西鶴の処女作『好色一代男』（巻三）には、べっ甲の挿櫛が登場している。貞享3年（1686）の『好色一代女』には象牙の挿櫛（巻六）、笄（巻五）が出ている。また元禄7年（1694）刊『西鶴織留』では「さんごじゅの前髪押へ（え）」として、サンゴの玉で飾った櫛まで出てくる。このように人気作家が書くことによって、べっ甲や象牙などの髪飾りにあこがれる女性は増え、上方（京阪）から始まった流行は江戸やそのほかの地域へと急速に広まったものと思われる。

●V-3　水茶屋の図（部分）　『人倫訓蒙図彙』より

● V-5

● V-6 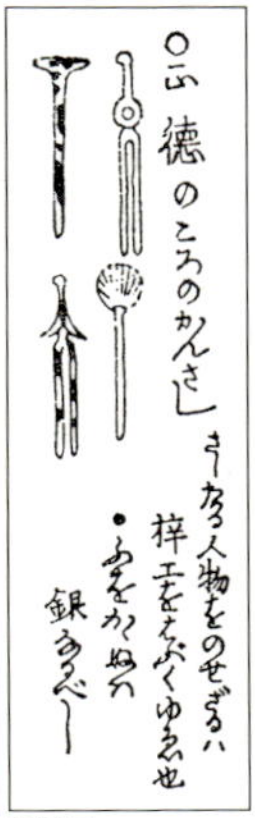　●V-7 　●V-4

杏形は宝永(1704-11)から正徳頃の松野親信の美人画などにも見られる。

中期末の正徳から後期初めの享保頃には、上部に耳掻きが付き、挿す部分(脚)が二股になることにより、笄とは区別されて「簪」と呼ばれる別個の髪飾りとなった。《V-7》は『歴世女装考』(1847年稿)の示す正徳頃の簪である。図の右上に銀製の輪が中央にある簪、左下にべっ甲松葉簪が見える。素材はやはり、べっ甲と銀に人気が集まっていたようである。

笄と同じものとされていた簪〈コラムV-3〉

◆『近世女風俗考』(1835年稿)には「すべてむかしは、笄簪同物なる」とある。実際、貞享期に出た『女用訓蒙図彙』(1687年刊)では団扇形の明らかに簪と思われるものを棒枝(笄)として扱っている。当初は団扇や扇などのシンプルな形のものが多く、脚も1本であるために笄と簪の区別がしにくかったものと思われる。

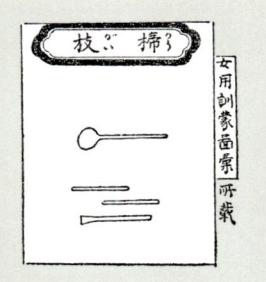

●V-4　　遊女立姿図(部分)　懐月堂度繁　東京国立博物館蔵
●V-5　　親歯の細い初期タイプの山高形櫛　べっ甲　幅12.0cm　東京・日本宝飾クラフト学院蔵
●V-6　　見返り美人図(部分)　菱川師宣　東京国立博物館蔵
●V-7　　「正徳のころのかんざし」の図　『歴世女装考』より
●コラムV-3　「棒枝(こうがい)」の図　『女用訓蒙図彙』より

江戸後期（1716-1868）の髪飾り

櫛

　最初に、文化・文政期（1804-30）以前の1700年代の櫛の変遷を『玳瑁亀図説』などで見ていく。

　享保（1716-36）頃から正徳頃の櫛と外形はあまり変わらないが、両端の歯（親歯）が幅広の櫛が登場した。この櫛を山高形櫛《V-8》というが、厚みはなく非常に薄い挽抜櫛であった〈コラムV-4〉。寛延・宝暦（1748-64）の頃から山高形への反動からか、利休形と呼ばれる山形の横長櫛《V-9》が流行した。厚み3ミリ程度となり、これ以降少しづつ厚みは増していく。安永（1772-81）頃には横長櫛の両サイドの角を丸めた政子形《V-10》が流行。鎌倉時代の北条政子の櫛の形を取り入れたのでこの名がある。山高形、横長形（利休形）、政子形は、いわば櫛の基本形ともいえるもので、その後も多少変化しながら明治以降まで用いられた。

　このほかにも明和・安永（1764-81）頃には、棟から親歯に銀の覆輪をかけた覆輪棟櫛《V-11》や尾形光琳風の装飾的な模様を棟幅に透かし彫りした光輪櫛というものも流行した《V-12》。棟が透かしの銀細工櫛（銀光輪櫛）もこの頃始まったと見てよかろう。

　材料では、べっ甲が一番の人気であった〈コラムV-5〉。しかし、享保の頃になるとべっ甲が高値（高級品は五両、七

●V-8

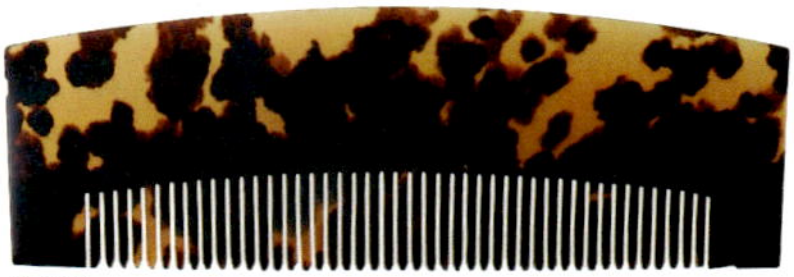

●V-9

●V-10

挽抜櫛〈コラムV-4〉

◆享保・元文（1716-41）頃までのべっ甲櫛は、べっ甲を何枚か重ねて厚みを出すということはなく、一枚の甲をそのまま鋸で挽いたもので作った。これを挽抜櫛という。《V-8》の山高形櫛も上部が約1ミリ、下の歯の方で約1.5ミリと大変に薄い。その後、徐々に厚いものが主流になっていくが、しかし挽抜櫛もずっと続き、江戸末期から明治初期まで一枚甲の挽抜櫛は残った（蒔絵を施したものが多い）。

●V-8　　山高形櫛　べっ甲　幅11cm　東京・日本宝飾クラフト学院蔵
●V-9　　横長櫛　べっ甲　幅15.5cm　東京・日本宝飾クラフト学院蔵
●V-10　政子形櫛（幅約13cm）の図　『玳瑁亀図説』より
●コラムV-4　挽抜櫛（V-8の山高形櫛を斜め上から見る）

江戸中期・後期

●V-11

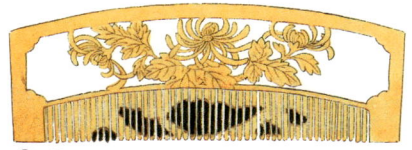

●V-12

●V-13

には禁令が出た。元禄17年の禁令に次ぐ装身具に対する禁令である。しかし、おしゃれに目覚めた女性たちを抑えることはできず、数年後には規制を無視し、「御停止にかまわずさすなり」(『我衣』)という状況であった。

象牙櫛は宝暦(1751-64)頃に流行し、蒔絵入りなど華やかなものが多かった(1802年稿『賤のをだ巻』)。金属製のものとしては銀細工の櫛や真鍮製の彫金櫛が作られている。

なお、天明・寛政(1781-1801)頃には櫛、および笄が一層大きくなったが、これは当時流行した鬢(両サイドの耳の上の毛)が横に張り出した燈籠鬢という髪形の影響からである。

文化・文政期前の櫛の形状、材料などは以上のようであるが、櫛が普及すると、「二枚櫛」「三枚櫛」といって櫛を2枚、3枚と挿すことも遊女の間で行われた。二枚櫛は、まず京阪地方から始まったようで享保8年(1723)刊『百人女郎品定』には二枚櫛姿の図が載っている。三枚櫛の出始めは明らかではないが、安永8年(1779)刊の『当世かもし雛形』でその姿を見ることができる《V-14》。

両)になり入手が困難になった(『我衣』)。そのため、花鳥風月、吉祥模様などを描いた蒔絵の木櫛が全盛となった《V-13》。またべっ甲の代わりに水牛や和牛の角、馬の爪(馬爪)などにべっ甲の黒斑を入れた模造品も登場。ビードロと呼ばれたガラス製の櫛も享保末には出ている。

1700年代中頃近くには金(主に金めっき)や銀、蒔絵などで装飾した大振りで贅沢な櫛や笄が増え、寛保3年(1743)

1800年代の文化(1804-18)頃になる

べっ甲の好みの変化〈コラムV-5〉

◆べっ甲の好みは時代によって変わった。始めの頃は一面に黒い斑の入った散斑が好まれた。しかし、天明期(1781-89)の鳥居清長や寛政期(1789-1801)の喜多川歌麿の美人画などに見られるように、1700年代末頃からは、ほとんど斑のない透き通った白甲が好まれるようになった。

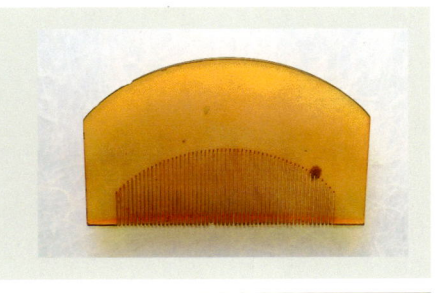

●V-11　覆輪棟櫛　銀、べっ甲　幅14.6cm　東京・日本宝飾クラフト学院蔵
●V-12　光輪櫛(幅約17cm)の図　『玳瑠亀図説』より
●V-13　蒔絵の木櫛　幅11.5cm　東京・日本宝飾クラフト学院蔵
●コラムV-5　白甲の櫛　幅11.3cm　東京・日本宝飾クラフト学院蔵

と櫛はさらに大型化し、横幅7寸（約21センチ）以上のものもあった。この大型化に対し文政7年（1824）、文化8年（1825）と続けて禁止令が出て翌年（1826）には禁令違反で江戸の芸者22人が処罰された。この事件を契機に櫛・笄は小型化に向かった。ただし見た目は小さくなったが厚みは徐々に増えていった。

　大型櫛の禁止以降の文政（1818-30）初め頃にできたのが横幅3寸5分（約10.5センチ）程度の三日月形の月形櫛で《V-15》、当時の人気役者、五代目岩井半四郎が、当り芸の三日月おせん役の際に使用したのが流行のきっかけといわれる。この櫛も基本形の一つで明治以降まで長く用いられた。

　文政以降は、べっ甲櫛や木櫛に描かれる蒔絵模様への関心が高まり、斬新な絵柄のものが作られた。浮世絵師の葛飾北斎が櫛と煙管（きせる）の図案集『今様

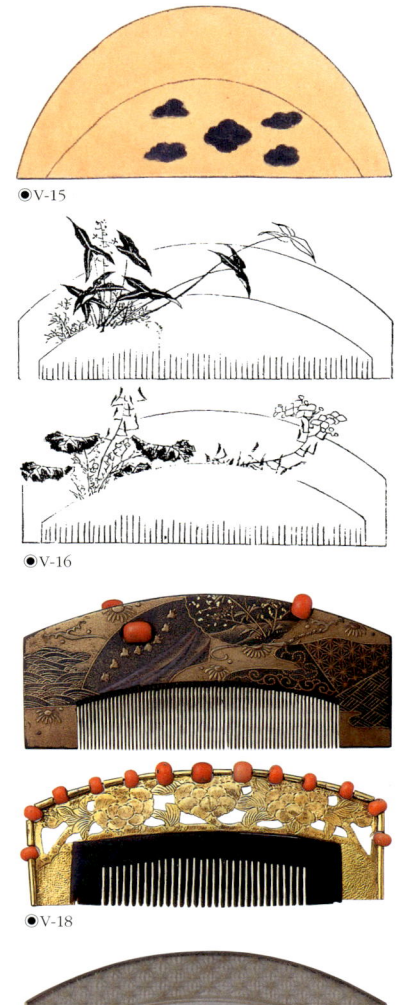

- V-14　三枚櫛の図　『当世かもし雛形』より
- V-15　月形櫛（幅約10.5cm）の図　『玳瑁亀図説』より
- V-16　櫛の図案　葛飾北斎『今様櫛𥶡雛形』より
- V-18　サンゴ玉で飾った櫛　二種　［上］蒔絵の木櫛、［下］真鍮棟べっ甲櫛　東京・日本宝飾クラフト学院蔵
- V-19　カット・ガラス棟櫛　二種　東京国立博物館蔵

江戸中期・後期

●V-17

『櫛笄雛形』(1823年刊)を出して庶民の要望に応えたのもこの時代である《V-16》。なお、図案集の刊行されたのは櫛小形化の時代であり、北斎も自序で「今世行はるる三日月形は棟はもつともせばし」と記している。また、文化・文政以降は原羊遊斎ほかの著名蒔絵師も髪飾りの制作に関わった時代であり、そのため工芸的に秀れた作品が今日に伝わる《V-17》。

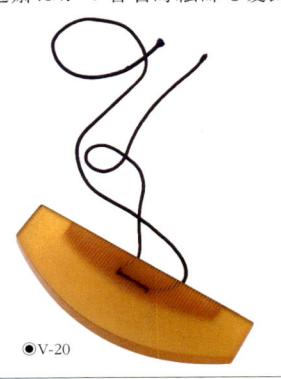

天保(1830-44)以降はサンゴ玉で飾った櫛《V-18》や棟一面をカットガラスやガラス絵で飾った華やかな櫛《V-19》も人気があった。

『近世風俗志(守貞謾稿)』(以下『近世風俗志』と記す)によると、江戸末期になると櫛は幅8〜10センチ程度とだいぶ小振りになったが、厚さは1センチ前後あるものが多かった。厚く重いために、櫛の歯に紐をくくりつけ、その紐で髷に結びつけるという特殊な固定の仕方もあった《V-20》。

以上が江戸後期の櫛の基本タイプであるが、それ以外にも様々な形や模様の櫛があった《V-21》。

●V-20

● V-17　月文様櫛　三種　[上より]月雁秋草文様蒔絵鼈甲櫛　羊遊斎／月雁芦文様蒔絵鼈甲櫛　寛哉写／月雁秋草文様蒔絵鼈甲櫛　羊遊斎　東京・澤乃井櫛かんざし美術館蔵
● V-20　紐をくくりつけた利休形櫛　幅8.8cm　東京・日本宝飾クラフト学院蔵

●V-21a

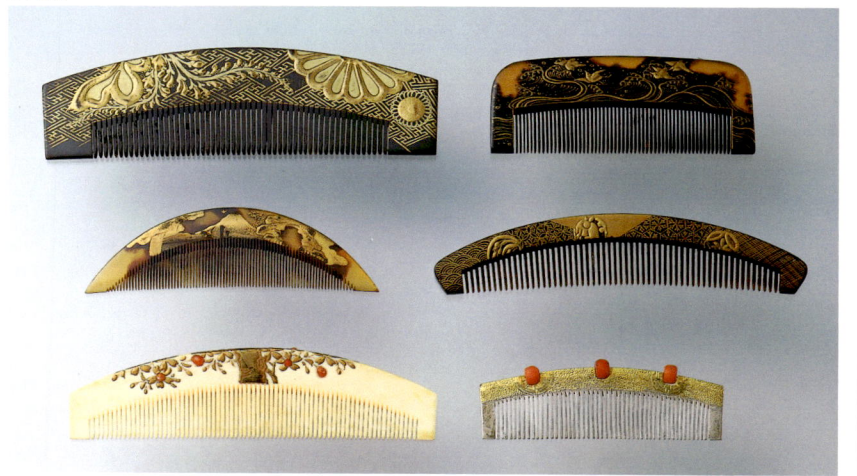

●V-21b

笄

　笄は、現在では忘れられた髪飾りであるが、江戸時代の女性にとっては櫛、簪とともに、なくてはならない髪の飾りであった。これを『我衣』『珧瑁亀図説』などから見てみる。

　べっ甲の笄の人気は後期に入っても衰えることなく、あらゆる階層の女性が用いた。髪に挿し込み易いように、片側の幅が狭くなっていて先の角を少し落としてあるのが文化・文政以前の笄の基本形である《V-22》。後期初めの享保頃の笄は、櫛と同じく始めは薄く（1〜3ミリ）、除々に厚くなっていった。

●V-21a　櫛　四種　すべて蒔絵の木櫛　［左上］幅12.6cm　東京・日本宝飾クラフト学院蔵
●V-21b　櫛　六種　［上］4点は蒔絵のべっ甲櫛（［左上］幅12.0cm）、［左下］象牙・サンゴ飾り蒔絵櫛、［右下］サンゴ飾り銀櫛（一部めっき）　東京・日本宝飾クラフト学院蔵

江戸中期・後期

●V-23

　笄は本来まっすぐなものであるが、享保頃の美人画には両端の反った角状の笄が描かれたものがある。このような形状の笄は中期末の正徳（1711-16）頃から主に若い女性の間で始まった流行である《V-23》。

　べっ甲以外では、中期初めに最上と

●V-22

●V-22　べっ甲薄形笄　長29.0cm　東京・日本宝飾クラフト学院蔵
●V-23　角状笄の姿　西川祐信『百人女郎品定』より

された鶴の足の笄は後期の享保以降にもあったが、若い女性は用いず年配者向けのものとなった。象牙の笄も櫛と同じく宝暦(1751-64)頃から流行し蒔絵を施されたものもあった。櫛と同様に、蒔絵などを施した木の笄は享保頃にはあったと思われる《V-24》。ビードロ(ガラス)の笄も享保末から出ている《V-25》。贅沢なものでは、明和・安永(1764-81)の頃から、中を透かしたべっ甲の光輪(こうりんこうがい)笄や輪郭を銀で作り中間を銀の花などで透かし彫りした銀の光輪笄というものも始まった《V-26》。

文化・文政から江戸末期までの笄の基本形は、全体に厚みのある上下同形の角棒状(片側に多少丸み)の笄である《V-27》。

次の天保頃には、花笄という、飾り部分が取り外し自由のべっ甲笄が大名などに仕える御殿女中(ごてんじょちゅう)の間で流行した。

中心部(胴)が細くなった笄が江戸末期の嘉永(1848-54)頃に現われた。この形は大流行し、『近世風俗志』も「両端

●V-24

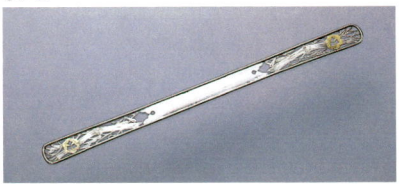

●V-26

●V-27

●V-28

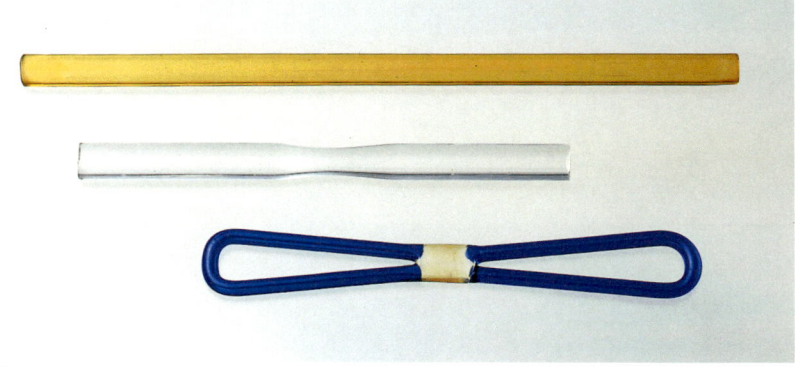

●V-25

- ●V-24　木製笄　二種　蒔絵笄　長23.3cm、彫模様笄　東京・日本宝飾クラフト学院蔵
- ●V-25　ビードロ(ガラス)の笄　三種　［上］長18.2cm　東京・日本宝飾クラフト学院蔵
- ●V-26　銀製光輪笄　長22.7cm　東京・日本宝飾クラフト学院蔵
- ●V-27　べっ甲角棒状笄　長16.7cm　東京・日本宝飾クラフト学院蔵
- ●V-28　象牙・紫檀笄　長17.5cm　東京・日本宝飾クラフト学院蔵

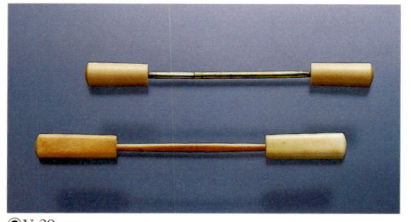

●V-29

象牙にて中紫檀なり。今嘉永中大いに流布し、婦人褻（普段）にこれを用ふ」と記録《V-28》。また、挿す時や抜く時に便利な片側挿し込み式の杵形の笄もこの時期に登場した《V-29》。いずれも明治以降も広く用いられた。

簪

簪は江戸後期になると目ざましい発達を遂げ髪飾りの主役に躍り出た。『我衣』『玳瑁亀図説』『近世風俗志』などでその展開をたどる。

『我衣』に、「享保頃よりかんざしと名付ける物、上耳かき、下髪かき、銀にて作る」とあるように、耳かき付き簪が盛んになり、後に主流となる銀簪も登場した。この文から、一見すると何の実用性もないように見える簪も、耳を掻き、頭の地肌を掻くという機能があったことが分かる。耳かきの発明については当時から諸説あるが、中国（清）にも同様のものがあるところを見ると中国の簪をヒントにした可能性もあるだろう。

元文・寛保（1736-44）頃には、舞妓たちの間で自然の梅の小枝に金銀の色紙、短冊をつけて動くと音がする花簪が流行。この簪は後のびらびら簪（ぴらぴら簪ともいう）の始めといえよう。

宝暦（1751-64）頃から贔屓の役者の紋を彫った紋入り銀簪が流行し始め、明治以降の金銀細工師の前身となる装身具専門の錺職も登場した。

明和・安永（1764-81）頃に、管のついた花鳥などの飾り部分を脚から入れる、べっ甲差込簪が出た。取り外し自由であるため1本の簪をシンプルにも華やかにも用いることができて便利なため大いに流行した。前述のべっ甲花笄もこの差込簪の応用である。銀簪でも差込式のものが作られた。

寛延（1748-51）から安永（1772-81）の頃には後々まで長く続くべっ甲琴柱簪《V-30》や正徳・享保（1711-36）に始まった松葉簪が流行した《V-31》。琴柱とは琴の弦の支えのことで、その形に似ていることから琴柱簪の名がある。サンゴ玉で飾った銀脚の玉簪もこの頃

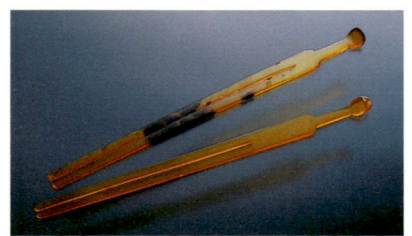

●V-30

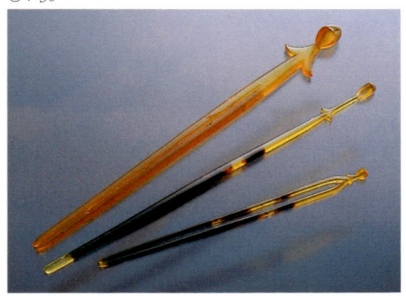

●V-31

●V-29　象牙杵形笄　二種　[上]長14.8cm　東京・本宝飾クラフト学院蔵
●V-30　べっ甲琴柱簪　二種　[上]長20.6cm　東京・日本宝飾クラフト学院蔵
●V-31　べっ甲松葉簪　三種　[上]17.1cm　東京・日本宝飾クラフト学院蔵

●V-32

には盛んに用いられたようで、その着用の様子は『当世かもし雛形』で確認することができる。
　江戸文化の爛熟期ともいえる文化・文政期（1804-30）以降の簪はさらに多様な発展を遂げた。文政頃に活躍した浮世絵師・渓斎英泉の美人画に、「なんでもほしがる」娘として、すでに立派な髪飾りを付けているのに、簪を手にしている様子を描いたものがある《V-32》。簪

江戸中期・後期

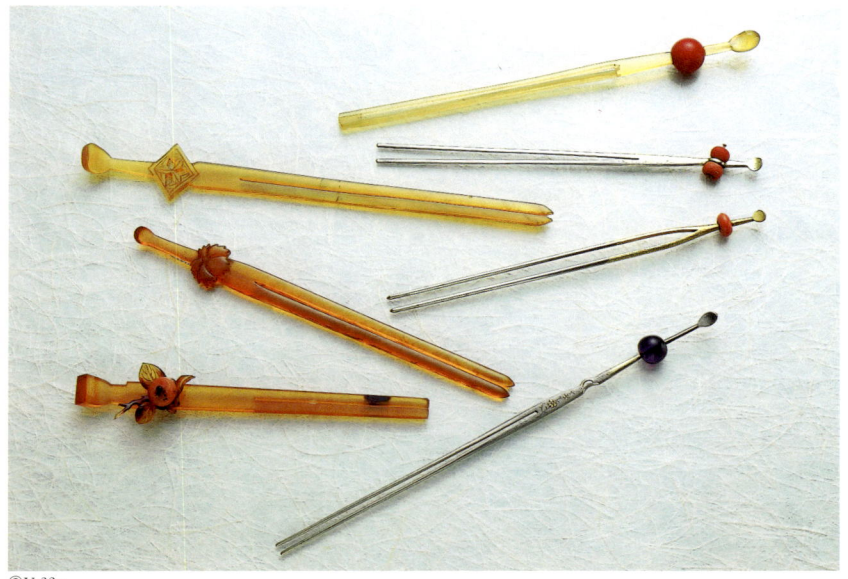

● V-33a

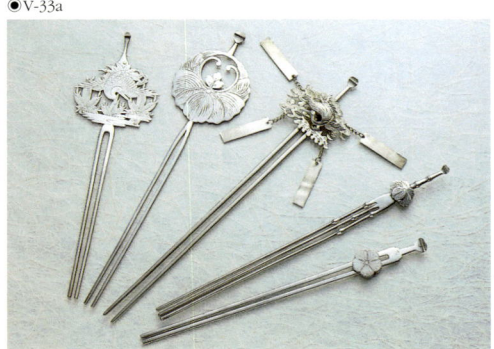

● V-33b

● V-33c

はおしゃれを楽しむ女性たちにとって最も欲しいものの一つであり、こうした女性たちのために、華やかなものや奇抜なものなど様々なものが作られた。様々なデザインのべっ甲や銀の玉簪に加え、鎖をたらして飾りを吊るしたびらびら簪、銀の大振りな彫刻入り平打簪、そして、変わり簪といわれる仕掛けのあ

る簪など、実に多くの簪が登場した《V-33》。なお文化前後からは簪の耳掻き部分が大きくなり、もはや耳を掻くという機能はなくなり、まったくの飾りとなった。

文化・文政頃には、笄のように用いられた簪も現われた。《V-32》の絵に見える娘の髷の両サイドにあるヴォリュームのある髪飾りがそれで、当時、両天

- V-33a　様々な簪　七種　[左上二種]べっ甲簪、[左下]べっ甲・サンゴ飾り挿し込み簪 、[右上から]べっ甲・サンゴ玉簪　長16.8cm、銀・サンゴ・瓢箪簪、銀(一部めっき)・サンゴ・玉簪、銀・紫水晶玉簪　東京・日本宝飾クラフト学院蔵
- V-33b　銀簪　五種　[左から]鶴松図平打簪、桐図平打簪、鶴びらびら簪　長20.7cm、桐図3本脚簪、梅図挿し込み簪　東京・日本宝飾クラフト学院蔵
- V-33c　変わり簪(釣瓶)　20.4cm　東京国立博物館蔵

簪と呼ばれた。両天簪は挿し込み式にしっかり固定できるようになっていて、耳掻きはなく、銀製のものが多い《V-34》。この簪はしばらく途断えていたが、江戸末期の嘉永頃に復活し、小振りなものが用いられた。京都・大阪ではこれを両差と呼んだ。

　天保頃から江戸末期の嘉永にかけて、もう一種、両天簪とは違うタイプの笄のように用いられた簪があった。中差、または中差簪《V-35》と呼ばれるもので、耳掻きの付いた一本脚の髪飾りで、脚が太くしっかり作られているのが特徴。普段は笄の代わりとしてこの中差を用いることが多かった。

　簪の材料は、べっ甲、銀、銀に金めっきしたものを中心に、木に蒔絵、象牙、ガラスと様々であり、べっ甲の模造品も多かった。玉簪はサンゴが一番人気であったが、その他、メノウ、水晶も用いられ江戸末期には砂金石が流行した。

　簪の挿す位置は髷の前、後とあり、前に挿すのを前挿し、後ろに挿すのを後挿しといった。徐々に挿す本数も増え、江戸後期の美人画を見ると2本以上挿した絵も多い。遊女図などにはべっ甲簪を8本挿したものも珍しくない。また、挿す方向は斜め上から挿すのが自然であるが、水平に挿したり、斜め下から上に向かって挿すことも行われた。

その他の髪飾り

　江戸中期・後期の女性の髪飾りへの関心は高く、櫛、笄、簪のほかにも様々な髪の飾りがあった。それらを簡単に紹介しておく。

元結

元結は、もともとは公家女性のものだが、一般の女性も髷を結うために江戸中期には使っている。初めの頃のものは実用本位の元結であるが、延宝(1673-81)頃になると両端が上に反り返った装飾的な反元結と呼ばれるものが出た。反らせるため中に針金を入れ、金銀紙を材料にしたものもあった。宝暦(1751-64)前後には、元結で結んだ上へかけて飾りにすることだけを目的にした丈長という長い元結も出ている(1835年稿『近世女風俗考』ほか)。

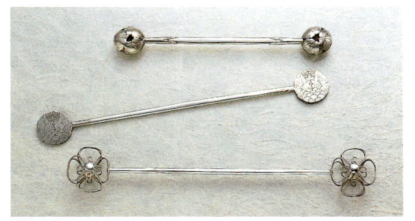

●V-34

●V-35

●V-34　両天簪　三種　すべて銀　[上]長17.5cm　東京・日本宝飾クラフト学院蔵
●V-35　中差簪　四種　べっ甲中差簪　長17.3×厚0.9cm、べっ甲蒔絵中差簪、木製蒔絵中差簪、ビードロ(ガラス)中差簪　東京・日本宝飾クラフト学院蔵

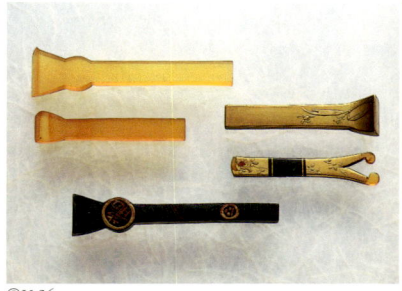

●V-36

●V-38 　　　　　　　　　　　　●V-37

髷かけ

髷結ともいい、明和（1764-72）、または安永（1772-81）の頃から始まった。最初は余りの縮緬の丸ぐけ（丸くくけたもの）に金糸の房をつけた紐で髷を結んだが、天明（1781-89）頃になると丸ぐけ紐がすたれ、専用の緋色（濃く明るい赤色）などの縮緬布をそのまま髷に巻いて飾りとした。享和（1801-04）以降大いに流行し、享和2年（1802）には初めての禁令も出るほどだった（『近世女風俗考』、『歴世女装考』）。

根掛

弘化・嘉永（1844-54）頃から流行し始め、後々まで用いられた。髻の根を元結で結び、その上に飾りとして金糸で瓢箪などを形どったものを掛けたのが初期の根掛（『近世風俗志』ほか）。

髷止（位置止）

江戸末期から明治初めにかけて用いられた、先笄という京風の髷などの後方に用いられた小さな髪飾りで位置止ともいう《V-36》。《V-37》は髷止を用いている絵である。京都・大阪では、正式の場では櫛、笄、簪同様に大切な髪の飾りであった（『近世風俗志』）。

鹿の子止

江戸末期から、主に京都・大阪の少女が用いた髪飾り。髷に縮緬の鹿の子模様の布をかけた時、それを止めるために用いたらしい《V-38》。

●V-36　髷止（位置止）　五種　［左上二種］べっ甲髷止（［上］長8.5×厚0.9cm）、［右二種］べっ甲蒔絵髷止、［下］木製蒔絵髷止　東京・日本宝飾クラフト学院蔵
●V-37　夏美人図（一幅、部分）　二代・歌川春貞　京都府立総合資料館蔵
　　　　髷先に髷止が見える。
●V-38　鹿の子止　二種　［左］真鍮・サンゴ鹿の子止　幅3.2cm、　［右］銀・サンゴ鹿の子止　幅5.5cm　東京・日本宝飾クラフト学院蔵

髪飾り以外の装身具

次に江戸中期・後期に発達した、印籠、たばこ入れ、紙入れ、箱迫、帯留、指輪、腕守などを紹介する。帯留や指輪が装身具の主流になるのは明治以降であるが、その発生は江戸後期にある。装身具における江戸後期と明治時代とのつながりは意外に強い。

印籠、根付、緒締

印籠は、裕福な町人も用いたが、主として武士の持ち物として発達した。武士にとっては装飾的な外装の刀〈コラムV-6〉とともに必携の腰の飾りであった。

印籠の名は印章を納める容器に由来するが、薬を入れる携帯用容器として発達し、やがて武士の格式を示す実用的装身具となった。元禄期に「所々に住す」(『人倫訓蒙図彙』)とされた印籠師の数は、中期終わりの天明(1781-89)頃には需要が増えて数百人に達していた。形は三段ないし五段の重ね形式で、材料には木、角、金属などが用いられ、蒔絵や螺鈿、彫金などで加飾された。模様は風景、故事、動植物、家紋など様々であるが、武士の持ち物らしく全体的に気品の高い図柄が多く、蒔絵や彫金の名工による作品もある《V-39》。

印籠には留め具の根付と、緒(紐)を通して締める緒締を伴い、これらの取り合わせも印籠の見どころである。

根付は帯に差し込みやすいように、円く平べったい形が基本だが、人物や動物を形どった立体的なものも多い。材料には象牙、角、牙、木、竹、陶磁のほか、水晶、メノウ、コハクなどの宝石類や銀や色金など、あらゆるものが用いられた。根付の題材は印籠と関連のあるものもあるが、身近なところを題材にしたユニークな作品も多く、それがまた根付の魅力となっている《V-40》。

緒締の玉には根付と同様の材料のほか、サンゴ玉、トンボ玉(ガラス)などが用いられている。江戸末期に砂金石が流行した時はこの石を緒締玉とするものが多かった(『近世風俗志』)。

たばこ入れ、前金具、きせる

喫煙の習慣は桃山から江戸初期に始し、武士の身分や威厳を示す重要な装身具的小道具となった。

刀装具の装身具的性格〈コラムV-6〉

◆武士は正装の時は裃を着て、左腰には大小の刀を差し、右腰の後ろには家紋などが入った印籠を提げた。本来、武器である武士の刀も世の中が泰平になった元禄以降は、外装の鐔、小柄、笄、目貫などの装飾が発達

●コラムV-6　糸巻図二所物(小柄・目貫)　後藤延乗(後藤家十三代)　銘「延乗」　愛知・徳川美術館蔵

江戸中期・後期

●V-39a 　　　　　　　　　　　　　　　　●V-39b

●V-40a 　　　　　●V-40b　　　　　●V-40c　　　●V-40d

まった。最初は乾燥したたばこを輸入したが慶長10年（1605）には長崎で栽培が始まったといわれる。

　初期には、刻みたばこを紙にくるんで懐中していたが、安永・天明（1772-89）の頃から腰提げたばこ入れが流行。裕福な町人たちは武士の印籠に対抗するかのように、たばこ入れにこだわり、そのため実用品の域を越えた贅沢なたばこ入れも作られた。

　たばこ入れは大別すると、きせる筒が添えてない根付のみの「一つ提げ」、根付ときせる筒が付いた「根付提げ」、きせる筒のみで根付のない「腰差し」の三タイプがある《V-41》。

　袋部分にはオランダから輸入した金唐革という装飾革や、ビロード、ラシャなどの高級織物を使ったものもある。また、きせる筒は袋部分と同じ材料を用いたもののほか、象牙やべっ甲などで作られたものもある。

　緒締玉にはサンゴ、メノウなどの宝石類が用いられ、一つ提げや根付提げたばこ入れには装飾的な根付が付いた。

　なお女性用として小振りに作られた腰差しタイプのたばこ入れ（前差したばこ入れ）もあったが、女性の場合は、二つ折りの袋と同じ模様の布で作ったきせ

●V-39a　印籠　二種　[左]紅葉桜蒔絵印籠　8.2×5.5cm、[右]牧場蒔絵印籠　10.0×4.9cm　東京国立博物館蔵
●V-39b　掛軸象嵌鞘形印籠（反対側に掛軸の図）　鞘銅製鍍銀、金象嵌　6.6×4.8cm　東京国立博物館蔵
●V-40a　独酌牙彫根付　線刻銘「一虎」　高3.8cm　東京国立博物館蔵
●V-40b　小犬牙彫根付　線刻銘「懐玉政次（方印）」　高3.0cm　東京国立博物館蔵
●V-40c　蛸壺牙彫根付　線刻銘「光広」　高5.2cm　東京国立博物館蔵
●V-40d　饅頭形布袋彫金根付　陽刻銘「乗意（方印）」　鏡蓋銅製鍍銀薄肉彫　径3.9cm　東京国立博物館蔵

●V-41

●V-42

●V-43

る入れを懐中に納めて持つことが多かった。

　たばこ入れのかぶせ蓋には前金具が付くが、『日本袋物史』によると前金具の始めは対鋲と呼ばれ、これが登場したのは安永（1772-81）の末頃のこと。売り出したのは江戸の丸角という袋物商の大店で、最初はあっさりしたものであったが、やがて彫金加工の装飾的な前金具が主流になった。

　きせるは早くから刻みたばこを嗜む道具として用いられてきた。江戸後期には、後藤一乗など有名彫金師によるきせるも作られたが雁首（頭の部分）と吸口は大部分が真鍮製。銀や赤銅、四分一などの色金を用いた彫金のきせるが数多く作られるのは明治時代の廃刀令以降である。

紙入れ、箱迫

　紙入れは花紙入れ、鼻紙袋ともいう。江戸中期始め頃から用いられた袋物で、元禄に出た『人倫訓蒙図彙』には紙入師として専門職も紹介されている。最初は主に男性が実用品として携帯したようである。装身具としての色合いが強くなるのは、女性が帯に斜めに差して持つようになった江戸後期からである。文化・文政（1804-30）頃から口金や飾り鎖に銀、赤銅、四分一などの地金を用いた装飾的な紙入れも用いられた《V-42》。

　箱迫（筥迫とも書く）は、江戸後期に紙入れから発達した武家女性の携帯品《V-43》。目立つように懐中から少しのぞかせて持った。舶来の布や刺繍を施

●V-41　金唐革腰差したばこ入れ一式（江戸期の様式をもつ明治期の作）　袋-金唐革、煙管筒-象牙、煙管-彫金　長30.4cm　東京国立博物館蔵
●V-42　紙入れ　二種　東京国立博物館蔵
●V-43　筥迫　二種　東京国立博物館蔵

したものなど華やかな作りものが多く、中に紙や懐中鏡、紅板という化粧道具などが入っていた。江戸末期頃には小さな香袋を垂らしたり、平打びらびら簪を挟んで垂らすなどして装身具としての効果を高めている。「箱迫」とは変わった呼び名であるが、『嬉遊笑覧』(1830年稿)では「筥にて狭き意にや」、すなわち「狭い（空間が小さい）箱」に由来するのだろうと解説している。

紙入れや箱迫は明治以降も用いられた。

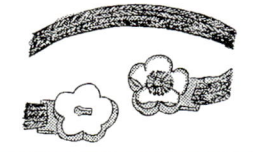

●V-44

●V-45

●V-44　江戸芸北国他所行田舎娘の内　北国他所行の図（部分）　歌川国貞　東京・静嘉堂文庫蔵
●V-45　帯留（パチン留）の図　二種　『鵜真似双紙』より

帯留

　帯留が大流行するのは明治になってからであるが、その発生は江戸後期。最初に帯締が登場し、すぐ後に金具の帯留が誕生した。

　帯は桃山時代や江戸初期頃は幅の狭い紐のようなものだったが、だんだん幅が広くなり丈が長くなった。結び方もしだいに複雑になったため、しっかり結びきることができなくなり、文化（1804-18）の中頃には補助紐で帯を締めるようになった。この紐は今日の帯締であるが当時は胴〆と呼ばれた。材料は大部分が布をそのまま用いたもの（しごき）であったが、やがて芯を入れて平たくしたり（平ぐけ）、丸くしたもの（丸ぐけ）を用いた。また組紐も用いられた。中には紐の両端に金具を付け、この金具で帯を留めるものもあった。これが帯留であるが、その発生は文化10年（1813）以降のようで、『我衣鈔』（1825年稿）に「真田の胴〆といふに金物を付て其かな物を前へ出して是見よがしにしたる物有」とある。また最初の頃は主に男性がこれを用い、女性の場合は老女が用いたと記している。

　帯留が装飾的になり、実用を兼ねたおしゃれの小道具として若い女性が用いるようになるのは文政（1818-30）頃から。文政末の作といわれる歌川国安や幕末の歌川国貞の美人画には花模様の銀の帯留が描かれている《V-44》。梅などの花模様のほか、家紋を形どったものもあった。

　当時の帯留の構造は、あやつり人形師の見聞録『鵜眞似双紙』に描かれた絵で分かる《V-45》。上下の金具は同形で、下金具の切り込み部分に上金具の突起部分を差し込んで固定するようになっている。差し込んだ時に「パチン」と音がするところから、このタイプの帯留は明治になるとパチン留、またはパチンの帯留と呼ばれた。

指輪

　これまではほとんど用いられなかったと思われていたが、近年、江戸時代の指輪の着用が明らかになってきた。鎖国前にもキリスト教との出会いの中で指輪が登場したが、江戸後期の指輪はキリスト教とは関係なく中国の影響で始まったものである。

　中国からの指輪の輸入は、すでに1700年代初期に始まっていて、安永7年（1710）、正徳元年（1711）には中国の寧波からの船で運ばれた記録がある。最初は物珍しさから輸入されたものと思われるが、明和7年（1770）には1960個も輸入されたという記録が残っている。

　これらの指輪は貿易の窓口である長崎で用いられたと思われるが、1800年代前後になると大阪や江戸でも指輪の着用が目立つようになった。

　随筆『摂陽奇観』（1833年稿）では、大阪で文化年間（1804-18）に流行したものとして「婦女のゆび輪」を取り上げている。

　江戸での流行については、『嬉遊笑覧』に「指の輪唐山（中国のこと）より渡りて近年こゝにて多くもてはやす」とある。

江戸中期・後期

● V-46

● V-48 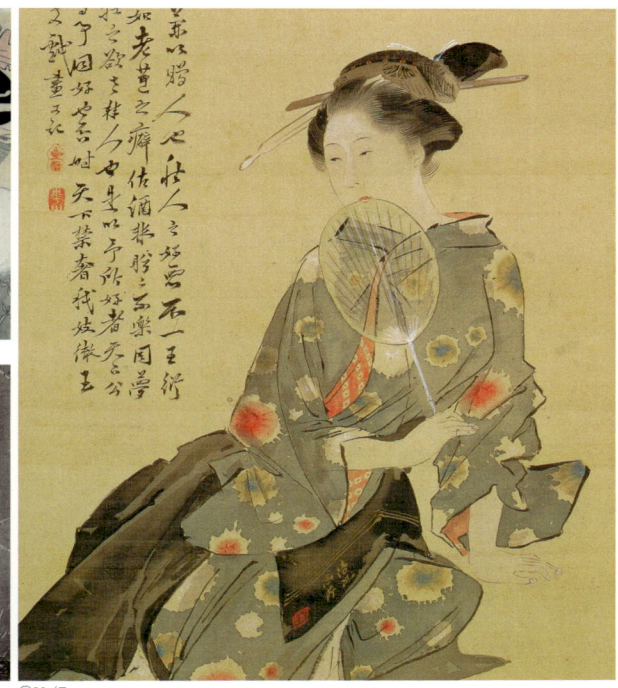　　　　　● V-47

『嬉遊笑覧』が書かれたのは文政13年（1830）であるから江戸での流行は文政（1818-30）頃と見てよいだろう。同書は、流行の元は中国（清）にあると指摘し、そして中国製のものは白銅などで粗末なので、江戸では銀で作っていると記す。もう少し早い時期のものとしては寛政期（1791年）の山東京伝の洒落本『仕懸文庫』に、文中の会話として「指の輪はうらみだぜもうやめにしろ」という場面があり、男女の愛情と関係があったことがうかがえる。この頃の指輪は、喜多川歌麿《V-46》や初代・歌川豊国の美人画にも描かれているので、着用の様子も確認できる。

文化・文政期以降では、天保9年（1838）の渡辺崋山の肉筆画の「芸妓図」（校書図）に指輪らしきものをつけた芸妓が描かれている《V-47》。また特殊な例ではあるが、漁の途中に遭難して米国に渡り後にジョセフ・ヒコと名乗った浜田彦蔵は、1851年、カリフォルニアで仮装舞踏会に出席した時に金銀の指輪を10個か11個贈られている（1891、95年『アメリカ彦蔵自伝』）。

指輪が新たな展開を示すのは、西洋諸国との交渉が始まる1860年前後からで、オランダ人から指輪をもらって喜ぶ娘の話（1860年『長崎海軍伝習所の日々』）や、イギリス公使から指輪を献上された

● V-46　　當世女風俗通　北国の契情（部分）　喜多川歌麿　江戸東京博物館蔵
　　　　　右手小指に指輪。
● V-47　　芸妓図（一幅、部分）　渡辺崋山　重文　東京・静嘉堂文庫美術館蔵
　　　　　右手小指に細い指輪。
● V-48　　第二回遣欧使節池田筑後守に同行の女性（部分）　ナダール　神奈川・川崎市市民ミュージアム蔵
　　　　　右手薬指に指輪。

藩主の話（1921年『一外交官から見た明治維新』）などが伝わる。この頃になると指輪をつける女性はけっこういたようで、遣欧使節団に同行した女性が元治元年（1864）にパリで撮った写真などには指輪をしている姿が写っている《V-48》。

腕守

今では忘れられているが、江戸末期の嘉永年間（1848-54）頃、お守り入れや香料入れを兼ねた腕守という上腕部の腕輪が用いられた《V-49》。《V-50》はそれを腕に巻いている姿である。腕守は肌守ともいい、芸妓などの間では白い腕にこれが見えるのをもって粋とした。ビロードなどの布地を輪状にして金具で止めたもので、金具には銀などを用い、文様を彫ったものもあった。金具部分には香料を入れる所も設けてあった。布地の内側には切れ込みがあり、お守りはその中に入れた。明治になっても用いられたが、入墨隠しとの風評のため明治10年（1877）頃になると用いるものは減り、やがて消え去った。

江戸時代の宝石類

江戸時代の宝石といえば、まず挙げられるのはべっ甲、サンゴ、象牙など生物起源の宝石である。いずれも、鎖国以降の唯一の対外貿易港である長崎に、オランダや中国から入った品々である。高価ではあったが、これらの異国の宝石にあこがれる人は多かった。

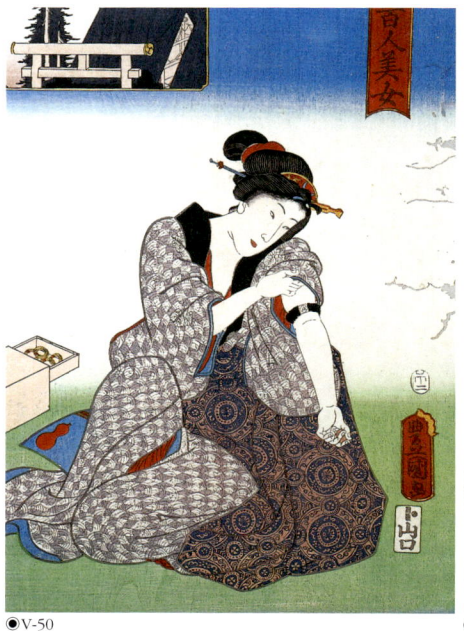

●V-50

●V-49

●V-49　腕守　四種　総長20.0cm、21.2cm、25.7cm、30.6cm　東京国立博物館蔵
●V-50　江戸名所百人美女の内（部分）　三代・歌川豊国　東京・日本宝飾クラフト学院蔵

べっ甲

髪飾りの材料として、べっ甲の人気は元禄以来不変であった。そのため模造品が数多く作られた。また、たびたびの禁令をかいくぐるため、本来の「玳瑁（たいまい）」の名を使わず、「鼈甲（べっこう）」すなわち鼈（すっぽん）の甲と呼んでごまかしたほどである（『近世風俗志』ほか）〈コラムV-7〉。

サンゴ

サンゴは地中海産の紅サンゴである。江戸中期末頃から緒締の玉として人気が高まったため、鯨の歯や鹿角を赤く染めたサンゴの偽物も出回っていた（1712年稿『和漢三才図会（わかんさんさいずえ）』）。江戸後期になると黒髪と調和するこのサンゴは女性に特に好まれ、簪の玉や櫛の飾りに用いられた。江戸末期の嘉永元年（1848）には土佐（高知）の沖合で、漁業中の船にサンゴがかかったという記録はあるが土佐藩では採取を禁じていたため、髪飾りなどに用いられることはほとんどなかった（高知で本格的にサンゴ採取が始まるのは明治に入ってから）。嘉永3年（1850）にはサンゴの模造品として明石玉（あかしだま）というものが作られ、サンゴ

玳瑁（たいまい）と鼈甲（べっこう）〈コラムV-7〉

◆「鼈（すっぽん）」は沼地に生息し食用にされる「すっぽん亀」のことであり、甲は軟らかい。すっぽん亀と熱帯・亜熱帯に分布し甲が硬い玳瑁とは別種である。両者の混同はかなり早い時期から行われていたらしく、正徳2年（1712）に書かれた『和漢三才図会』では、玳瑁のことを鼈甲と名づけるのは大きな誤りであると注意を促している。

代用品として幕末から明治にかけて流行した。

象牙

象牙は櫛や笄の材料にもなったが、根付の材料となったものが多い。象牙には適度なねばりがあるため細かい彫刻に向き、また、その暖かみのある感触が根付の材料として好まれた。

メノウ、水晶、砂金石

これら以外にも、身近な宝石である国産のメノウや水晶も簪の玉や緒締の玉として用いられた。その他、江戸末期には突如として砂金石（茶金石）が簪の玉や緒締の玉などとして流行。赤褐色のキラキラ光るこの宝石は当時天然石と思われていたが、実はイタリアで作られた銅紛を混ぜたガラス（アベンチュリン・ガラス）であった《V-51》。

真珠

真珠の採取は江戸中期の寛文年間（1661-73）から始まっていて、長崎の大村藩では1672年以降、藩の政策として真珠採取を行った。しかし大きなものは少なく、これらの真珠が髪飾りなどに用いられることはなかった。『和漢三才図会』では伊勢真珠（アコヤ真珠）について、小さなものは薬用とされ、大きなものは中国人が喜んで求めたとある。

ダイヤモンド

以上のほか、少量ではあるがダイヤモンドも国内に入っており、またダイヤモ

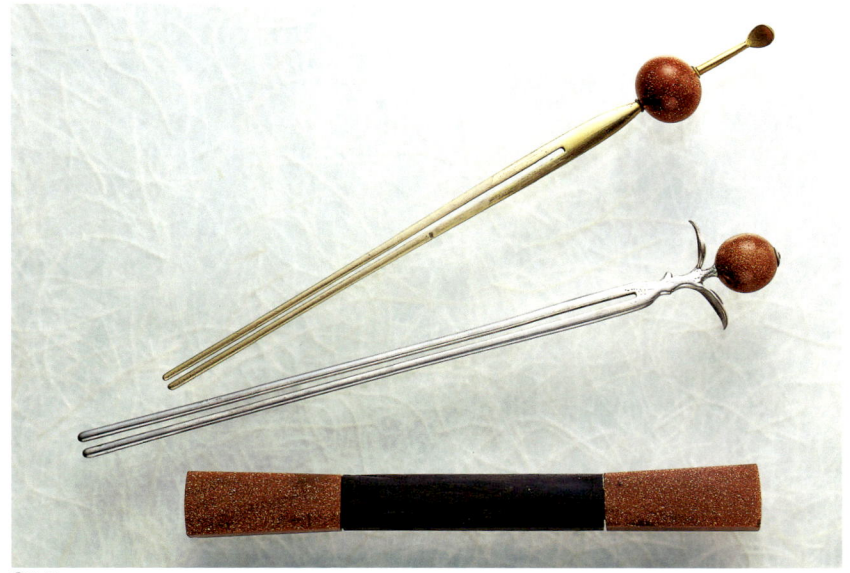

●V-51

ンドの装身具を入手したものもいた〈コラムV-8〉。

なお、江戸時代にヒスイ（ジェイダイト）を簪の玉や緒締の玉に用いたとする説も多いが、装身具にヒスイが用いられるのは明治後期にビルマ（ミャンマー）からヒスイが入るようになってからであろう。

江戸時代のダイヤモンド〈コラムV-8〉

◆ダイヤモンドは江戸時代には「金剛石（こんごうせき）」のほか、「ギヤマンテ」「デヤマン」「ギヤマン」などと呼ばれた。この中では金剛石が一番古く、由来は仏典の『金剛』（最も硬いという意味）にある。ギヤマンテ、デアマンは、ポルトガル語の「Diamante」、またオランダ語の「Diamant」から転化した呼称。ギヤマンテなどが文献に登場する早い例は江戸中期末の宝永5年(1708)刊の西川如見『増補華夷通商考』。同書に「ギヤマンテ、デヤマンとも言う。金剛石、菩薩石の類なり」とある。実際のダイヤに出会うのは江戸後期の1700年代の中頃からであり、平賀源内が宝暦12年(1762)に江戸・湯島で開いた物産会には金剛石（ダイヤ）の入った指輪が出品された。翌年出版された出品記録『物類品隲』で源内は「金剛石」は「紅毛人持来る所のデヤマンなり」と解説している。

源内の時代から90年ほど後にはダイヤのネクタイピンを入手した日本人もいる。その人物は指輪の項で紹介したジョセフ・ヒコ（浜田彦蔵）で、1851年に指輪をプレゼントされた時にダイヤの入ったネクタイピンを「二朱金、二分金何枚かと交換」と自伝に記す。

江戸末期にはダイヤへの認識も高まった。慶応3(1867)年、西洋の月刊雑誌を模した『西洋雑誌』が刊行された。その創刊号は「ヂャマントは天下第一高価の物なる話」をトップ記事に据え、日本の文献としては始めてダイヤの重さ「カラット」にも触れている。

●V-51　砂金石の簪二種と笄　[上]16.9cm　東京・日本宝飾クラフト学院蔵

The Concise History of Jewelry and Accessory in Japan

VI

明治時代

関 昭郎

コラムVI-3

明治時代

西洋式ジュエリーの移入

　明治以降の日本の近代化は、西洋化の歴史といわれる。現在の私たちは同時代の欧米と基本的に同じ服を着て、同じ装身具を身につけているのだから、装身具についてもこのことが当てはまることはいうまでもない。

　ただし、江戸という時代に生きた人々が西洋式ジュエリーを身につけることは単に身を飾るということではなかった。例えば、白く輝くダイヤモンドや掌の上で動き続ける懐中時計を初めて目にしたときの驚きを想像してみるならば、それが新しい時代を体現することにほかならなかったことが容易に理解できよう。天皇皇后をはじめとする西洋式ジュエリーを身につけた上流階級のイメージは人々の近代化に対する憧れを大いに喚起した。一方で日本の伝統的な装身具が長く愛好された背景には、自分たちのアイデンティティに対する思いが少なからず働いていたのだろう。

　本章では近代日本の基礎を試行錯誤しながらつくりあげた明治時代を、明治政府が産声を上げた明治初期、鹿鳴館時代、そして憲法の制定から、日清・日露戦争の戦勝によって国家の地位を固めた明治後半期という三期に区分し、それぞれの時代を彩った代表的な装身具を振り返ってみたい。《Ⅵ-1、2》

明治初期　明治元年－明治16年

明治政府による旧慣習の廃止と服制改革

　いわゆる不平等条約、安政の五カ国条約の改正を図るため、明治政府は近代国家としての体裁をとることを急いだ。そのためには国家システムの確立と平行して、欧米人に理解されない服装・慣習を改めて、西洋化に力を注いだ。

　服制以上に大きな変化は、明治4年

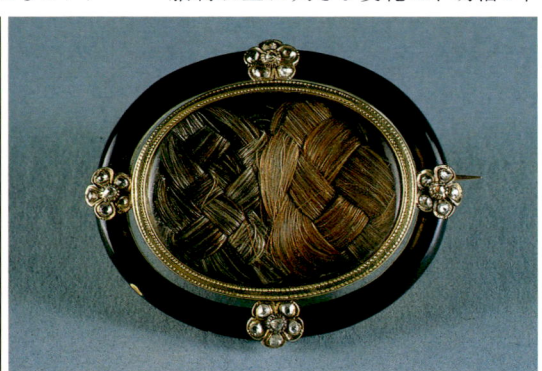

●Ⅵ-1
●Ⅵ-2

- Ⅵ-1　結婚指輪（ペリー提督遺品）　19世紀　東京国立博物館蔵
- Ⅵ-2　頭髪入りブローチ（ペリー提督遺品）　19世紀　東京国立博物館蔵
　ブローチには米国東インド艦隊司令官ペリーと妻ジェーンの遺髪が納められている。19世紀までの欧米では死者の思い出として、遺髪を使ったモーニング・ジュエリーが数多く作られたが、日本では見られない。この2点は1927年に遺族から日本へ寄贈されたもの。

(1871)に官吏及び華族に対し「散髪、脱刀及ビ洋式ノ服ヲ用イルコト勝手タルベシ」といういわゆる散髪脱刀令を出して、丁髷を切り落としたことである。この直後には髷のない頭部を隠すための帽子が飛ぶように売れたという。

女子では明治3年には華族のお歯黒、眉墨が禁止された。これには明治6年3月3日には皇后陛下らが率先して範を示した。一般には行われていなかった眉墨はともかく、既婚女性が広く行っていたお歯黒は外国人たちも目にすることが多く、ことのほか奇異に映ったのである。

また、明治13年(1880)には入墨の施術も禁止の対象となった。ただし、英国皇太子エドワード7世のようにこれを望む外国人もいたようで、横浜の外国人居留地内では引き続き行われていたという。逆に男子の髭は紳士のシンボルとして、欧米に倣い急速に広まった。

一方の服制は、「服制ヲ更メ其風俗ヲ一新シ」との勅語が発せられ、明治5年(1872)11月12日付の太政官布告第339号で西洋式の大礼服、通常服が定められた。束帯は宮中の神事の祭服としてのみ着用し、そのほかは洋装に改められた。

●VI-3

服制の布告に先立って、同年の夏に天皇の大礼服用の金製ボタンが皇后の「腕釧(ブレスレット)」、「簪(髪飾り)」と共にフランスより届けられた。

大礼服の軍服には、帽子に手袋、靴、ネクタイに勲章、短剣とサーベル、そして金モールの肩章に袖章、金色のボタンが付いた上衣が採用された《VI-3》。

通常の軍服はこれに先行して明治3年(1870)から用いられていたが、その後軍服だけでなく郵便夫、警官、鉄道員らもそれぞれ制服が定められた〈コラムVI-1〉。

勲章〈コラムVI-1〉

◆日本で初めて勲章が定められたのは明治8(1875)年であった。この時、勲一等旭日章が制定され、天皇が佩用し、また有栖川熾仁親王ら7親王がこれを受けた。その後、他の勲位も制定された。これは当時のヨーロッパでは公式の場に勲章を佩用し、また国家の代表はこれを贈り合うという慣習に倣ったものである。大日本帝国憲法発布の前年に、天皇のための最高位の大勲位菊花章頸飾が制定された。同年には、一般功労者向けの瑞宝章と女性のための宝冠章が制定された。その後明治23(1890)年には軍功者に与えられる金鵄勲章が加わり、文化勲章が定められたのはやや後で昭和12(1937)年のことであった。

●VI-3 明治天皇像 グイード・モリナーリ 明治30(1897) 東京都庭園美術館蔵

●VI-4

西洋式装身具の変容

　西洋式の装身具の中でも指輪の普及は際だって早かった《V-48》。和装でも着用に支障がなかったことが普及の第一の理由であろうが、すでに江戸末期の長崎から入ってきていたという下地も影響しているかもしれない。明治6年(1873)3月『新聞雑誌』には「金銀の指輪を掛ける者多し」、明治7年11月『新聞雑誌』324号に「東京府下並諸県下の婦女子等手の指に輪金を用いるは当今一般の流行なり」という記述が見られる。また、幸野楳嶺の《妓女図》のように、単純な「かまぼこ型」だけでなく、石留めの指輪も明治初期から用いられていた《VI-4》。指輪などのジュエリーは外

●VI-4　妓女図　幸野楳嶺　明治6(1873)　京都府立総合資料館蔵
　　　　明治のごく初期に描かれたこの美人画には、サンゴ入り櫛、色彩豊かな簪、赤い石(サンゴか)入りの指輪、金色の帯留など当時の装身具の様子を見ることができる。

純金製
彫刻
指環

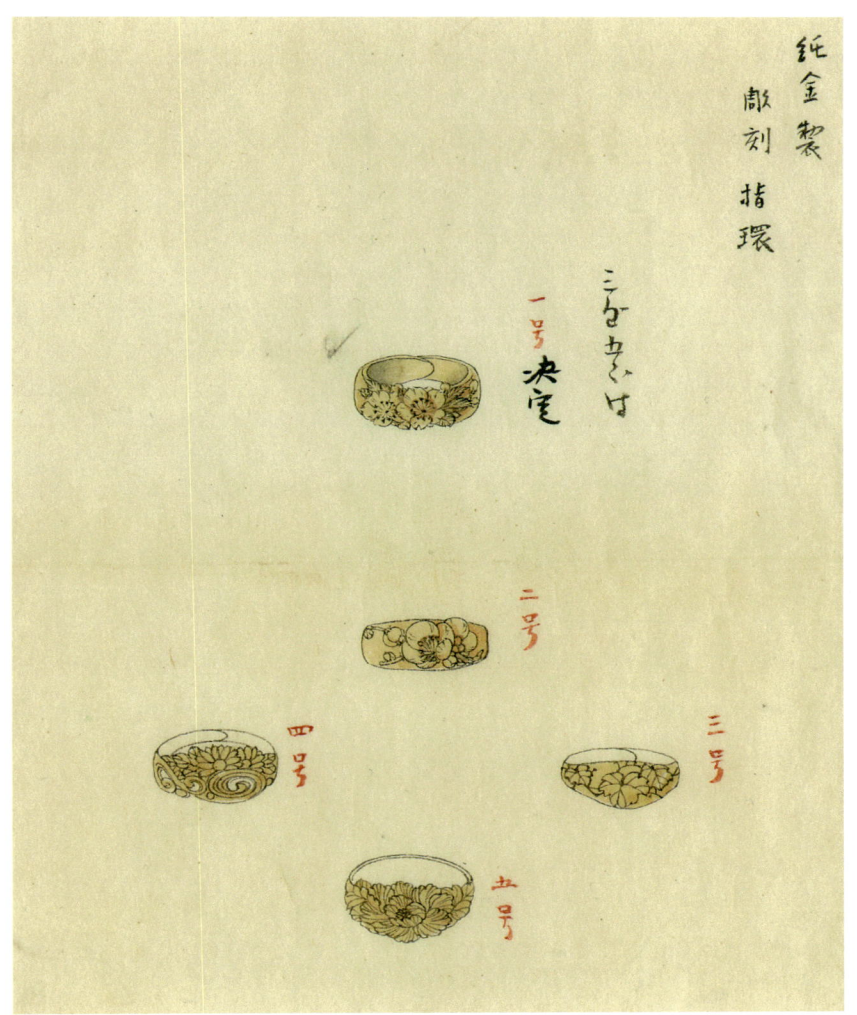

三なくは
一号決定

二号

三号

四号

五号

●Ⅵ-5

国人居留地内の商館を通じて輸入されたが、この頃には国内で作られた可能性もある。
　一般的には明治9年(1876)の「大禮服竝ニ軍人警察官吏等制服著用ノ外帶刀禁止」という太政官布告、いわゆる帯刀禁止令によって職を失った装剣金工(刀剣の目抜き等の金属製の飾り部分を作る職人)たちが、装身具への転向を余儀なくされたと考えられている。
　明治12年刊の『東京名工鑑』のなかで後藤派の金工・小出豊吉は明治4年に士

族が帯刀をしなくてもよくなったことの影響で仕事が途絶え、「釵釦（ほたん）、指環類の製造を始め」たという記述があるように、明治9年の帯刀禁止令より以前から装身具類、特に西洋式のジュエリーも手がけるようになった装剣金工たちもいた《VI-5》。

　明治6年のウィーン万国博覧会には、京都の後藤光信、七宝の平田彦四郎、加賀象眼の山川孝次ほかが参加。指輪、時計鎖、煙管、カフスボタン、ブローチ、ブレスレットほか200件余りの装身具を出品している《VI-6》。また、甲府の土屋宗八の大福帳には、明治7年に水晶指輪の記録が残っている《コラムVI-2》。

外国商館と輸出された装身具

　指輪と並んで普及が早かった西洋式装身具が懐中時計であった。すでにいくつかの幕末期の写真にも見られるが、明治5年（1872）の太政官布告第337号（改暦の布告）により太陽暦の採用されたことで本来の実用性をもった装身具として広まった。

　西洋式装身具の受容はむしろ男性が積極的であった。指輪をするものもいたが、懐中時計が男性の装身具としては圧倒的な人気をもっていた。それは新しい知識と文化を取り入れるエリートの象徴でもあった《VI-7》。

　懐中時計とジュエリーは安政5年（1858）に締結された五カ国条約に基づいて長崎、横浜、神戸、東京・築地に設

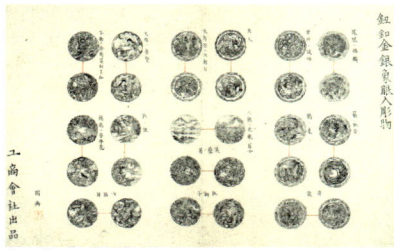

● VI-6

博覧会と装身具〈コラムVI-2〉

◆明治6（1873）年に明治政府が最初に参加したウィーン万国博覧会では、時計鎖や焼金製（純金製のこと）指輪などが出品される。残念ながら、いまのところどのようなものかを知る資料は発見されていないが、東京国立博物館に所蔵されているシカゴ万国博覧会（1893）出品作のように日本らしい伝統技術を生かしたものであったならば、評判を呼んだに違いない。

　明治10年に上野で開かれた第一回内国勧業博覧会は来場者45万人を数えたが、ここにも多くの西洋式ジュエリーが出品された。また、出品作品以外でも、櫛・簪をはじめとする博覧会記念の装身具が玉宝堂、大西白牡丹、三越呉服店など当時の一流店から販売された。

● VI-6　　釵釦金銀象眼入彫物の図　岸雪浦（図画）　起立工商会社出品　明治10（1877）　『温知図録』より　東京国立博物館蔵
　　『温知図録』とは、明治8（1875）年から同14（1881）年頃にかけて、博覧会事務局および製品画図掛が輸出用工芸品制作のために編纂、各地の工芸家へ配布した図案集。

● コラムVI-2　［左］時計鎖（婦人用、シカゴ万博出品）　村松万三郎・香川勝廣　金、銀　長33.0cm　明治26　［右］時計鎖（男子用、シカゴ万博出品）　村松万三郎・沢田寿永　金、銀　長30.3cm　明治26（1893）　いずれも東京国立博物館蔵

明治時代

●VI-7

●VI-8

置された外国人居留地内の外国商館を通じて輸入され、各地の小売店に供給された。横浜のスイス・ファヴルブラント、コロン商会などが代表的な商館である《VI-8》〈コラムVI-3〉。

一方で、前述の日本の伝統的な装剣金工の技術を使った装身具類も海外向けに作られ、日本人が経営する貿易問屋

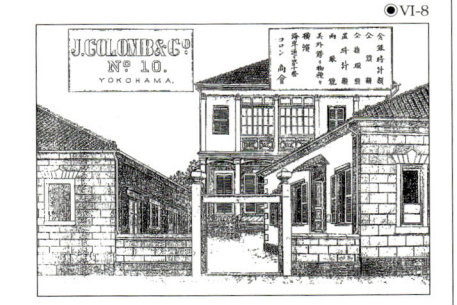

商館時計〈コラムVI-3〉

◆時計製造で有名なスイスやイギリスでは供給先の好みに合わせた懐中時計を作ってきた。数字と文様の文字盤が美しいトルコ向けやムーヴメントに細かな彫刻装飾を施した中国向けが有名だ。日本向けには魚子文様を施したケース、ムーヴメントの見える内蓋、傘のような突起が付いた丸形の提げ環などに特徴のある時計が作られた。愛好家の間では、外国商館を通じて輸入されたこうした外国製の時計を「商館時計」と呼んでいる。

- ●VI-7　薩摩藩英国留学生（古写真）　鹿児島・尚古集成館蔵
  中央の町田久成をはじめ、全員がウェスト・コート（ヴェスト）のボタン・ホールからポケットへ、1860年以降広まった時計鎖アルバート・チェーンを付けている。欧米の都市生活で必需品であった懐中時計は留学生たちにとっては新しい知識の象徴でもあった。
- ●VI-8　横浜・コロン商会　佐々木茂市編『日本絵入り商人録』より　明治19（1886）
- ●コラムVI-3　銀側懐中時計　レッツ商会　個人蔵

●VI-9a　　　　　　　　　　　　　　　　　　　　　　　　　●VI-9b

を通じて輸出された《VI-9》。

鹿鳴館の時代　明治16-20年

　総理大臣・伊藤博文と外務卿・井上馨が主導して、条約改正の切り札として建てられた鹿鳴館は明治16年11月に日比谷が原近く(現在の千代田区内幸町1丁目)に落成した。鹿鳴館では、宴会や舞踏会のほかにバザー、音楽会が連日、連夜にわたって行われた。ドレスのスタイルはおしりの部分がふくらんだバッスル・スタイルである。装身具としては、ネックレスや時計鎖などが見られる《VI-10》。指輪も広く着用されたと思われるが、その中でも井上馨夫人・武子がパリの宝石店で買い求めた1カラットのダイヤ入り指輪は広く知られていた。

束髪の登場とその影響

　この鹿鳴館時代に女子の髪型に大きな変化があらわれた。すなわち束髪(そくはつ)の登場である。明治初期の髪型は幕末期の延長上にあったが、明治18年に「婦人束髪会」が従来の日本髪に代わって束髪を推奨した《VI-11》。そこでは油で固めた髷(まげ)が衛生上害があり経済的でなく、簡単に結える束髪が便利と主張された。束髪はたちまち反響を呼び、「鼈甲(べっこう)の櫛(くし)　笄(こうがい)などは従来の半価にも及ばざる程に下落した」(『朝日新聞』明治18年9月17日)という。生花か造花かは判然としないが、束髪にバラなどの花を髪飾りとする例を当時の錦絵に数多く見ることができる。

華族の服制とジュエリー

　明治17年(1884)には公爵・侯爵・伯爵・子爵・男爵という五位の爵位を定めた「華族令」発布、それに伴い有爵者の大礼服制が定められた。ここには五七の桐章の金製ボタンや金線で装飾され

●VI-9a　輸出されたジュエリー　四種　[上]薩摩焼きバックル、[下右]薩摩焼きバックル、[下中]赤銅に金象嵌ブローチ、[下左]銀製バックル　東京・日本宝飾クラフト学院蔵
●VI-9b　横浜貿易商「武蔵屋」の銘が入った銀製バックルの紙箱　東京・日本宝飾クラフト学院蔵
　　　　よく知られている浮世絵とともに日本の繊細な技術による工芸品は万国博覧会などを通じて広まり、ヨーロッパで「ジャポニスム」(日本趣味)の機運を生み出した。

●VI-10 　　　　　　　　　　　　　　●VI-12

た剣を持つことが記されている。一方の華族女子の正装は依然、白小袖に緋袴であったが、ようやく明治19年の服制で洋装に改まった。

　新年の参賀にはマント・ド・クール（大礼服）、夜会・晩餐にはローブ・デコルテ（中礼服）またはローブ・ミ・デコルテ（小礼服）。新年宴会・紀元節、天長節、皇后・皇太后誕辰日、年末祝詞等宮中昼のご陪食にはローブ・モンタント（通常礼服）の着用が定められた。

　この服制の翌年、明治20年（1887）に皇后用のティアラと三連のダイヤモンド・リヴィエールがプロイセン王国（現在のドイツ）より届けられた。

　このティアラとリヴィエールは皇后の最もあらたまった場に着用する装身具として、現在まで継承されている《VI-12》。

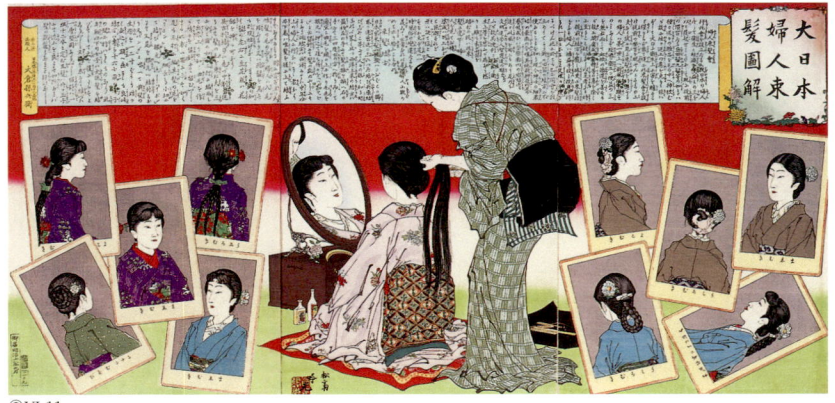

●VI-11

●VI-10　　森有礼アルバム中の女性像　東京・石黒コレクション保存会蔵
●VI-11　　大日本婦人束髪図解　明治18（1885）　東京・日本宝飾クラフト学院蔵
●VI-12　　昭憲皇太后像　グイード・モリナーリ　明治30（1897）　東京都庭園美術館蔵
　　　　　ティアラの星のモチーフは19世紀後半に流行した。ダイヤモンドを数珠繋ぎにしたネックレスはフランス語で
　　　　　「（光の）川」を意味するリヴィエールと呼ばれる。

宮中のこうした洋装のジュエリーにはティアラ、ダイヤモンドまたは真珠のネックレス、ブレスレット、指輪等が着用された。

ただし、イヤリングは例を見ることができない。万延元年の遣米使節の随行員の記述に「（アメリカ人女性）らは多くの野蛮国の女と同様に耳たぶを切って、金または銀の装飾品をつけている」とある。ピアス式イヤリングに対するいたって不寛容な態度は日本人の中でその後一世紀以上も変わることがなかった。

明治後半期　明治20-45年

激しく揺れ動いた明治前半期とは対照的に明治22年（1889）の大日本帝国憲法発布以後の明治後半期は国家としての一応の安定とともに「ハイカラ」な装身具が広く普及した期間であった。

明治10年代後半から20年代にかけて、銀座に天賞堂、丸嘉、服部時計店、清水商店ほか有力な小売店が開業し、江戸時代から続く袋物商とともに発展した。特に明治38年（1905）の日露戦争戦勝によって、近代日本は国際的な地位を確立して、自信をつけたが、装身具にも素材の使い方やデザインに豪華さと華やかさが目立つようになってくる。

明治37年には三越呉服店がデパートメントストアー宣言を行い、これまでの商形態を変えた。ショッピングが女性の外出をするための一つの楽しみとなることで、ファッションと装身具への関心も自然と高まった。また、御木本幸吉は明治26年に半円真珠、明治38年には真円真珠の養殖を成功させ、この発明は欧米の市場に大きな影響を与えた。真珠養殖は大正・昭和期になると日本の代表的な輸出産業へと成長した。
〈コラムⅥ-4〉

帽子、メガネ、蝙蝠傘

帽子の着用は明治男子の服装のなかでも、その変化をもっとも象徴している。断髪令直後は断髪を隠すために流行した帽子であったが、以降、明治期を通じて外出時には不可欠なものとなった。礼装用の山高帽のほか、明治20年代から普及した中折、商人には鳥打が流行した。夏期にはカンカン帽など麦わら帽子も被られた。

防寒着もこの時期にトンビから、二重廻し、外套、インバネスと流行を変えながら定着していった。

メガネは江戸期にすでに視力矯正用

坪井正五郎と風俗測定〈コラムⅥ-4〉

◆人類学と考古学の創始者とされる坪井正五郎は明治20（1887）年から22年にかけて、男女の髪・服・靴の3点をそれぞれ日本風か洋風かという街頭調査を東京と関西の数カ所で行った。男性はどの場所の調査でも、ほぼ全員が洋髪であり、特に上野公園では服と靴も洋風の男性は半数を越えていた。対して女性は、束髪こそ、東京14％、大阪で19％とそれなりに浸透していたものの、髪・服・靴ともに洋風なのは東京、関西とも1から2％とごく少数であった。装身具についての調査はないが、洋装化の浸透を測る貴重なデータであり、この手法は後年の考現学に引き継がれた。

として実用に用いられていたが、明治期に入ると装身具としても普及をみた。明治20年代には高価な金縁メガネが売り出されたほか、極端に大型の大メガネ、度の付いていない伊達メガネ、色の付いた青メガネなど変わり種のメガネも流行した。

蝙蝠傘は明治初期の錦絵からすでに散見される。雨が降っていなくとも日傘としても使われ、また、ステッキの代わりともされた。

また、ふろしきに代わって革製の手提げ鞄が流行し始めたのもこの時期で、これは人力車や汽車による移動にも適していた。

懐中時計

新時代を象徴する懐中時計はもはやハイカラな男性には必須のものとなった。特にこの時期にアメリカで近代的な工場での生産が行われるようになり、ウォルサム、エルジンなど高精度の時計を供給した。懐中時計を提げるためには首からかける絹製のひもが時代を問わずに和装・洋装の別なく使われたが、洋装ではベストにつける金の時計鎖は装身具として特に効果的であった。竜頭巻きが発明されると、瞬く間に鍵巻き式を駆逐した。このためチェーンの先には鍵巻き用の鍵に代わって時計鎖にコンパスやペンシルなどちょっとした実用性をもちながら、時代の関心を反映したものが提げられた。なお、優秀な卒業生に贈られる「恩賜の銀時計」が明治27年（1894）に陸軍士官学校で始まり、明治32年（1899）には東京帝国大学ほかの帝国大学の卒業式でも授与されるようになった。

喫煙具とたばこ入れ

明治10年代から紙巻きたばこも発売されたが、明治期を通じて刻みたばこ

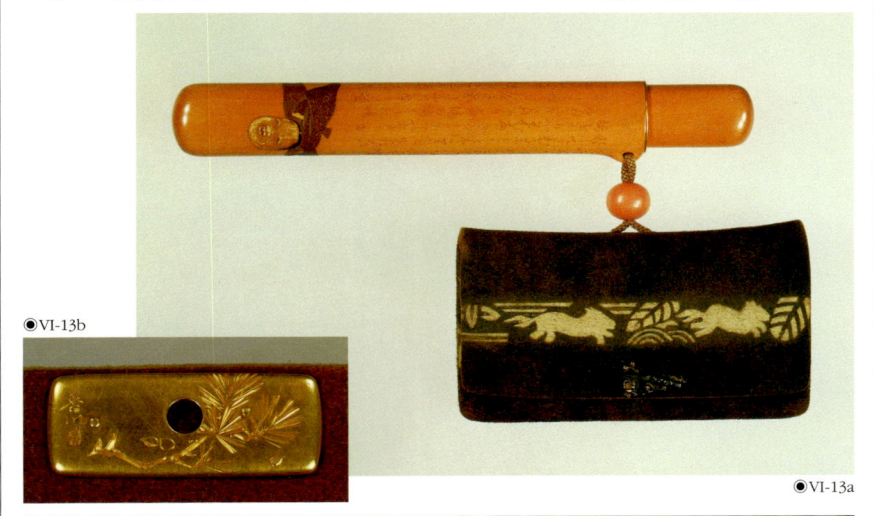

●VI-13b

●VI-13a

●VI-13a,b　本駒菖蒲革腰差したばこ入れ　梅に鉈図表金具と松図裏座　香川勝廣、謡曲鉢の木彫黄楊筒　加納鉄哉
東京・たばこと塩の博物館蔵
筒からたばこ入れ、金具まで一つの謡曲「鉢の木」の物語で統一されている。表に色彩を押さえた素材を使い、裏座に華やかな金を用いるのは当時の「粋」の美学の現われ。

を詰めるきせるも広く使われていた。したがって江戸時代から引き続いて、喫煙具に趣向を凝らすことへも根強い人気があった。金や色金を使った彫金の豪華なきせるや鰐皮や貴重な布を使ったたばこ入れには打ち出しの技術で作った前金具が付いた。さらに裏金具に著名な作家に彫金してもらうことも粋とされた。きせるを入れる煙管筒も黄楊や象牙に装飾を施した高級なものが作られた《VI-13》。

この時期の著名な金工としては加納夏雄、海野勝珉、香川勝廣、塚田秀鏡らがおり、明治23年に設置された帝室技芸員へも順次任命された。また、和服に用いられる懐中紙入れなど携行品にも、同様の金具が使われた〈コラムVI-5〉。

華族のジュエリー

明治20年（1887）頃から明治末はヨーロッパでアール・ヌーヴォーやエドワード朝様式といったスタイルが流行していたが、日本の皇族、華族や外交官夫人などの着用するフォーマルなドレスにもこの影響があった。それまでのバッスル・スタイル《VI-14》からウエストをくびれさせた、いわゆるS字ラインのドレスへと取って替わった《VI-15》。

この時期のスタイルのポイントは高い襟にあったが、装身具としてはこの首の部分に英語でドッグ・カラー（犬の首輪）と呼ばれる幅広のチョーカー、またはブローチを飾った。ネックレスはこれと重ねて付けられた。

いずれのアイテムも、宝石にはダイヤモンドや真珠が好まれ、地金もプラチナを使った「オール・ホワイト」が主流となった。

櫛・簪など日本髪用の髪飾り

日本髪には江戸期より数多くの髪型があったが、しだいにいくつかの代表的なものに集約された。銀杏返しは年齢

加納夏雄〈コラムVI-5〉

◆装剣金工の加納夏雄はその卓越した彫金技術を買われ、明治2年（1869）に大阪の造幣寮（現在の造幣局）に奉職し、新貨幣の原型を彫刻する。その高い技術はお雇い外国人技師を驚かせたという。また、明治23年には東京美術学校（東京藝術大学の前身）の初代教授の一人として招かれた。こうした国家事業に関わり、また天皇の装剣にも腕をふるった名工であるが、個人の装身具も少なからず手がけていた。

●VI-14

●VI-14　都の花（部分）　明治22（1889）　東京・日本宝飾クラフト学院蔵
1880年代のヨーロッパでは南アフリカで飼育されたダチョウの羽を使った帽子が流行した。この図のファッションにもその流行が伝わったものだろう。

●VI-16

●VI-15

の差無く広く用いられたが、既婚者の丸髷、年頃の女性が結う島田、若い娘の唐人髷、桃割れといったように髪型の多くは年齢、さらには身分や職業と結びついていた《VI-16》。

日本髪には櫛と簪、笄、根掛が用いられた。婚礼用の最高級品としては斑を取り除いた透き通った「白甲」(白べっ甲)が人気があった《VI-17》。儀式用以外でも、べっ甲が一番の人気をもっていた。このほかには、螺鈿や蒔絵、高蒔絵、切金などの漆、あるいは芝山などの象牙、彫金を施した銀など、様々な工芸技法で水準の高いものが作られた。

明治後期には高価なべっ甲の代わりに、模造材料である護謨(ゴム)と呼ばれたセルロイドやべっ甲または牛爪で凝固させた卵白を挟んだ卵甲なども広く使われた。形状も明治20年代に流行した「お初形」のように明治に登場したものもあるが、同時期に人気のあった

「政子形」、「達磨形」、「月形」は江戸時代から使われていた形である《VI-18》。このほか時期によって人気のある櫛の形状と素材は様々であったが、明治40年代になると真珠やオパールといった宝石を嵌めたり、金を象眼するなど、西洋式ジュエリーの影響を受けた櫛が登場する。

簪は平打簪に加え、玉簪があった。玉簪には「土佐玉」とも呼ばれた高知県沖で採集されるサンゴ玉が主流である。

●VI-17

● VI-15　皇太后陛下御名代竹田宮妃常宮昌子内親王殿下　東京・ポーラ文化研究所蔵
● VI-16　髪型を紹介した絵はがき　[左から]高髷、桃割れ、伊賀むすび　東京・日本宝飾クラフト学院蔵
● VI-17　半京形櫛(幅9.2cm)と笄(長16.3cm)　べっ甲　三越呉服店製　東京・日本宝飾クラフト学院蔵

明治時代

●VI-18a

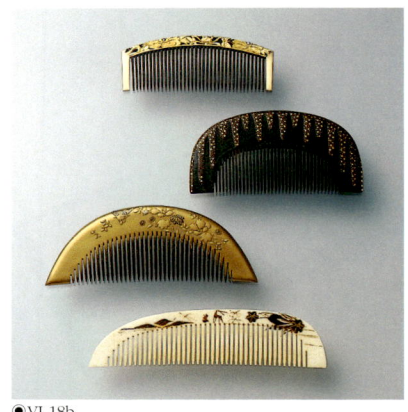

●VI-18b

明治末期にはヒスイ玉も登場する。

　簪の脚にはまっすぐに二股に分かれる松葉形と逆U字形の蛙股があるが、明治20年代末頃から蛙股が流行した。

　また、価格の安さからセルロイド製の模造サンゴを使った玉簪にも人気があった《VI-19》。

　笄は櫛と揃いが基本だが、異なったものが使われることも少なくなかった《VI-20》。形状は面取り角形や平打形などが人気で、素材では軽さを求めて一閑張りや朴木のくり抜きの台も使われ

●VI-18a 櫛と笄　三組　一角(いっかく)のお初形櫛(幅8.5cm)と笄(長9.4cm)、螺鈿蒔絵の半京形櫛と笄、セルロイド製のお初形櫛と笄　東京・日本宝飾クラフト学院蔵
●VI-18b 櫛　四種　半京形金覆輪(真珠入り)べっ甲櫛　幅7.6cm、政子形蒔絵櫛、月形蒔絵櫛、角製鬢櫛　東京・日本宝飾クラフト学院蔵

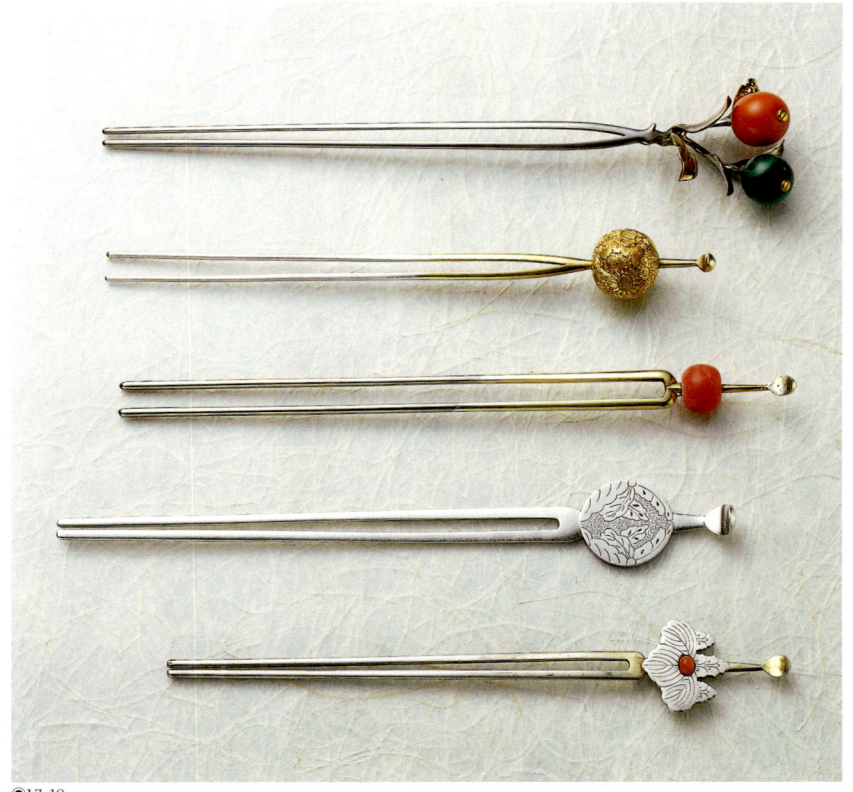

◉VI-19

た。(明治38年5月『風俗画報』)
　根掛にはサンゴ玉の根掛のほか、銀に金鎖しを施した彫金のものなどが使われた。

束髪とリボン

　明治20年代、特に日清戦争前後の国粋主義の高まった時期には日本髪回帰の風潮もみられたものの、明治時代全体を通して、ゆるやかに束髪が広まった。
　束髪にも変遷があり、1880年代(明治13-33)の前髪の目立たないものから、1890年代後半以後(明治38年前後)は風船形(バルーン型)や日露戦争の激戦地の名前をとった二〇三高地、1900年代後半以後の廂髪などへと変化した。

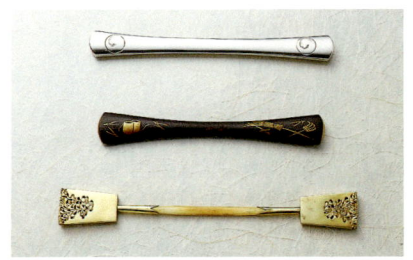

◉VI-20

●VI-19　銀(一部金めっき)簪　五種　サンゴ・マラカイト・松葉脚簪、彫金玉松葉脚簪、サンゴ・蛙股脚簪、平打蛙股脚簪、平打サンゴ入り蛙股脚簪　長15.1cm　東京・日本宝飾クラフト学院蔵　(彫金玉松葉脚簪は大正期の可能性が高い)
●VI-20　笄　三種　一つ巴銀笄　長16.0cm、高砂蒔絵笄、花透し彫金めっき銀笄　東京・日本宝飾クラフト学院蔵

日本装身具史

　明治18年開校の華族女学校をはじめ、明治30年代には女子英学塾、日本女子大学校などの女子高等教育機関が創設される。束髪に大きなリボンを結った女学生が、えび茶の袴に黒の編み上げ靴を履いて、さっそうと自転車に乗った姿は当時の最先端の風俗であった《VI-21》。

　リボンは当初は輸入品であったが、明治27年に岩橋謹次郎が東京谷中初音町に日本初のリボン製造所を設立。しだいに国産品が広まった。

帯留ほか貴金属を使った装身具

　明治30年元旦から、尾崎紅葉が「金色夜叉」の連載を読売新聞に始めた。その作品には有名なダイヤモンドの指輪のほかにも、様々な装身具の描写が登場する。男性の時計に時計鎖、眼鏡や羽織紐の環、女性の指輪にブレスレット、櫛、簪、笄、根掛などがある。〈コラムVI-6〉

　この時期装身具に金が好んで使われたのは、和装の中にも、西洋式ジュエリーの要素を取り込みたいという、当時の人々の意欲が込められている。例えば、

●VI-21

明治後期に大きく形態を変えた装身具に帯留があるが、明治25年頃からそれまでの「パチン式」に代わって、ひもに通す形式の帯留が登場した。このことはもともと帯を留めるための金具であった帯留が、帯あるいは着物を飾る装身具としての役割が特に重視されることになったことを物語っている。この変化のなかで、それまでのように金鋪しで金色を付けたり、部分的に象嵌したものとは異なってこそ生まれた視点であったのかも知れない。

尾崎谷斎〈コラムVI-6〉

◆小説家・尾崎紅葉の父、尾崎谷斎は「赤羽織の谷斎」と呼ばれる新橋・柳橋の幇間(たいこもち)で、同時に角彫りの名人であった。意表を突いた洒脱な着想と独特の風合いをもつ作品は粋筋ではたいへんな人気があったと言われ、今日でも国際的に評価が高い。母方の祖父母に育てられた紅葉は父の存在を表に出そうとしなかったと言われるが、装身具を通した巧みな人物描写はこの父があ

●VI-21　明治の女学生像(絵はがき)　東京・日本宝飾クラフト学院蔵
●コラムVI-6　象牙小判文彫櫛　尾崎谷斎　千葉・国立歴史民俗博物館蔵

明治時代

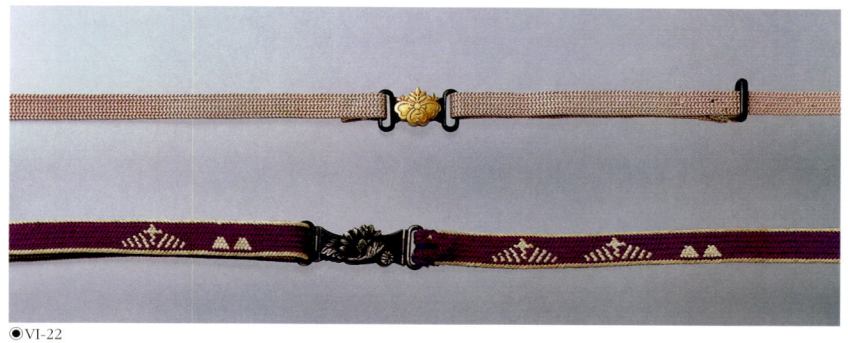

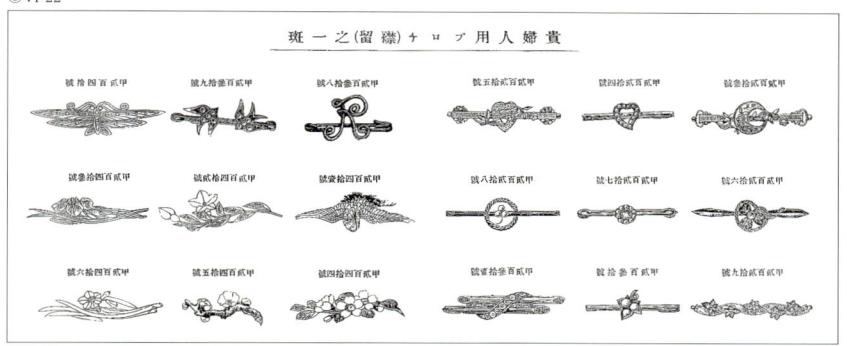

●VI-22

●VI-23

った完全な金製の帯留も作られた。また宝石を嵌めたものも作られた。また、打ち出しや赤銅や四分一などの色金を使った帯留に加え、西洋からもたらされた華やかな宝石を嵌めた金、プラチナなど貴金属製のものも作られた《VI-22》。

帯留以外にも西洋の宝石・貴金属を和装に取り入れたいという発想は他のアイテムにも見ることができる。例えば、明治40年頃にブローチは半襟を重ねたところに留める襟留と称して使われた《VI-23》。

男性同様に女性も懐中時計を持ち歩いた。女性は時計鎖に「襟掛け式」と呼

●VI-24

- ●VI-22　バチン式打出し帯留　二種　金・銀桐図帯留(金具部分幅1.9cm)、銀・菊図帯留(金具部分幅2.7cm)　東京・日本宝飾クラフト学院蔵
- ●VI-23　貴婦人用ブローチ(襟留)之一班　大西錦綾堂カタログ『美術之栞』より　東京・日本宝飾クラフト学院蔵
- ●VI-24　伯爵板垣退助令嬢良子像　『婦人画報』明治41(1908)年6月号より
  　　　　　胸元の首掛け式時計鎖は、明治末の和装でのアクセントになっていた。

●VI-25

ばれる和服の衿に留めるためにフックをつけた日本独特の工夫がなされたもののほか、同時代のヨーロッパと同様に首からネックレス状に提げる「首掛け式」も使われた。明治39年1月の『風俗画報』によると「鎖は襟かけよりも首かけのも流行し、少しく粋向きの人々は此の首掛け物を無造作にたぐりて懐中し、又温和向には襟かけなるをよろこぶ」とある《VI-24》。

指輪は広く用いられたが、特に日露戦争後は女性用の装身具として定着した。

貴金属製の装身具が一般化するにつれて、増大する需要に応えるために製造方法も近代化した。特に天野慶二郎の天野工場が彫金の複雑な表現を量産する型打ちの技術を開発し、純金製指輪や帯留は人気を集めた《VI-25》〈コラムVI-7〉。

結婚指輪〈コラムVI-7〉

◆明治35(1902)年刊行の平出鏗二郎著『東京風俗志 下巻』には「[(牧師は)先づ夫婦たる本旨を説き聞かせ、互いに手を取らしめて偕老の誓をなさ締め、婿の指輪と娚の指輪を授け、神にその霊護を祈りなどす」とキリスト教式結婚式を紹介しているが、明治37年にはすでに絵入りの結婚指輪の広告が出されている。

●VI-25　彫金指輪　三種　[左]18金製菊図指輪　[右]純金製小槌図指輪　いずれも東京・日本宝飾クラフト学院蔵
　　　　 [下]銀製雪牡丹図指輪　個人蔵　（明治期の伝統を受け継ぐ大正-昭和初期の作）
●コラムVI-7　植田商店広告　『服装新聞』明治37(1904)年6月号より

The Concise History of Jewelry and Accessory in Japan **VII**

大正・昭和初期・戦中期

関 昭郎

大正・昭和初期・戦中期

ジュエリー時代の到来と挫折

　大正から、昭和初期の時代を特徴づけるのは、商業の発達とそれに伴う新しい都市文化の興隆であろう。大正2年（1913）の三越呉服店のコピーである「今日は帝劇、明日は三越」に象徴されるように観劇やショッピングは女性の娯楽として定着した。

　日露戦争以後女性用が中心となった装身具は大正期に入ってデモクラシーの時代を反映して、軽やかさと華やかさを競った。ヨーロッパから伝わった装飾様式であるアール・ヌーヴォー、大正末からはアール・デコも装身具のデザインに大きな影響を与えた。

　しかし、日中戦争から太平洋戦争に突入する戦中期にはたちまち時代の華やぎは色あせて、ほとんどの装身具が姿を消した。

大正・昭和初期

　大正期の装身具は明治天皇を悼む黒色の赤銅製喪章と簪、黒リボンの流行で始まるが《VII-1》、大正4年の即位礼で一変、華やかな祝賀ムードが高まった。

　即位の御大典に合わせて18金製の記念指輪や束髪簪、また王冠形束髪櫛と称した新ダイヤ（模造ダイヤ）をはめた飾り櫛も販売されている。

　この御大典に合せて初めての皇后公式用胸飾を調製したのは明治32年（1899）に開業した御木本真珠店であった《VII-2》。明治時代にはヨーロッパに注文しなければならなかった最高級のフォーマル用のジュエリーが日本国内で制作される時代となった。さらに御木本真珠店は大正6年（1917）に皇后用の第二公式ティアラも手がけている。

　御木本幸吉は明治26年（1893）に当時のヨーロッパのジュエリーではよく使われた半円真珠（ハーフパール）の養殖を成功させ、明治38年（1905）には真円真珠の養殖も可能とした。大正2年（1913）にはロンドンに卸売支店が置かれた。養殖真珠はしだいに欧米市場を席巻し、ついには欧米のモードにも影響を与えることになる。

　御木本真珠店は装身具の製造ではやや後進であった。にも関わらず、養殖真珠の成功を背景に優れたデザイナー、宝石専門家、技術者を集めて、独自の

●VII-1　赤銅製喪章の広告　『演芸画報』大正元（1912）年9月号より

大正・昭和初期・戦中期

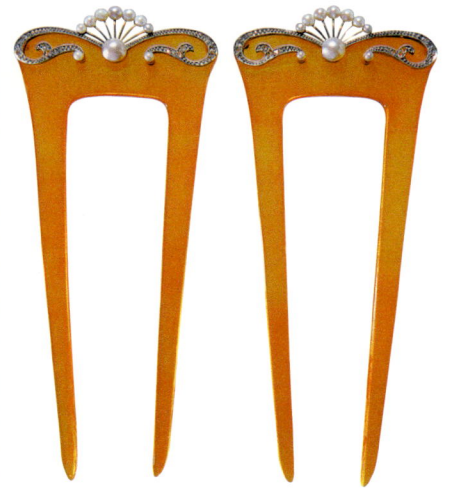

●VII-2

●VII-3

スタイルをもった高品質なジュエリーを製作し、短期間のうちに大正・昭和期の日本を代表する宝石店となった《VII-3》。

　大正前期の装身具はアール・ヌーヴォーの影響もあり、デザインにおいて明治期に比べて自由な造形が特徴で、軽快で洗練されたものとなった。また、大正末期から昭和初期にかけては、アール・デコの影響からそれまで見られなかった多様な宝石やプラチナ、ホワイトゴールドという白い貴金属との斬新な組み合わせが注目される。

男性の装身具

　20世紀に入って、ヨーロッパでフロックコートに代わって、ラウンジ・スーツが広く着用されるようになったことを受けて、日本でもスーツが広まった。ただし、大正期にはフォーマルな場で着用され たのは依然としてフロックコートが多かった《VII-4》。大正から昭和初期に流行したアイテムとしては、指輪、ネクタイピンやカフス、そして懐中時計などがある。

　なかでも印台と呼ばれる、印面のあ

●VII-4

- ●VII-2　　正装した貞明皇后　宮内庁
　　　　　昭憲皇太后から引き継がれたティアラ。ダイヤモンドの星型飾りの部分はデザインが変えられている。御木本真珠店製の菊花胸飾りも着用されている。
- ●VII-3　　束髪簪　一対　べっ甲、金、プラチナ、真珠、ダイヤモンド　高11.8×幅4.8cm　大正2(1913)-6(1917)
　　　　　御木本真珠店　三重・真珠博物館蔵
- ●VII-4　　隈川宗雄像　黒田清輝　大正5(1916)　東京大学総合研究博物館蔵
　　　　　フロックコートを着用した肖像画。結び目にネクタイ・ピンが刺されているのは戦前期の特徴。

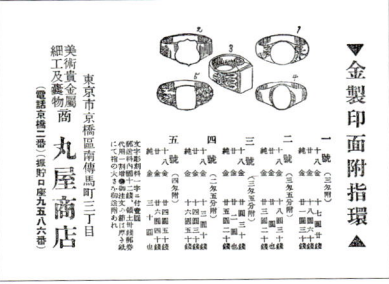

●VII-5

束髪用の髪飾り

　大正初期に大正結び、女優髷などの束髪が流行し、髪を押さえるために束髪櫛あるいは束髪簪が用いられた《VII-6》。

　束髪櫛は頭部にフィットするよう丸みがついた櫛で主にべっ甲、あるいはそれを模したセルロイド等で作られた。棟の部分には象眼や螺鈿の装飾が施された。デザインは和風から離れて、アール・ヌーヴォーを取り入れるなど目先を変えたものが好まれた。束髪櫛の歯は大正期にはまっすぐであったが、昭和期になると歯の中心部分を細かな波状にして、動きにくいような工夫がなされた

る指輪で金製のものは明治期から使われていたが、特に第一次世界大戦後に数多く出現した成金たちに好まれた《VII-5》。

●VII-6

●VII-8 　　　●VII-7

- ●VII-5　金製印面付指輪の広告　『演芸画報』大正6（1917）年2月号より
- ●VII-6　束髪櫛を付けた女優（絵はがき）
- ●VII-7　束髪櫛・簪　四種　べっ甲束髪櫛　幅11.5cm、螺鈿べっ甲束髪櫛、べっ甲束髪簪、メノウと緑石付束髪簪　東京・日本宝飾クラフト学院蔵
- ●VII-8　大型のスペイン櫛とイヤリング、ブレスレットを付けた女優（絵はがき）

《VII-7》。

束髪簪は束髪ピンとも呼ばれたように、主に2本の長めの脚を持った形状をしていた。素材は様々で、ダイヤの入ったプラチナ地金にべっ甲の脚を組み合わせたり、彫刻したヒスイに銀の脚を付けた特別に高価なものが作られる一方で、セルロイドやアルミニウムのような安価な素材でできたものも広く使われた。飾りの部分が脚から自由に回転する花月差しやスペイン差しと呼ばれるたいへんに大型のものまでがあった《VII-8》。

日本髪用の髪飾り

束髪の流行があったものの、大正前期にはに日本髪がいまだ主流であった。震災後は日本髪は洋髪に押されたものの、日本髪用の髪飾り類は様々な素材と高い加工技術で装飾性が高く、華やかなものが作られた。

高級品とされたのは明治期同様、べっ甲であった。明治末に登場した貴金属を組み合わせた髪飾りは大正前期にも引き続き人気があった。「金芝山」は、べっ甲地に金・プラチナといった貴金属を平象眼した最高級品であった。また、黒べっ甲台を使ったものにも人気があった。

貴金属を使った櫛にはほかに、透かした薄い金銀地金を2枚合わせて棟を

●VII-9

●VII-10

● VII-9　櫛・笄　四種　兎図角櫛（幅7.9cm）・笄（長15.5cm）、花紋金覆輪べっ甲櫛・笄、花紋金のせべっ甲櫛・笄　紫陽花図螺鈿べっ甲櫛・笄　東京・日本宝飾クラフト学院蔵
● VII-10　螺鈿宝尽くし図櫛・笄（長14.7cm）　豊川楊渓　螺鈿、べっ甲　明治-大正　個人蔵

べっ甲櫛にはめ込んだ「モナカ櫛」、薄金の文様を2、3ヵ所鋲留めした「ノセ文様」、ヒスイ製の棟を組み合わせたものなどがあった《VII-9》。

べっ甲以外では漆も人気が高く、徳川家お抱えの蒔絵師の名前を引き継いだ豊川楊溪の漆および螺鈿、特に独特の紫色漆の作品は有名であった。《VII-10》。

有名金工による彫金の髪飾りも依然人気があった。大正を代表する名工に豊川光長がいるが関東大震災で歿している。

震災以降、昭和前期では、光長の弟子の桂光春や菊を得意とした鈴木美彦ほか、船越春珉、中村春利などが髪飾りやその他の装身具に腕をふるった《VII-11》。

笄は櫛と揃いのものが好まれ、先端部分が外れる差し込み式のものが主流であった。明治末からある「車両天」のほか、「輪笄」、「四つ足両天」、「籠打ち笄」などが新しく登場した《VII-12》。

簪はヒスイ、「ボケ」と呼ばれた桃色系のサンゴの玉簪が好まれた。高価な金脚のヒスイ簪は女性たちにとっての羨望の品であった。明治の終わり頃に輸入されるようになったヒスイは大正に入

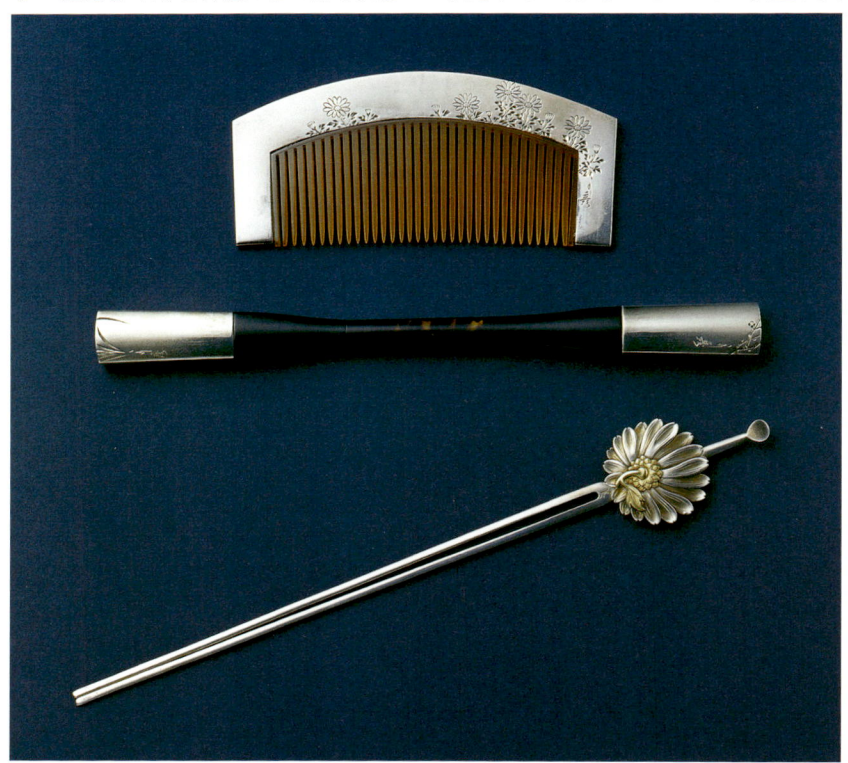

●VII-11

●VII-11　彫金櫛・笄・簪　鈴木美彦　片切彫四君子文様櫛（長9.6cm）・笄（長16.6cm）　べっ甲、銀　裏菊文様平打簪　銀に金銷（めっき）　長18.8cm　個人蔵

◉VII-12

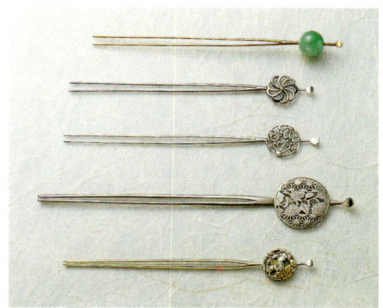

◉VII-13　　　　　　　　　　◉VII-14

って広く使われるようになった。この二つは暑いときには清涼感のあるヒスイ、寒いときには暖かみのあるサンゴとそれぞれの色合いから季節によって使い分けられた。

　平打簪は大正・昭和前期を通じて使われたが、金製のものや宝石入りのものも作られた《VII-13》。

　根掛も簪と同様にヒスイ玉やサンゴ玉、その他に宝石を使った金製のものがあった《VII-14》。

帯留

　帯留は髪飾り以上にヴァラエティに富んでいた。なかでも、彫刻したヒスイの人気は特に高かった。当時の雑誌広告にはヒスイのほかに、彫刻されたピーシー（ピンク・トルマリン）や、クリソコーラなどの帯留も掲載されている。こうした石の彫刻加工が国内と中国の両方で行われていた《VII-15》。（『新演芸』大正7年7月）

　大正後期には横幅が4寸～5寸（約12～15センチ）もある観世水や抱き合わせ

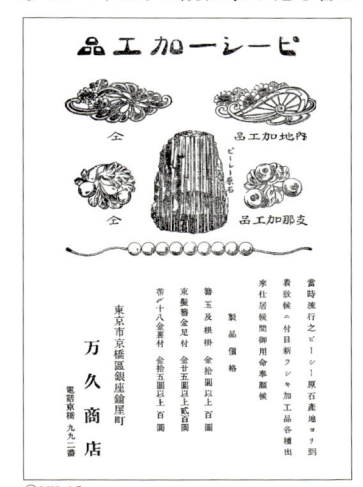

◉VII-15

- VII-12　笄　四種　[左から]金・ホワイトゴールド・真珠車両天、20金輪笄　長14・9cm、水晶車両天、ホワイトゴールド・真珠龍足両天　東京・日本宝飾クラフト学院蔵
- VII-13　簪　五種　金・ヒスイ玉簪、銀・金・赤銅簪　長13.7cm、銀平打透し彫り簪、銀平打ち透し彫り簪、銀・金めっき平打透し彫り簪　東京・日本宝飾クラフト学院蔵
- VII-14　根掛　五種　金・真珠根掛け、彫金根掛、ピーシー（ピンク・トルマリン）玉根掛、ヒスイ玉根掛、アメシスト玉根掛　東京・日本宝飾クラフト学院蔵
- VII-15　ピーシー（ピンク・トルマリン）製装身具の広告　『新演芸』大正7(1918)年7月号より

●VII-16

●VII-17

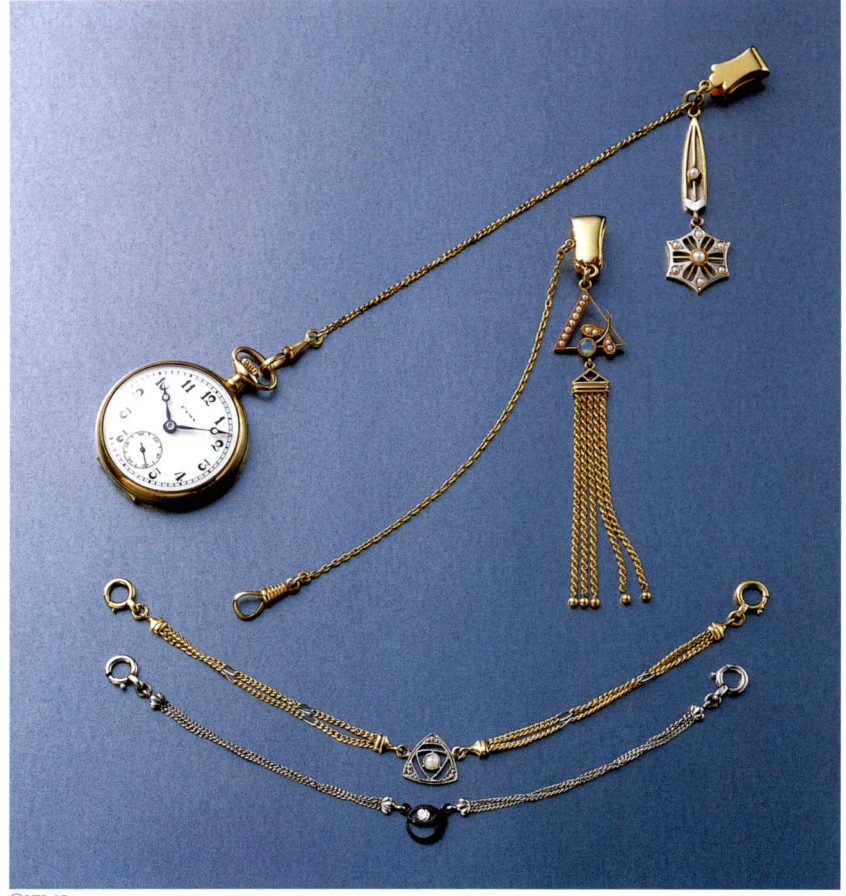

●VII-18

- ●VII-16　帯留　三種　ヒスイ彫刻帯留、サンゴ彫刻帯留、銀・真珠横長帯留　長13.7cm　東京・日本宝飾クラフト学院蔵
- ●VII-17　様々な素材による帯留　四種　鉄・ダイヤモンド帯留、[左]木製鎌倉彫帯留、[右]陶磁器帯留、銀打出し帯留　東京・日本宝飾クラフト学院蔵
- ●VII-18　時計鎖（短鎖）　二種、羽織紐　二種　金・プラチナ・真珠短鎖、金・オパール・真珠短鎖、金・プラチナ・真珠羽織紐、プラチナ・鉄・ダイヤモンド羽織紐　長12.9cm　東京・日本宝飾クラフト学院蔵

波をかたどった横長のものが人気を集め、その他の素材の帯留もこの時期から大型化が目立った《VII-16》。

昭和期にはいると、金工のものや宝石入りのもの、象牙、べっ甲のほかに、木彫、陶板、七宝、蒔絵、あるいは既存の金貨を使ったものまであらゆる素材が使われた《VII-17》。

帯留のほかに帯まわりの飾りとしては大正初めに流行した時計用の短鎖、また羽織紐などがあった《VII-18》。

指輪

大正期には結婚指輪の習慣もすっかり定着し、ルネサンス時代に結婚指輪として流行したギメル・リング（双子指輪）まで売り出された。ギメル・リングとは二つのフープがつながった形状で、二つのフープをぴたりと重ねると一つの指輪になるという仕掛けのものである。広告では重ね合う内側の部分に二人の名前や結婚記念日を彫ることが提案されている《VII-19》〈コラムVII-1〉。

大正2年には三越呉服店が誕生石の指輪である12カ月指輪を売り出した。誕生石はアメリカでその前年に決められたばかりだったので情報伝達のスピードが非常に速かったことが分かる。

石留めの指輪では特にジュエリー製造技術の向上がはっきりと分かる。大正3年頃にはティファニー・セッティングの立爪が売り出された。立爪のヴァリエーションには花をモティーフにした梅形、菊形、桜形、撫子形や波形などがあった。その中でも特に梅型をアレンジした

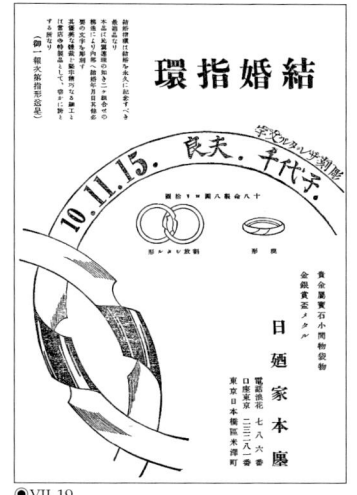

●VII-19

大正初期の花嫁道具〈コラムVII-1〉

◆昭和21（1946）年に日本初の女性国会議員となった加藤シヅエは大正3（1914）年の婚礼時に、実に245品目、853点におよぶ嫁入り道具を持参した。この中には「貴金属類」に金時計や指輪、ブローチ、帯留など6品目19点、各種の髪型用「髪飾」が14品目38点あった。上流社会にふさわしく外交の場面を含む、様々なTPOに対応できる組み合わせになっている。（『ふたつの文化のはざまから』）

一方雑誌記事「中流家庭の嫁入り支度」（『婦人世界』大正8年10月）では1,600円と700円の予算を提案している。1,600円の予算では島田用と丸髷用のべっ甲ほかの櫛・笄、平打ち簪、玉簪、珊瑚や銀製の根掛け、帯留、筥迫や鏡入れほかの和服用の携行品、そして時計と時計鎖、指輪などが含まれる。700円の予算では、べっ甲製の髪飾りが卵甲製に代わっているが、指輪を含め、アイテム自体には大きな差はない。

なお、卵甲とは凝固させた卵白をべっ甲、あるいは牛爪でくるんだもので、護謨と呼ばれたセルロイドと同様に明治時代から普及品の髪飾りに使われた。

●VII-19　結婚指輪の広告　『演芸画報』大正10（1921）年9月号より

●VII-20

「ねじ梅」はまったくの日本の着想であり、優雅な留めとして高い人気があった。素材は18金が主流であった。

大正9年の不景気時代にはピンクサファイア（淡紅色）、ゴールデンサファイア（濃青色）、ヒヤシンス（橙黄色）、エメラダ（淡黄緑色）などの輸入品の合成宝石が流行した。

また、大正末期にはセイロン（現在のスリランカ）から、天然ジルコンが輸入され、昭和初期には黒ダイヤと呼ばれたヘマタイトが流行した。

このほか養殖真珠の供給により大正5年頃から真珠の指輪が流行した《VII-20》。

昭和初期には次に述べるアール・デコのジュエリーの流行も見逃せない。

アール・デコのジュエリーへの影響

大正12年（1923）9月、関東大震災が起こり、都心部のほとんどが壊滅状態となった。復興に伴い、東京は江戸の風情を残す街並みは一掃され、モダンな鉄筋コンクリートの建物が並ぶ都市風景が広がった。

この時期に斬新さで目を惹いたのは商業建築で、特に百貨店は競うようにアール・デコの装飾を取り入れた大型の新店舗をオープンさせた。

女性たちは重々しい日本髪を捨てて、大正9年頃から、熱した鏝によるウェーブを付けた「耳かくし」に飛びついた。女性の社会進出が進んだ時期とも重なって、洋服、和服を問わないこの髪型は大流行した《VII-21》。

震災後にはヨーロッパで流行していたアール・デコ・ファッションの影響を受け、大正15年頃から断髪が広まり、つばの短い帽子はモダン・ガールの必需品となった。これによって従来の髪飾りが一般的には使われなくなった《VII-22》。

その分、飾りの重点がそれまでの髪

洋装のモガは1パーセント〈コラムVII-2〉

◆現代の風俗を記録する考現学を提唱した今和次郎が大正15（1926）年5月に銀座で行った調査によれば、男性は洋装が67％であったのに対し、洋装女性は1％しかおらず、この時点では洋装化が途上にあったことがわかる。この調査の特徴は男性の時計鎖のかけ方や眼鏡枠の色、女性の髪飾りの種類など、装身具を含む細かな項目設定にあった。この頃、男性の時計鎖はチョッキの左右のポケットへ振り分けるのが流行であったことや女性の帯留は飾りが付いているのは15％で、85％は帯締のみであったことがわかる。

●VII-20 様々な素材による指輪 五種 プラチナ・金・ダイヤモンドねじ梅指輪、金・真珠・菊爪指輪、金・合成ルビー指輪、金・アメシスト指輪、金・オパール指輪 東京・日本宝飾クラフト学院蔵

●VII-21

●VII-22

を中心としたものから、他の部位へと広がった。特に口紅、さらにはマニキュアといった西洋式の化粧も急速に広まり、女性たちはコンパクトほかの化粧道具を入れるためのハンド・バッグを持ち歩くようになった。〈コラムVII-2〉

●VII-23

アール・デコとは1925年にパリで開かれた現代装飾美術・産業美術国際博覧会(エクスポジシオン・アンテルナシオナール・ラール・デコラティーフ・エ・アンデュストリアール・モデルヌ)からとられた名称で、1910年代から30年代のファッションや建築ほか、様々なデザインや美術表現に共通に見られる新しい造形傾向のことを指している。

モダニズム絵画の影響を受けた細部の省略や幾何学的なモチーフ、およびその反復、コントラストの強い色彩などが表現上の特徴である。

ロング・ロープ、ネックレスの流行

この時期のファッションに欠かせない特徴的なアイテムに、ウエスト位置よりも下に来るような長くしばしば幾重にも重ねて使われた、真珠のロープやロング・ロープのような長いネックレスがある。それまでたいへんに高価であった真珠がこのようにふんだんに使われるようになった背景には、日本からの養殖真珠の大量供給があった。また、この真珠の長いネックレスの流行を受けて、山梨県甲

●VII-21　池田侯爵三令嬢　『婦人画報』大正14(1925)年9月号より
●VII-22　伯爵樺山愛輔令嬢　『婦人画報』昭和3(1928)年3月号より
●VII-23　水晶製の長いネックレスを付けた女性(絵はがき)

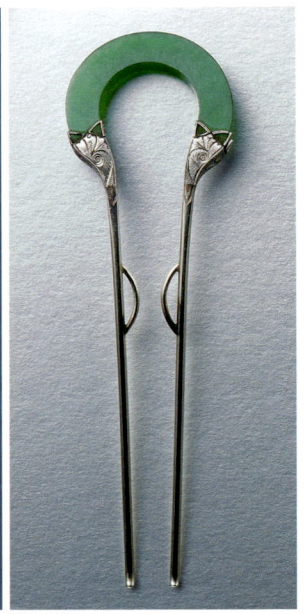

●VII-24

●VII-25a

●VII-26

●VII-25b

府で加工された水晶のネックレスも同様に人気があった《VII-23》。

日本のアール・デコ・ジュエリーの特徴

アール・デコのデザインは、宝石と貴金属を使った高級なジュエリーに特に大きな影響を与えた。その影響は指輪やブローチのほかに着物に使われる帯留にも及んだ。

最大の特徴は宝石の使い方にあった。エメラルド、あるいはサファイアを並べてカリブル留めにして、ダイヤモンドとの色彩のコントラストを強調した《VII-24》。

カリブル留めとは金属枠に合わせて宝石をカットする高度な技術であるが、ここにジュエリー産業の技術レヴェルと購買者層の両面での向上を見ることができる。

●VII-24　指輪　二種　プラチナ、ダイヤモンド、サファイア　昭和初期　いずれも東京・丸嘉蔵
●VII-25a　束髪簪　ホワイトゴールド、ヒスイ　長11.4cm　個人蔵
●VII-25b　指輪　ホワイトゴールド、ヒスイ　尼伊製　東京・日本宝飾クラフト学院蔵
●VII-26　ダブル・クリップ・ブローチ　プラチナ、真珠、金具はホワイトゴールド　幅6.4cm　御木本真珠店　個人蔵

●VII-27

イヤリング〈コラムVII-3〉

◆明治期以来、イヤリングをつけた図像はごく少ないが、大正後期-昭和初期に突然これが目立つようになる。実際に付けているのは映画女優などに限られていたが、当時のヨーロッパの最新流行であるアール・デコ・ファッションの影響を受けて、ボブなどの極端な短髪とイヤリング(イヤ・クリップ)が組み合わせられた。当時の欧米で広く使われたイヤ・クリップはピアスに比べて日本人にも抵抗が少なかったと思われる。日本でピアスが一般化し始めるのは昭和40年代からである。

ダイヤモンドはブリリアントカットばかりでなく、長方形のバゲットカットをはじめとした様々なカットのものが使われ、デザインにリズムを与えていた。また、オニキスもこの時代の特徴的な素材で、ダイヤモンドとの組み合わせで使われた。

また、エメラルドやサファイアの代わりにヒスイが使われることもあった《VII-25》。

地金はプラチナ、またはホワイト・ゴールドである。金色好みの明治・大正前期とは対照的にアール・デコは白い金属

●VII-27 束髪簪 二種 [右]バラをモチーフにした束髪簪 長15.6cm、[左]草花をモチーフにした束髪簪 長12.8cm いずれもセルロイド、模造石 大正末-昭和初期 東京・日本宝飾クラフト学院蔵

の全盛時代であった。

　ホワイト・ゴールドは、プラチナが1917年に主要原産国のロシアで革命が興ったことによって供給がストップしたため、アメリカで開発されたもので、日本でも大正12年頃から売り出された。

　アール・デコの影響では、もうひとつクリップの登場が挙げられる。これは帽子や襟などに付けるものであったが、組み合わせてブローチにできるようになっているものも多かった。アール・デコのデザインが、帯留にも影響を与えたことはすでに触れたが、そのなかにはこうしたクリップ兼用のものも含まれる《VII-26》。
〈コラムVII-3〉

　髪飾りではべっ甲製の束髪簪にも影響を与えたほか、高級品以外にも大衆的なセルロイド製の束髪簪などのデザインにもアール・デコの影響をみることができる《VII-27》。

　なによりも着物自体がアール・デコの一番大きな影響を受けていた。赤、紫、黒といったコントラストの強い色彩を使った、大柄なデザインの銘仙を使ったきものはこの時期に圧倒的に流行し、時代独特の風景を作り出した。

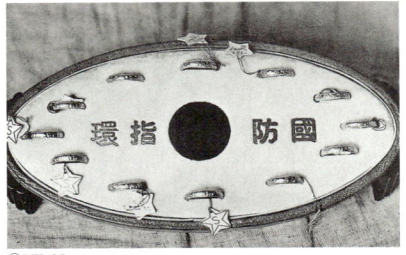

●VII-28

戦中期

　昭和6年（1931）に満州事変が勃発する。

　日本白金協会が昭和10年に設立される。これは「平時は財宝、非常時は国防」として市民の財布でプラチナを備蓄し、戦時に備えることを目的としていた。そのために翌11年には「国防指輪」や「白金章」（プラチナのメダル）が売り出された《VII-28》。プラチナは爆薬の製造を

●VII-29

●VII-28　国防指輪と称される白金指輪　『工業日本と其資源』商工協會　昭和12（1937）刊より
●VII-29　帯留「矢車」　真珠、ダイヤモンド、エメラルド、ホワイトゴールド　縦3.8×横8.5cm　昭和12（1937）　御木本真珠店　三重・真珠博物館蔵
　　　　　パーツの組み合わせで、ブローチや指輪のような洋装用にも、帯留や束髪簪のような和装用にも使える多用途のジュエリー。

大正・昭和初期・戦中期

◉VII-31

はじめ、様々な化学物質の製造、科学機器の部品として他の金属に代わることができない性質をもった重要な軍需物資だったのである。同年、造幣局東京出張所の主催で白金展覧会が開催されるが、会場の日本橋三越には海軍大臣、陸軍大臣、外務大臣までが訪れた。

翌昭和12年、日中戦争に突入。政府は早速、プラチナ、9金以上の金の使用を禁止する政策を行い急速に日本全土が暗い戦時体制に覆われた。

この年、御木本真珠店はパリの万国

◉VII-30

- VII-30　昭和15（1940）年10月7日から施行された七七禁令
- VII-31　指輪と帯留二種　サンプラ・ヘマタイト指輪、サンプラ・真珠・オパール・オニキス帯留　径3.8cm、サンプラ・真珠帯留　東京・日本宝飾クラフト学院蔵

博覧会へ帯留兼用ブローチ《矢車》を出品している《VII-29》。この《矢車》は当時のヨーロッパで人気があったパーツを組み合わせて、いくつかの使い方ができるようになったジュエリーである。ブローチ、帯留、指輪、クリップ・ブローチ、束髪簪など12通りの使い方ができる。養殖のアコヤ真珠とダイヤモンド、エメラルド、サファイアをふんだんに使ったこの作品にはカリブル留めやミル・グレインなど、明治より70年で日本が身につけたジュエリー制作技術が凝縮されている。

昭和14年には「金の飾りは銃後の恥辱」を標語に金の国際調査が行われ、昭和15年には奢侈品等製造販売制限規則（7・7禁令）が公布《VII-30》。日本的な素材の真珠、サンゴとプラチノン、サンプラチナといった合成金属以外の主要ジュエリーの製造・販売が禁止となる《VII-31》。そして金の強制買い上げも行われた。

翌年に真珠湾攻撃から対米戦争へと突入し、貴金属の供出が行われた。明治維新以来培われてきた技術と美意識の結晶がすっかり葬り去られることになった。

〈コラムVII-4〉

かんざし報国〈コラムVII-4〉

◆日中戦争開戦以降、沖縄では琉球装全廃の動きが盛んになり、人々の服装は着慣れた琉装から和装へと変わっていった。戦争が進むと貴金属の供出として大日本婦人会のもと「かんざし報国」が行われ、沖縄ではジーファーと呼ばれる髷髪用の簪が残らず供出され、髪を頭上にまとめあげる独特の琉髪も姿を消した。

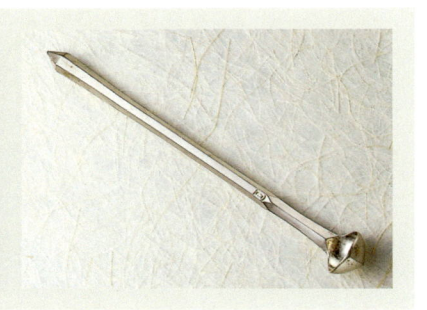

●コラムVII-4 ジーファー　銀　長14.8cm　東京・日本宝飾クラフト学院蔵

The Concise History of Jewelry and Accessory in Japan

VIII

戦後・平成から現代

関 昭郎

VIII-16

戦後・平成から現代

みやげものジュエリーからの再出発

　第二次世界大戦の敗戦から、高度経済成長、バブル景気を経て、今日まで、60年あまりで激変した社会の主役は一般の市民層であった。装身具は、それまでの上流階層や特定の裕福層向けのフォーマルなハイ・ジュエリーはなくなり、大衆向けのカジュアルなものが主流となったが、人々の装身具に対する憧れの気持ちは変わらなかった。

　戦後になって洋髪と洋服が完全に一般化し、めまぐるしく移り変わるファッションに伴って、装身具も様々なデザインが生み出された。

　1960年代以降、ファッション・リーダーとなる世代がそれまでの社会的な地位をもった大人から、20代や30代などの若年層へと移る傾向が顕著になったことで、装身具の多様化はますます進み、同時に装身具のもつ意味合いも異ってきている。

昭和20年代

　敗戦直後の日本は極端な物資不足。人々はまず日々の糧を得るために懸命で、おしゃれに思い焦がれても、服のほころびにあてる布にも事欠いた。

　しかし、こうした状況下にあっても人々の身を飾ることの欲求は止みがたく、終戦直後から「ブリキ缶を切り抜いたような単純なデザインのブローチ」が売り出されていたという。

　こうした占領期の日本で貴金属を使ったジュエリーはもっぱら進駐軍向けのものであった。日本の特産品である養殖真珠は一般販売を禁止され、CPO（米軍中央購買所）へ一括納入された。真珠を使ったものをはじめとした銀製の指輪やブローチ、シガレット・ケース、リップ・スティック・ケース、あるいは水晶でできたジュエリーなどは、こぞって米兵たちが本国の恋人や家族に買い求めたみやげものとなった《Ⅷ-1》。

　昭和24年（1949）に真珠取引の制限は一切撤廃され、一般販売が始まった。折しも昭和25年（1950）に勃発した朝鮮戦争の「特需」もあって、真珠の販売は好調な伸びを示した。政府も外貨獲得のため、昭和27年には真珠養殖事業法を制定し、養殖産業の保護、育成を後押しした。

　昭和26年（1951）にサンフランシスコ講和条約が結ばれ、翌年の4月27日に発効。ようやく日本は独立を取り戻した。講和条約の前年に制定された「貴金属管理法」は、対外決済のための貴金属の備蓄を目的としていた。昭和28年（1953）に「金管理法」と改められて、銀やプラチナなどは除外されたものの、同法は昭和49年（1974）まで存続することになる。

　戦中に動員服やモンペを着用した女

●VIII-1

性たちが再び和服に戻ることはなかった。人々はキモノやモンペを「更生服」として、スカートや洋服に作り直した。

こうした技術を身につけようと女性たちは洋裁学校の門をたたいた。昭和22年頃から再開する洋裁学校には入学希望者が長蛇の列をなした。

20年代後半は人々の娯楽として人気を集めた映画から、ファッションの流行が生まれた。昭和28年(1953)に人気ラジオドラマ「君の名は」の映画化による、真智子巻きや翌、昭和29年(1954)の「ローマの休日」大ヒットによるヘップバーン・カットの流行である。主演女優の

●VIII-1　進駐軍関係者の滞日記念として作られた銀製の土産品　桜に富士山図シガレット・ケース　銀、赤銅ほかの切り嵌め象嵌　幅11.2cm　昭和27(1952)／七福神図カフス・ボタン　銀　各3.7cm／指輪　真珠、銀　いずれも東京・日本宝飾クラフト学院蔵

日本装身具史

●VIII-2

オードリー・ヘップバーンをまねたこの髪型はあまりに短かったため、クリップやリボン、飾りピン、ローマ止めが売れなくなったと新聞記事にも掲載された。(『毎日新聞』昭和29年9月1日)

昭和20年代で注目すべきはイヤリングであろう。戦前期にほとんどの西洋式装身具はすでに取り入れられていたが、その中でイヤリングだけはただ一つ広まることがなかった。同時代のヨーロッ

●VIII-2 「楽屋」浅草・国際劇場　昭和24（1949）　撮影：林忠彦
左端の2名がイヤリングを着用している。髪型や化粧に当時の流行を見ることができる。

終戦直後のファッションの変化〈コラムVIII-1〉

◆戦後の洋装化が一気に進んだことは考現学の調査でも明らかだ。吉田謙吉による、1947年7月の銀座での女性の風俗調査では、女性は全員が洋髪であった。また、服装についてはもはや和装・洋装比には関心が払われず、洋装の詳細が調査された。指輪を除いた装身具については116人に調査が行われたが、敗戦から2年で30人がネックレスを、32人がブローチを身につけている結果には驚かされる。リボンが38人と目立って多かったのもこの時期の特徴である。

パの影響を受けておかっぱスタイルの髪型であるボブが流行した昭和10年代初頭でさえも、イヤリングを付けていたのは女優など、例外的なごく一部の人々に限られていた。

戦後になって洋髪と洋装が一気に定着したことで、クリップ式であったものの、ようやくイヤリングが使われ始めた《VIII-2》〈コラムVIII-1〉。

昭和30-50年代

モノの時代と大衆のジュエリー

昭和31年(1956)、経済白書が「もはや戦後ではない」と発表。建国以来の好景気「神武景気」を背景に人々の暮らしは大きく変容しようとしていた。昭和39年(1964)の東京オリンピック開催を境に日本は高度経済成長の波に乗った。人々は冷蔵庫・洗濯機・白黒テレビという三種の神器を一つ一つ手に入れることによって、生活が豊かになったことを実感した。

昭和36年(1961)まで、ダイヤモンドと色石の輸入が制限され、また金製品の輸入は依然として解禁とはならなかった中でも、ジュエリーは日本独自の発達をとげた。

アイテムとしては指輪が圧倒的であったが、ブローチやネックレスも身に付けられた。使われた宝石は「シンセティック」と称された各種の合成石と真珠やメノウ、オパールが中心であった。貴金属は昭和30年代には14金のホワイト・ゴールドが用いられ、昭和33年頃から登場する「王冠透かし」、次いで「千本透かし」と呼ばれる細工に人気があった。これは地金を少量化しながら宝石を引き立たせ、同時に技術の細やかさをアピールするものであった《VIII-3》。

ダイヤモンドも少しづつ用いられたが、小粒石が多く、主に五光留め、あるいは星留めと呼ばれる技法で月形甲丸指輪に彫り留めした《VIII-4》。また5箇のダイヤを一列に並べた一文字指輪もこの時代の流行である。ダイヤの場合は

●コラムVIII-1　吉田謙吉『女性の風俗』より

日本装身具史

●VIII-3b　　　　　　　　　　　　　　　　　　　　　　　　　　　　　　　　●VIII-3a

地金はプラチナが使われた。

　昭和41年（1966）10月29日、第一回「日銀保管ダイヤの放出」として、戦中期に供出されたダイヤモンドが売りに出されると徹夜組が出るほどに人気を集めた《VIII-5》。人々は、もはや限られた階層だけではなく、各々の家庭でもジュエリーを所有し、豊かさを享受できる時代が訪れたことを実感した。

●VIII-4

- ●VIII-3a　合成石の指輪　五種　金（一部ホワイトゴールド）、シンセティック　昭和30代　いずれも日本宝飾クラフト学院蔵
- ●VIII-3b　石座裏側に用いられた王冠透かし、千本透かし細工（石はメノウ）
- ●VIII-4　五光留のプラチナ・ダイヤモンド月形甲丸指輪　東京・日本宝飾クラフト学院蔵

144

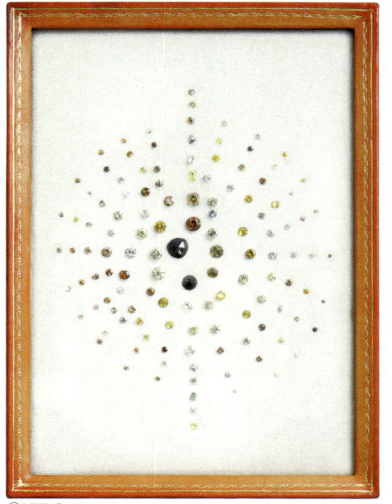

●VIII-5

昭和42年頃（1966）に現われた家紋のタイピンやカフスなども、戦時期の苦労が過去のものとなり、古い時代を懐かしむ余裕が生まれた一つの表われといえるかも知れない。

婚約指輪も一般庶民に広がり、「清浄無垢を象徴する」としてダイヤモンドと真珠が推奨された。ダイヤモンドの指輪では、石を強調するためにティファニー・セッティングの爪の部分を極端に大型化したデザインが流行した。また、ききょう爪と呼ばれるききょうの花をモティーフにした台座のダイヤモンド指輪も人気があった《VIII-6》。結婚指輪は一般的に金やプラチナのかまぼこ型（甲丸型）が使われた。

『アンアン』、『ノンノ』が創刊された、昭和40年代からシャツとジーンズに代表される若者層のカジュアルなファッションと大人のファッションとの分化が明確になり、サングラスやネックレス、ブレスレットほかのプラスチック製アクセサリーも広く着用された《VIII-7》。

モダン・ジュエリー運動の登場

近代デザインが目指したのは、誰もが

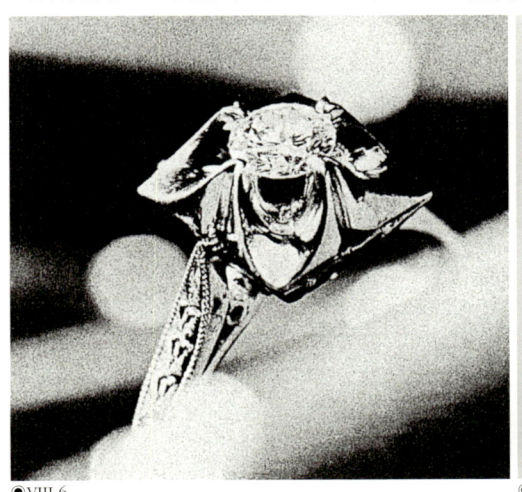

●VIII-6　　　　　　　　　　　　　　●VIII-7

●VIII-5　戦時期に供出されたカラー・ダイヤモンドの標本　東京・国立科学博物館蔵
●VIII-6　桔梗形爪のプラチナ・ダイヤモンド指輪　『宝石読本』昭和44（1969）第26号より
●VIII-7　新しいカジュアル・ファッションとアクセサリー　『装苑』昭和45（1970）年9月号より

●VIII-8

●VIII-9

手にできるものづくりであった。そのために良質なデザインと流通の合理化やデザイン・加工の規格化による大量供給とそれに伴うコスト・ダウンを両立させることが試みられた。

他方では個性の解放やオリジナリティーの追求も近代の重要な課題であった。

装身具も、アクセサリーだけでなく、貴金属を使ったジュエリーでも戦後の大衆化は顕著であったが、一方でそうした方向には飽き足らずジュエリーによる自己表現を目指す潮流も芽生えようとしていた。

洋画家で昭和初期から銀製の指輪を手がけた奥村博史（1891-1964）《VIII-8》、あるいは奥村を早くから認め、自らも陶板のジュエリーを手がけた陶芸家富本憲吉（1886-1963）のように、戦前の工芸家たちのなかにもジュエリーに表現の場を求めた例もあった《VIII-9》。

戦後になって、昭和29年にイタリア国立ローマ工芸学校に留学した菱田安彦（1927-81）の周辺で、こうした流れは運動化された。菱田は留学時にヨーロッパにおいて、ジュエリーが古代からの歴史をもった造形文化として認知されていることを痛感する一方で、サルバドール・ダリのジュエリー作品のように、現代的な造形表現の可能性に大きな期待を抱いた。

そして、かつて奥村博史が美意識の存在しない装身具を身につけることに反発したように、資産的な価値や「婦女子を喜ばせるだけのもの」という日本におけるジュエリーの評価に疑問を抱き、昭和31年（1956）に東京美術学校の教員や出身者と共にUR（ウル）アクセサリー協会を発足させた。さらに昭和39年（1964）には作家の自由な造形による芸術表現を目指し菱田安彦を中心として日

●VIII-8　奥村博史　指輪　銀・ヒスイ指輪、銀・ラピスラズリ指輪　東京・日本宝飾クラフト学院蔵
●VIII-9　富本憲吉（金具は増田三男）　陶磁器の装身具　指輪／タイタック／赤地金彩ペンダント　径3.8cm／ペンダント　径4.2cm／ペンダント　径3.8cm　いずれも個人蔵

●VIII-10

本ジュウリーデザイナー協会が発足した《VIII-10》。

　初期の日本ジュウリーデザイナー協会は展覧会活動を中心に置き、ジュエリーにおけるデザインと彫金技術の質の重要性を広く訴えた。当時はこうした新しいジュエリーをモダン・ジュエリーと称したが、後にコンテンポラリー・ジュエリーの名称が世界的に一般化する。

　同協会はコンテンポラリー・ジュエリーを指向するほとんど国内唯一の組織として、社会との接点と国際的な活動の場を提供し、その中で平松保城、岩倉康二、宮田宏平ほか、多くの作家が活躍した《VIII-11》。彼らの作品は欧米の思想を吸収したものであったが、同時

戦後・平成から現代

●VIII-10　菱田安彦　ブローチ二種と帯留　ブローチ　金　幅10.4cm／ブローチ　金、アメシスト　高8.6cm／帯留　金、アメシスト　幅5.1cm　いずれも昭和40代　個人蔵

●VIII-11a

●VIII-12

●VIII-11b

●VIII-11d 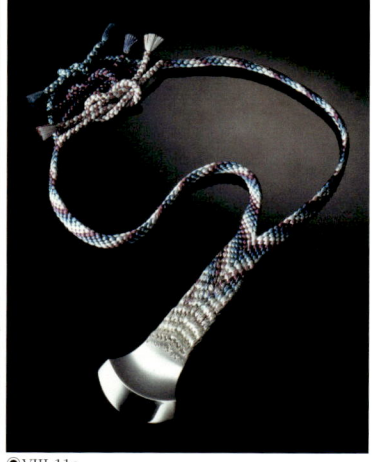 ●VIII-11c

に彼らの多くが伝統的な江戸彫金の技術を継承した東京藝術大学の彫金出身者であったことから、自ずと日本独自の彫金技術の重要性が見直されることにもなった《VIII-12》。

昭和60年代－平成

　昭和60年（1985）のプラザ合意によって、日本円の対ドルレートは自由化され、その後に急速な円高がおこった。この後のいわゆるバブル現象下に日本の貴金属購入機運は急速に高まった。ちょうど昭和58年（1983）にダイヤモンドの関税が撤廃されたことと景気の上昇が重なって、ダイヤモンドの消費量は急上昇した。平成2年（1990年）には世界の生産量のうち30パーセントを日本が消費するほどに至った。これはアメリカに次ぐ世界第2位の数字であり、ジュエリーの総消費額も同様の順位であった。

　また、日本ではプラチナがジュエリーとして特に人気が高いことから、ジュエリー用のプラチナ使用量はこの時期世

- ●VIII-11a　平松保城　頚の飾り　アルミニウム、金箔　24.7×23.0×9.3cm　平成6（1994）　作者蔵
- ●VIII-11b　三代・宮田藍堂（宏平）　美豆波乃女Ⅰ（装身具）　蝋型鋳金　高2.5×幅6.7×厚3.0cm　昭和52（1977）　東京国立近代美術館蔵
- ●VIII-11c　中山あや　ペンダントU-001　銀、組紐　高1.5×幅5.3×長38cm　昭和51（1976）　東京国立近代美術館蔵
- ●VIII-11d　飯野一朗　ポケット形ブローチ・Brooch　東京藝術大学蔵
- ●VIII-12　後藤年彦　ブレスレット　銀に金鍍（めっき）、トルコ石　高7.0cm　昭和32（1957）　東京藝術大学蔵

プリンセスのティアラ〈コラムVIII-2〉

◆平成5年（1993）に皇太子殿下ご成婚でふたたび注目を集めたティアラは、大正13年（1924）、香淳皇后が皇太子妃としての婚礼時に作られたものである。以来、皇太子妃のためのティアラとしての役割を与えられて、今日まで伝えられている。

権威を示す王冠とは異って、それぞれ着用者のために作られたティアラだが、今日では他国の王家でも世襲される例も少なくない。

●VIII-13

界最多であった。

開国と同時に初めて西洋式ジュエリーを受容した日本が、わずか一世紀の後に世界有数の消費国となった。

〈コラムVIII-2〉

社会構造も転換期に来ていた。昭和61年（1986）に通称「男女雇用機会均等法」が施行され、女性の社会進出が促進された。収入を得て自立した女性たちは、婚約・結婚指輪ではない、自分が選んだ指輪をその手にいくつもはめるようになった。ここに至って、はじめて女性が自分自身で得たお金で、自分のためにジュエリーを購入する時代が訪れ

●VIII-14

●VIII-15

- ●コラムVIII-2　オープンカーから沿道の人々に手を振られる皇太子殿下、同妃殿下　平成5（1993）年6月9日
- ●VIII-13　デ・ビアス社サマーキャンペーン広告　『れ・じょわいよ』平成元（1989）年9月号より
- ●VIII-14　バラブローチ　高約10cm　ウエダジュエラー
- ●VIII-15　ネックレス　18金、南洋真珠、ダイヤモンド　昭和60（1985）　ミキモト

た《VIII-13》。

　こうした日本市場に向けて、海外の老舗宝石店はこぞって東京進出を試み、巧みなブランディングで人気を高めた。銀座には平成8年（1996）がティファニーが店舗を構えたほか、カルティエ、ブルガリ、ハリー・ウィンストン、ショーメなど代表的な宝石店が出店している。

　一方でミキモトのほかにウエダジュエラー、ギメルらが、新たに国際的なハイ・ジュエリーの分野で日本ブランドの確立に挑戦している《VIII-14,15》。

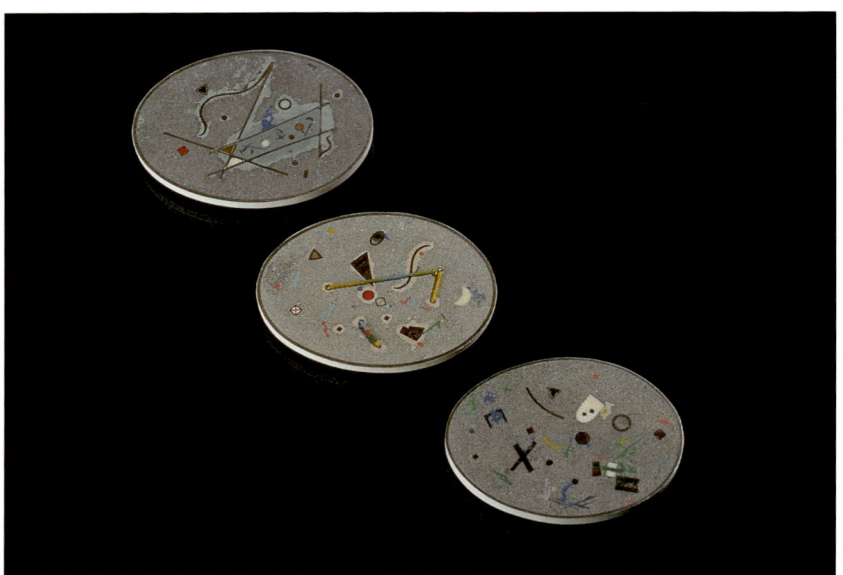

●VIII-16

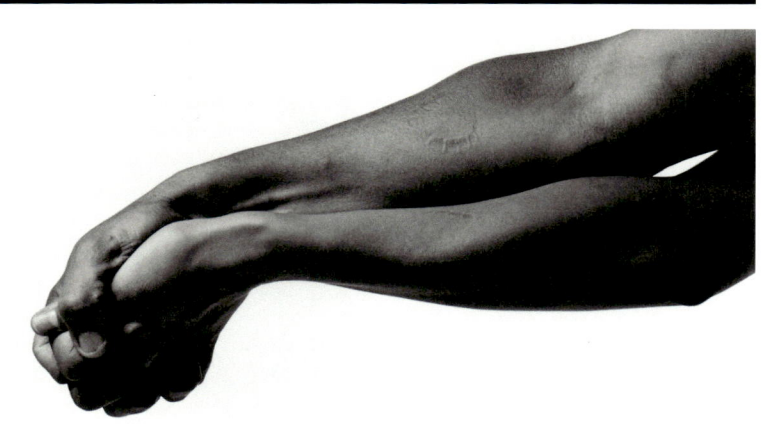

●VIII-17

- ●VIII-16　舟串盛雄　作品No.1、作品No.2、作品No.3　セメントその他の複合メディア　6×4.5×0.4cm　昭和59（1984）　京都国立近代美術館蔵
- ●VIII-17　河口龍夫　痕跡（3点組作品の内　男性と女性が組んだ腕）　昭和59（1984）　京都国立近代美術館蔵
　男女がそれぞれの腕を噛んだ痕跡を一つの装身具と考え、装身具の象徴性や内面的な意味を問い直した作品。

現代におけるジュエリーの価値

昭和59年（1984）に京都と東京の国立近代美術館が最新のコンテンポラリー・ジュエリーを総合的に紹介する「今日のジュエリー」展を行った。そこでは何人かの日本人作家が木や石、紙、プラスチックといった、およそ財産的価値のない素材をあえて使っていた。彼らの作品は価値のある素材を排除することによってジュエリーのもつ象徴性や人間が装うという行為、身体との関係など、より根源的なジュエリーの意味を明確にしようとしていた《VIII-16, 17》。

欧米のコンテンポラリー・ジュエリーからの影響から考えればこれは自然な流れではあったのだが、当時のバブル経済下の市場では、ジュエリーを使われている素材の希少性や大きさで価値付けるという傾向がますます顕著になっていたこともあり、彼らの作品はこれにあたかも反発しているかのようにも見えた〈コラムVIII-3〉。

ベルリンの壁が崩壊した昭和64年（1989）から、平成3年（1991）のバブルの崩壊を経て、特に若者層を中心に新しいタイプのジュエリーに人気が集まるようになる。

代表的なものはシルバー・ジュエリーの流行である。Tシャツに代表される若い男性のシンプルなファッションは、ケルトの組紐文様やクロス（十字架）、スカル（どくろ）などをモチーフとしたヴォリュームのあるジュエリーによってバランスがとられた。客観的に見るならば、シルバー・ジュエリーはアメリカの流行を移入したものだが、手仕事を強調している点、そして特に従来の価値に飽きたらず、ジュエリーのもつ象徴的な意味を重視している点は着目される《VIII-18》。

この点ではアンティーク・ジュエリーへの関心の高まりも、近代以前のジュエリーがもっていた手仕事の細やかさと今日のジュエリーに失われた造形の「意味」に人々が魅力を感じたという点で共通

コンテンポラリー・ジュエリー〈コラムVIII-3〉

◆1980年代から美術の分野でモダン・アートからコンテンポラリー・アートという言葉が使われるようになったのと同様に、ジュエリーの分野でもモダン・ジュエリーからコンテンポラリー・ジュエリーと呼ばれることが世界的に一般化した。表現もモダニズムの方法論を使うなど、造形の新しさを追求する方向から、ジュエリー特有の素材価値や身体性などをテーマによりコンセプチュアルな表現傾向が強くなった。

●VIII-18

●VIII-18　ブレスレット　22金イエローゴールド、ダイヤモンド　クロムハーツ

している。また、平成14年（2002）頃に女性にクロスのアクセサリーが流行したのも同様の理由によるのであろう。

また、「身体」への強い関心を示すジュエリーが目に付くようになる。平成11年（1999）頃に若い女性の間で流行したナイロン線を編んだアクセサリー「ボディー・ワイヤー」も一つの例と言えるだろう。これは身体に密着して、あたかもタトゥーをしているかのような効果があった。

これと前後して、ピアスが耳だけでなく、鼻や唇、へその周囲など身体の様々な部位に付けられるようになった。これはタトゥの流行時期とも一致し、自己の身体への直接的な興味を物語っている。両者を総称してボディ・モディフィケーション（身体加工）と呼ぶが、平成16年（2004）にはこの行為にのめり込む若者の心理を描いた金原ひとみの小説『蛇にピアス』が芥川賞を受賞している。この小説が注目された背景には、ピアッシングやタトゥが必ずしもサブ・カルチャーを愛好する少数の人々の間で行われているだけでなく、程度の差こそあれかなり一般的に流行していたためであろう。

これを世代的な変化としてとらえる見方がある。確かに上記の流行は若者層を中心としたものであり、情報のボーダーレス化が進んだ、豊かな日本で生まれ育った世代は、儒教的な倫理規範が色濃い時代に育った世代とは考え方において、大きく異なっている。

ただし、こうした身体への回帰傾向は必ずしも日本に限られたものではない。とすれば、「近代」という既成の概念が揺らいだ後の、人々の不安な心理を象徴しているという見方にも説得力がある。

しかし、もはやピアッシングやタトゥーはネガティヴな視点から理解するには、あまりに一般化している。むしろ、それは着用者と装身具との関係を問い直している現象のようにも見える。言い換えるならば、人類と装身具の長い歴史の中で、装身具が社会性や財産的価値という見方からようやく自由になったことで、人々はより根元的な身を飾ることの喜び、いわば普遍的な「装身具のDNA」を再発見し始めたのかもしれない〈コラムⅧ-4〉。

ネイル・アート〈コラムⅧ-4〉

◆平成9年（1997）ネイル・アートと呼ばれる爪やつけ爪にマニキュアでペイントしたり、ラインストーンというガラス製の模造宝石を装飾することが若い女性に流行し始めた。この技術は彼女たちが持つ携帯電話にも飛び火し、「デコ電」という名称も生まれた。そこには装飾効果と同時に「かわいい」という言葉で表わされる自己世界への愛着が表現されている。

●コラムⅧ-4　奥畑美奈　eyes　アクリル樹脂、アクリル、人毛、スワロフスキー　高0.7×長2.3×幅2.1cm　平成18（2006）
　　　　　　ネイル・アートによる奥畑美奈の作品には、作家のもつ身体のアクチュアリティへの強い関心が示されている。

The Concise History of Jewelry and Accessory in Japan

資料

日本装身具文化史年表
掲載作品データ
主要参考文献
索引

日本装身具文化史年表

時代	年代	装身具・宝石類
旧石器時代	約75000年前	
	約40000年前	
	約30000年前	
	約28000年前	
	約17000年前	頭部飾りと思われる中央に孔のある石製円盤出土［三重・出張遺跡］＊ 首飾り用と思われる巻貝の破片出土［大分・岩戸遺跡］
	約14000年前	装身具用の石製小玉など出土［北海道・湯の里4遺跡、美利河1遺跡］＊
縄文時代	B.C.10000頃 （草創期）	線刻文のある穿孔された赤茶色の楕円形砂岩飾玉出土［岐阜・九合洞穴遺跡］ 輪切りにした貝製品、穿孔した牙製品などの装身具出土［長野・栃原岩陰遺跡］ 中央に孔のある土製と石製円盤出土［長崎・福井洞穴遺跡］
	B.C.7000頃 （草期）	装身具用のイモガイ、宝貝など出土［愛媛・上黒岩岩陰遺跡］ 土製滑車形耳飾り出土［鹿児島・上野原遺跡］ ツキノワグマの牙玉、骨製ヘアピンなど出土［滋賀・石山貝塚］ 石製玦状耳飾り多数出土［福井・桑野遺跡］
	B.C.4000頃 （前期）	石製玦状耳飾りをつけた女性人骨発見［大阪・国府遺跡］＊ 朱塗仕上げの木櫛出土［福井・鳥浜貝塚］ 淡水産と思われる真珠出土（未加工）［福井・鳥浜貝塚］ 女性司祭者のものと思われる貝製腕輪と貝製首飾り出土［熊本・轟貝塚］

◎本年表は井上、関両氏の協力で露木が作成した。
◎多様な展開を示す日本の装身具文化の全体像の理解に役立つよう、本文に掲載された事項のほか、その関連事項を加えて構成した。
◎時代の区切りは本文に準拠した。
◎和暦表記は1573年の「天正」からとした。
◎原則として「社会・文化・外国」欄は「装身具・宝石類」欄の紙幅に合わせた。そのため「社会・文化・外国」欄記載事項には精粗があり、また、明治時代以降を除いて、記載事項の年代が「装身具・宝石類」欄と一致していない箇所が多い。
◎「外国」については参考程度の事項を記した。
◎挿入図版は、該当する事項の文末に＊印を付け、本文の図版番号を記した。

	社会・文化（●）・外国（■）
	●剥片の石器作られる ■南アフリカで装身具用の数多くの巻貝製ビーズ出土［ブロンボス遺跡］ ●日本列島の最終氷河期始まる（約6万年前）
	■ケニアでダチョウの卵の殻製ビーズ出土［エンカプネ・ヤ・ムト遺跡］
	●日本列島で確かな人間の生活始まる（後期旧石器時代） ●刃先を研磨した磨製石斧出現
	●ナイフ形石器などの定形的石器が作られる ■モスクワ郊外でマンモスの牙製の小玉、腕輪など出土［スンギール遺跡］ ■ロシアでマンモス牙製首飾りなど出土［マリタ遺跡］
序-3	●鋭い刃の細石刃（さいせきじん）が作られ始める ■中国の後期石器時代後半の遺跡から貝殻、石、動物の歯などによる首飾り出土［周口店山頂洞遺跡］
序-2	●氷河期終わり、海面が上昇し日本列島が形成され始める ■ロシアの遺跡からマンモス牙製有孔円盤出土［レンコフカ遺跡1号墓］ ●土器が作られ始める ●土偶が作られ始める
	●竪穴住居が普及して集落が形成され始め、大規模なムラも出現 ■中国に農耕文化始まる（B.C.6000〜5000）
I-6	●縄文の施文技術が著しく発展 ●漁労活動が活発になり、各地に貝塚できる ■メソポタミアでシュメール都市文明発展（B.C.3300頃）

日本装身具史

時代	年代	装身具・宝石類
縄文時代	B.C.3000頃（中期）	ヒスイ大珠各地で作られる［富山・朝日貝塚、他］ 鹿角製腰飾り出土［東京・千鳥久保貝塚］ 耳飾り用の孔がある土偶出土［青森・三内丸山遺跡］ 繊維を束ねた縄状の腕輪出土［青森・三内丸山遺跡］ コハク飾り玉出土［千葉・栗島台］
	B.C.2000頃（後期）	真珠26個出土、うち1個は穿孔品［北海道・茶津貝塚］ 貝製腕輪が19個の入った壺出土［千葉・古作遺跡］ 貝製腕輪19個入りと21個入りの土器出土［愛知・吉胡貝塚］ 組み合わせ型の貝製腕輪出土［愛知・吉胡貝塚］ 刻文のある鹿角製Y字形腰飾り出土［宮城・屋敷浜貝塚］ 骨製の櫛、ヘアピン出土［宮城・沼津貝塚］
	B.C.1000頃（晩期）	耳飾りをつけた土偶出土［山梨・中谷遺跡］ 赤漆塗りの木櫛出土［埼玉・後谷遺跡］ 人形や頭部に文様を刻んだ骨製ヘアピン出土［宮城・沼津貝塚］ 土製滑車形耳飾り400点以上出土［群馬・茅野遺跡］ ヒスイ製勾玉の首飾り出土［青森・亀ヶ岡遺跡］ 猪牙製腕輪出土［愛知・稲荷山遺跡］ 漆塗木製腕輪出土［青森・是川中居遺跡］＊ 上部飾りのある石製指輪出土［石川・北塚遺跡］＊ 彫刻をあしらった骨角製指輪出土［宮城・二月田貝塚］ 華麗な文様の土製耳飾り出土［群馬・千網谷戸遺跡］ 真珠（カワシンジュガイ）2個出土、うち1個は穿孔品［岩手・岩谷洞穴遺跡］
	B.C.400頃（早期）	
弥生時代	B.C.300頃（前期）	骨製ヘアピン出土［島根・西川津遺跡］ 木製漆塗りの腕輪出土［福岡・ツイジ遺跡］ 貝製腕輪出土［佐賀・大友遺跡］ 貝製指輪など出土［山口・土井ヶ浜遺跡］ 赤・黒の漆塗りの木櫛出土［島根・タテチョウ遺跡］ 赤漆塗りの木製ヘアピン出土［大阪・安満遺跡］ 朱漆塗の竹製結歯式櫛出土［三重・納所遺跡］ ヒスイ勾玉と碧玉製管玉出土［福岡・吉式高木遺跡］
	B.C.200頃（中期）	耳飾り用の孔が表現された人面付壺形土器出土［茨城・女方遺跡］ 耳飾りが表現された人面絵画のある土器出土［愛知・亀塚遺跡］ 水晶、碧玉とセットになったガラス玉出土［福岡・高木遺跡］ 中国からの輸入品と思われるトンボ玉出土［長崎・原ノ辻遺跡］ 連ねた円環型青銅製腕輪とヒスイ勾玉出土［佐賀・宇木汲田遺跡38号甕棺墓］ 牙や骨・角の装身具、彫刻のある骨製ヘアピン出土［愛知・朝日遺跡］＊

	社会・文化（●）・外国（■）
	■エジプト第4王朝、ピラミッド群造営（B.C.2600頃） ●縄文土器の装飾が複雑化（B.C.2500頃） ●抜歯の風習、東北地方で始まる（B.C.2500〜2000頃） ■インダス文明（B.C.2300〜1700頃）
	●土偶をはじめとする土製品発達
	■殷王朝成立（B.C.1600頃） ■ギリシャ本土でミケーネ文明興る（B.C.1600頃） ■メキシコ湾岸地域にオルメカ文明起こる（B.C.1200頃）
I-14	●抜歯の風習、日本列島各地に広まる（B.C.1000頃） ■ギリシャ各地にポリス成立（B.C.750頃） ●東北地方を中心に、技術的・精神的に高度に発達した亀ヶ岡文化が起こる（B.C.700頃） ■エトルリア（イタリア）で金細工盛行（B.C.700〜600頃） ■ブッダ誕生（B.C.563〜483） ■アケメネス朝ペルシャ帝国成立（B.C.550〜330） ■ローマで王政が廃止され共和制始まる（B.C.509）
I-16	■中国、戦国時代（B.C.403〜221頃）
	●北部九州に水田稲作農耕と鉄器がもたらされる ●北部九州に青銅器移入される ■アレクサンダー大王の東征始まる（B.C.334）
I-24	■秦の始皇帝、初めて中国を統一（B.C.221） ●九州で銅剣、銅矛など武器形青銅器の鋳造始まる（B.C.200頃） ●近畿で銅鐸などの青銅器の鋳造始まる（B.C.200頃） ●面長で背の高い弥生人が土井ヶ浜（山口）に出現 ■漢王朝始まる（B.C.202）

時代		年代	装身具・宝石類
弥生時代			漆を用いず桜皮だけでとじた湾曲結歯式櫛出土[石川・野本遺跡]
			人骨と歯で作った首飾り出土[群馬・八東脛(やつはぎ)遺跡]
			ゴホウラ貝製腕輪出土[福岡・立岩遺跡]
			輸入銀製指輪3点出土[佐賀・惣座遺跡]
			文様が彫刻してある巻き貝製腕輪出土[鹿児島・広田遺跡]＊
			ゴホウラ貝輪を模した銅釧出土[兵庫・田能遺跡]
			ガラス製の首飾り、ヘアバンド出土[佐賀・二塚山遺跡]
			北海道の続縄文期の遺跡から首飾り用コハク平玉大量に出土[北海道・滝里安井遺跡P-22号墓]
			沖縄の貝塚時代後期(B.C.100年頃)の遺跡から貝製彫刻指輪出土[沖縄・宇堅(うけん)貝塚]
		西暦1頃(後期)	木製漆塗りの刻歯櫛出土[滋賀・服部遺跡]
			イモガイ製貝輪を模した銅釧出土[佐賀・千々賀庚申山(ちちがこうしんやま)遺跡]
			有鈎銅釧出土[福井・西山公園遺跡]＊
			帯状円環型青銅製腕輪と鉄製腕輪出土[群馬・有馬遺跡]
			青銅製指輪出土[静岡・登呂遺跡]
古墳時代		200頃(前期)	248年、邪馬台国の壱与(いよ)、魏へ使者を送り「白珠(真珠)」、「青大勾珠(きんぎょく)(ヒスイ勾玉か)」など贈る[『魏志倭人伝』]
			直弧文(ちょっこもん)を彫った貝製腕輪出土[大阪・紫金山古墳]
			碧玉の石釧、車輪石、鍬形石など腕輪形宝器出土[愛知・東之宮古墳、鳥取・馬山(うまのやま)四号古墳、三重・石山古墳、岐阜・白山(はくさん)古墳など]
			頭部に溝が刻まれた丁字頭(ちょうじがしら)式勾玉出土[大阪・和泉黄金塚]
			中国・晋式の金銅製帯金具出土[奈良、新山古墳]
		400頃(中期)	勾玉、管玉、丸玉、切子玉、算盤玉(そろばんだま)など各種の玉を組み合わせた首飾り出土[兵庫・宮山古墳]
			金銅製帯金具(高句麗式)出土[京都・穀塚(こくづか)古墳]
			朝鮮半島系の馬形青銅製帯金具出土[岡山・榊原古墳]
			龍をモチーフにした金銅製飾り板、銀を打ち出して作った空玉(うつろだま)の首飾り、金製指輪、耳飾り、腕輪等出土[奈良・新沢千塚(にいざわせんづか)126号墳]＊
			小さな金環を伴う銀製腕輪出土[滋賀・田上羽栗町]＊
			金銅製の冠帽、飾り靴、金製の耳飾りなど出土[熊本・江田船山古墳]
			金製勾玉出土[和歌山・車駕之古趾(しゃかのこし)古墳]
			トンボ玉出土[香川・カンス塚古墳]

	社会・文化（●）・外国（■）
I-32	●日本各地に本格的農耕集落が定着（B.C.130） ■楽浪郡の設置（B.C.108） ■高句麗、台頭する（B.C.100頃）
	■ローマ帝国成立（B.C.27） ■後漢の光武帝即位（B.C.25）
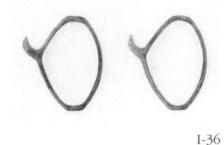 I-36	●倭の奴国、後漢の光武帝に使者送り金印授かる（57）
	●近畿地方を中心に前方後円墳が出現 ■後漢滅び、魏建国（220） ■ササン朝ペルシャ興る（226） ●邪馬台国の女王卑弥呼、魏に使者を送り、金印紫授など与えられる（239） ●近畿地方に大和政権興る ■魏が滅び、西晋建国（265） ■百済、新羅、著しく台頭（313頃） ■ゲンマン民族の大移動始まる（375） ■高句麗、広開土王即位（391） ■ローマ帝国、東西に分かれる（395）
I-41	●前方後円墳が巨大化し各地に築かれる ●家形や船形の形象埴輪を古墳の墳丘に配置 ●横穴式石室の出現 ●須恵器の生産が始まる
I-58	■西ローマ帝国滅びる（476）

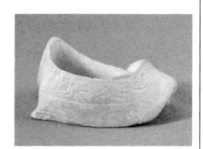

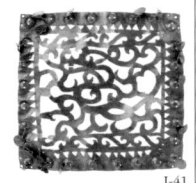

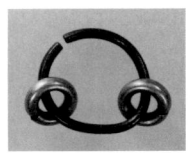

日本装身具文化史年表

時代	年代	装身具・宝石類
	500頃 (後期)	耳、首、手首、さらには足にも玉飾りをつけた人物埴輪出土[群馬・古海古墳] 金製垂飾り付き耳飾り出土[滋賀・鴨稲荷山古墳] 金箔で覆った指輪出土[埼玉・牛塚古墳] 金製指輪渡来[福岡・沖ノ島遺跡] 馬形飾り金銅製冠出土[茨城・三昧塚古墳]＊ 円環にガラス小玉を組み合わせた耳飾り出土[大阪・富木車塚古墳]＊ 金銅製大帯出土[群馬・観音山古墳、千葉・金冠塚古墳] 鳥形飾り金銅製冠・大帯、耳飾り、空玉の首飾り、ガラス玉の被り物など出土[奈良・藤ノ木古墳]
飛鳥時代	593 600頃 603 608 622 646 647 649 600代前半 664 671 674 682 686 700前後 701	飛鳥寺の仏舎利理納に際し、ヒスイ勾玉、金製耳飾りなど埋める＊ この頃からヒスイ勾玉、金製耳飾り、金銅製冠など用いられなくなる この頃、『万葉集』(巻十三・3245)に姫川(新潟)のヒスイと推定される沼名川の玉が詠われる(600年代後半との説もある) 位によって冠と服の色を異にする冠位十二階制定。唯一の装身具は頭部を飾る髻花 隋使来朝につき、官史は髻花をつけて迎える[『日本書紀』] 「天寿国繡帳」作られる。描かれた男女に装身具見えず[奈良・中宮寺] 華美な装身具やヒスイなどの玉類の埋葬を禁じた薄葬令定められる 新たに七色十三階の冠位を定める。髻花が蝉形の「鈿」となる[『日本書紀』] 改めて冠位十九階を定める[『日本書紀』] 唐草透かし彫りの宝冠を頂く救世観音菩薩像作られる[奈良・法隆寺夢殿] 冠位二十六階に改制[『日本書紀』] 天智天皇、象牙その他の珍宝を法興寺(飛鳥寺)に奉納[『日本書紀』] 対馬国、銀を初献上[『日本書紀』] 位冠の制を廃止[『日本書紀』] 黒の紗に漆を塗った漆紗冠を着用[『日本書紀』] 摂津国の人、白メノウを献上[『日本書紀』] 古墳の彩色壁画にカラフルな上着と優雅な長い裳の女性描かれる。ただし装身具はつけていない[奈良・高松塚古墳] 金銀・ガラス・宝石工房跡出土[奈良・飛鳥池遺跡] 唐の制度にならい大宝律令制定(翌年施行)。唐風服飾導入の契機となる
奈良時代	710 712 715 718	興福寺金堂建立にあたり、鎮壇具として金塊・砂金・金延板のほか、メノウ・水晶・コハクの念珠や玉類多数用いられる[奈良・興福寺] 太安万侶、『古事記』編さん。「白玉」(真珠)をたたえる歌や「手纏」(腕輪)、「御頸珠」(首飾り)などについても記述 六位以下の者が白銅と銀で革帯を飾ることを禁止[『続日本紀』] 六位以下の者が朝廷に集会する時以外に金・銀で鞍や大刀を飾ることを禁止[『続日本紀』] 養老律令、制定(757年施行)。男女の礼服時の唐風装身具を規定[『続日本紀』]

	社会・文化（●）・外国（■）
I-42	●横穴式石室が全国に普及し始める ●関東中心に埴輪が盛んに作られる ●百済に使者を派遣（509） ●百済から仏教伝来（538）
I-46	■隋、建国（581） ■隋、中国を統一（589） ●聖徳太子、推古天皇の摂政となる（593） ●飛鳥寺建立（596）
II-2	●憲法十七条制定（604） ●諸王・廷臣に襷(ひらみ)着用を指示（605） ●高句麗王、推古天皇らの仏像建造発願を知り黄金寄進（605） ●小野妹子を隋に派遣（遣隋使）（607） ●法隆寺建立（607） ■唐、興る（618） ●遣唐使を始めて派遣（630） ●大化の改新（645） ●日本・百済軍、唐・新羅軍と白村江で戦い大敗（663） ●男女の結髪の制（2年後、ゆるめる）（682） ●藤原宮に遷都（694） ■中国東北部に震国(しんこく)、興る（698） ●結髪の制。神宮に仕える女官や老女以外の垂髪禁止（705） ●銅銭「和同開珎」鋳造（708）
	●平城京に遷都（710） ●諸国の物産や古い話などを記した風土記撰進の命が下る（713） ■震国、国号を渤海(ぼっかい)と改める（713）

時代	年代	装身具・宝石類
奈良時代	719	有位者に笏を持たせ、五位以上の者は象牙の笏、六位以下は木の笏と決めた[『続日本紀』]
	723	大安万侶、没。その墓から真珠4個発見される[奈良・橿原考古学研究所]
	732	聖武天皇、初めて冕服姿で朝賀の儀式を行う[『続日本紀』]
	747	東大寺金堂(大仏殿)建立にあたり、鎮壇具として太刀・鏡ほか、真珠・水晶・コハク・ガラス玉など用いられる[奈良・東大寺]
	749	大伴家持、「京の家に贈るために、白玉を願ふ歌」を詠む[『万葉集』巻十八・4101〜5]
		勾玉などで飾られた宝冠を頂き、眉間の白毫に真珠を用いた不空羂索観音像安置される(この年以前)[奈良・東大寺法華堂]
		陸奥国、黄金を初献上[『続日本紀』]
	700代前半	『肥前国風土記』に大切にしている玉の話として「この人美き玉有り、愛しみて固く秘す」とある
		『越後国風土記』に「八坂丹は玉の名なり。玉の色青きを謂う」とヒスイについて記す
	752	東大寺大仏(盧舎那仏像)開眼に際し、聖武天皇ら、冕冠・礼冠を被る[奈良・正倉院] *
		領巾をかけた「鳥毛立女図屏風」成る[奈良・正倉院]
	756	光明皇太后、夫・聖武天皇の遺愛品の数々を東大寺に献納(この頃、正倉院始まる)。正倉院には腰帯・腰飾り類の他、宝飾工芸品なども数多く納められている *
	766	称徳天皇、法華寺に舎利を安置する儀式で、舎利の前後を行列する官史の衣服に金銀の飾りを用いることを許す[『続日本紀』]
	700代後半	この頃の男性の腰部の装身具は法隆寺献納御物の「聖徳太子像」の組紐の腰帯、金銀装の革帯、袋、太刀など見ることができる[宮内庁]
		この頃の貴族女性の装身具は「吉祥天女画像」の金銀製の釵子、花形飾り、領巾、首飾り、腕輪など見ることができる[奈良・薬師寺]
		孝謙天皇(749-764)所用と伝承される釵子(銀製瑞雲形)が法隆寺に伝わる[東京国立博物館]
		『万葉集』編さんされる。大化改新直前から奈良時代中期までの約4500首の中には真珠や髪飾りを題材にしたものも多い
平安時代	833	『令義解』成る。「衣服令」に奈良時代以降の服制や装身具について記す
	800代	女性の髪は垂髪へ移行期であり、髪飾りを日常用いることは前代より少ない
	903	菅原道真、没。その遺品として銀装革帯、象牙の笏、象牙の櫛などが伝わる[大阪・道明寺天満宮]
	927	『延喜式』成る(967年施行)。弘仁年間(810〜)からの葬式・制度などを集大成したもの。大嘗祭の頃に日蔭蔓の記述。真珠に関しては巻15に「白玉一千丸志摩国所進」、巻50に「真珠を買い百姓を擾乱することを得ず」とある。また、巻30に遣唐使の唐への献上品として水晶・メノウ(火灯石用)など記録
	935	この頃、日本最古の国語辞典『倭名類聚抄』成る。蔽髪、サンゴ、銀の髪

社会・文化（●）・外国（■）
●衣服の襟を右前にするよう指示(719)
●初めて婦女の衣服の様式を制定(719)
●『日本書紀』編さん(720)
●衣裳を定めて風俗を整える。全国の婦女の衣服は旧制を改めて新制を用いよとの命(730)
●聖武天皇、国分寺建立の詔（みことのり）を出し、仏教の浸透をはかる(741)
■唐玄宗、楊太真（ようたいしん）を貴妃とする(745)
●聖武天皇、没。(756)
●養老律令、施行(757)
●長岡京に遷都(784)
●平安京に遷都(794)
●『続日本紀』編さん(797)
●最澄、天台宗開く(806)
●空海、高野山に金剛峯寺開く(816)
●藤原氏が摂政政治始める(866)
●菅原道真らの建議で遣唐使廃止(894)
●紀貫之ら『古今和歌集』編さん(905)
■新羅、高麗に滅びる(935)

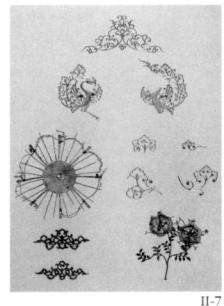

II-7

II-11

時代	年代	装身具・宝石類
平安時代		釵、由比方岐（指輪）など記載
	982	陸奥国に、来朝して3年になる宋人を帰国されるに際し給する金を献上させる［『小右記』］
	984	この年以前『宇津保物語』一部成る。あて宮の巻に「沈の指櫛（沈香の飾り櫛）、「蔽髪」（髪飾り）、「叙子」（簪）、「元結」などの記述
	900代後半	十二単発達に伴い、女性の髪は長く垂らした垂髪になる。髪飾り類は主として髪上げした時に用いられた
	1001	『枕草子』ほぼ完成。おもむきがあるものとして挿頭花に舞う雪、優美なものとして水晶の数珠を挙げる。挿櫛、叙子などについても記述
	1008	この頃前後『源氏物語』成る。「御髪上の調度」（桐壺）、「差櫛」（絵合）など記述
	1010	
	1052	この頃『紫式部日記』成る。叙子、元結など記述
		この頃前後に『新猿楽記』成る。大陸からの輸入品としてメノウの石帯など。輸出品として真珠、水晶、コハクなど。かわせみの簪についても記述
	1086	『後拾遺和歌集』成る。挿櫛にひかげかずらを結びつける表現見られる
	1120	この年以降『今昔物語集』成る。中国の商人が真珠を求める様子を記述
	1189	この頃『宇治拾遺物語』成る。真珠が中国との間で高値で取引されたとある
	1100代	女性の外出に際して首に懸けた懸守7個伝わる［大阪・四天王寺］
		王朝趣味の彩絵檜扇伝わる［広島・厳島神社］＊
		儀式の時に使われた飾太刀（螺鈿金装飾剣）伝わる［東京国立博物館］
鎌倉時代	1242頃	後嵯峨天皇即位にあたり、正倉院の礼冠・冕冠を取り出し破損
	1200代前半	『紫式部絵日記』成る。平安時代中期以降の挿頭花着用の様子描かれる
	1298頃	マルコ・ポーロ『東方見聞録』で、ジパング（日本）を黄金と真珠が豊富な国と紹介
	1200代	女性の垂髪短くなり、元結で結んだ姿増える
		鎌倉時代の武家の晴れの装身具は、公家の装束を身につけた伝・源頼朝像の笏や儀仗用の飾太刀に見ることができる［京都・神護寺］
		北条政子(1157-1225)奉納と伝承される梅模様の螺鈿櫛（実用櫛）伝わる［静岡・三島大社］
	1322	『餝抄』に「日蔭蔓」、「心葉」の記述
	1300代前半	寺詣の女性が首から懸守を懸けている絵巻伝わる［滋賀・石山寺］＊
	1300代	武運を願って奉納された装身具的要素の強い甲冑伝わる［奈良・春日大社］
室町時代	1300代中頃	金剛石（ダイヤモンド）の原語であるサンスクリット語の「バジュラ」から転じた「バサラ」という語が、佐々木道誉(1306-73)など南北朝内乱時代の大名に用いられる
	1300代	懸守、檜扇、玉佩、絹糸で作られた造花の挿頭花など伝わる［和歌山・熊野速玉大社］＊
	1400代後半	金工（彫金）後藤家の祖・祐乗(1440-1512)、将軍・義政の刀装具製作
	1500頃	「七十一番職人歌合」に巫女や、遊女が懸守を懸けた姿描かれる
	1526	博多の商人・神戸寿禎、石見銀山（島根）発見

	社会・文化（●）・外国（■）
	■高麗、朝鮮半島を統一（936） ■中国、宋建国（960） ●末法思想が流行し経塚作られ始める（1000頃） ●藤原道長、摂政となる（1016） ●白河天皇、院政を始める（1086） ●鳥羽上皇、院政始める（1129） ●保元の乱（1156） ●平治の乱（1159） ●平清盛、太政大臣となる（1167） ●源頼朝、守護・地頭を設置（1185）
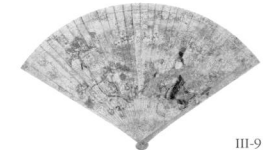 III-9	
 III-13	●源頼朝、征夷大将軍となる（1192） ●藤原定家ら『新古今和歌集』編さん（1205） ●鴨長明『方丈記』成る（1212） ●親鸞『教行信証』成る（1224） ●日蓮『立正安国論』著す（1260） ■蒙古、国名を元と改める（1271） ■元（高麗軍）、日本侵略計る（蒙古襲来-文永の役）（1274） ■2度目の蒙古襲来（弘安の役）（1281）
 III-17b	●鎌倉幕府滅びる（1333） ●足利尊氏、光明天皇擁立（南北朝分立）（1336） ●足利尊氏、建武式目制定（室町幕府の成立）（1336） ●足利義満、将軍となる（1368） ■明、建国（1368） ●南北朝合一（1392） ■高麗滅び、朝鮮（李朝）建国（1392） ●生野銀山（兵庫）発見（1542）

時代	年代	装身具・宝石類
	1533	石見銀山に灰吹法による能率的な銀精錬技術が大陸から導入される。これを端緒に日本は世界的貴金属産出国へと発展
	1500代前半	(〜後半)応仁の乱以降、公家女性、絵元結、平額(ひらびたい)用いる
	1563	長崎大名・木村純忠、キリスト教の洗礼を受けポルトガル船の司令官から宝石入り金指輪、金鎖など貰う[フロイス『日本史』]
安土桃山時代	1573(天正1)	武田信玄、没。信玄愛用と伝承される水晶の大念珠(数珠)伝わる[山梨・大泉寺]
	1575(3)	山梨県金峰山山麓で水晶原石発見される
	1582(10)	天正の少年使節、渡欧。ローマ法皇へ真珠を贈ったと伝えられる
	1583(11)	宣教師バリニャーノ、日本人とヨーロッパ人の財産観・宝石観の違いを記録[『日本要録』]
	1585(13)	宣教師のルイスフロイス、日本女性の装身具について、指輪はしていない、髪飾りは用いない、耳飾りや腕輪はしていない。キリシタンはロザリオを首につけると記録[『日本覚書』]
	1592(文禄1)	(〜96)文禄年間に歌舞伎の元祖・出雲阿国(いずものおくに)、水晶の数珠を首にかけて踊る[『歌舞伎事始』]
		宣教師バリニャーノ、キリシタン大名たちがヨーロッパで作られたロザリオを非常に欲しがると記録
	1593(2)	宣教師ロドリゲスの書翰に、名護屋(佐賀)にいた大名や臣下たちはポルトガル風服装を好み、金の鎖とボタンが流行と記す
		イソップ物語を翻訳したキリシタン本『伊曽保物語』刊。「ゆびがね」として指輪が登場
	1594(3)	宣教師パッシオの書翰中に、キリスト教信者でない者まで首にロザリオをかけ、腰に十字架を垂らし、耳飾りを注文する者までいたと記す
	1596(慶長1)	明の使者、秀吉に多数の真珠を縫いつけた団扇(うちわ)(真珠軍配)を贈る[愛知・徳川美術館]
	1500代後半	キリシタン大名・高山右近が城主であった城跡のキリシタン墓地木棺内から国内最古の木製ロザリオ出土[大阪、高槻城三の丸跡]
	1600前後	キリシタン本『ロザリオの経』刊。「ユビガネ」記載
	1600頃	(〜30年頃)異国人の顔立ち、服装、装身具などに注目した数々の南蛮屏風図描かれる*
	1601(6)	徳川家康、朱印船制度を安南など南方方面の国に通知。1635年(寛永12)までの朱印船貿易でマニラなどからサンゴ、象牙など輸入
		家康、新たな金鉱脈が発見された佐渡金山(新潟)を幕府直轄地とする
	1603(8)	日本イエズス会、当時の日本人の言葉を集録した『日葡辞書』刊。「べっ甲」「たいまい」「貝の玉」「真珠」など記載
江戸時代初期	1615(元和1)	支倉常長、ローマ法王に謁見。4連のロザリオ、銀の十字架、首飾り、メダルなど贈られる[宮城・仙台博物館]*
		支倉常長の指輪をした陣羽織姿の肖像画が、ローマを訪れた常長一行を接待した家に伝わる[模写、宮城・仙台博物館]

社会・文化（●）・外国（■）

- ●応仁の乱（1467-1477）
- ●即位の礼が行えないほど皇室財政ひっ迫（1500）
- ●ポルトガル船、種子島に漂着し鉄砲伝える（1543）
- ●ザビエル、鹿児島に上陸しキリスト教伝える（1549）

- ●将軍・足利義昭、織田信長に追放され室町幕府滅亡（1573）

- ●本能寺の変、信長自死（1582）
- ●豊臣秀吉、ほぼ全国統一、太閤検地始まる（1582）

- ●秀吉、天正14年の茶会で黄金の茶室披露（1586）
- ●秀吉、彫金師・後藤徳乗の手になる天正大判鋳造（恩賞用）（1588）
- ●秀吉、朝鮮出兵（文禄の役）（1592）
- ●秀吉、朱印状（海外貿易特許証）を長崎・京都・堺の船、計9艘に与える（1592）

- ●関ヶ原の戦い。徳川家康の覇権確立（1600）
- ●家康、慶長大判・小判・一分金など鋳造（1601）
- ●家康、征夷大将軍となり江戸幕府開く（1603）
- ●出雲阿国、京都で歌舞伎踊りを演ずる（1603）
- ●たばこ流行（禁止令を出す）（1605）
- ●家康、オランダ船の来航を許可（1609）
- ●ポルトガルに通商許可。明国商人に長崎貿易許可（1611）
- ●イギリスに通商許可（1613）
- ■ロシア、ロマノフ王朝成立（1613）
- ●伊達正宗の遣使として支倉常長、ローマに向かう（1613）
- ●高山右近らキリスト教徒海外追放（1614）

- ●大阪夏の陣、豊臣氏滅ぶ（1615）
- ●徳川幕府、武家諸法度、公家諸法度など制定（1615）

南蛮屏風図

IV-9

時代	年代	装身具・宝石類
江戸時代初期		この頃、支倉常長、洋服を着て手に、ロザリオを挟み、指に金製宝石(ルビー)入り指輪をした姿で描かれる[宮城・仙台博物館]
	1616 (2)	徳川家康、没。外国からの献上品と思われる家康愛用の真珠141個を散りばめた金銀透し細工の宝石箱(真珠貝玉箱)伝わる[愛知・徳川美術館]
	1620 (6)	十字架のついたロザリオを首に掛けた若い日本男性の絵(奉納用)がポルトガルに伝わる[ポルトガル・カラムロ博物館]
	1630 (寛永7)	この頃以前の地層から、ヨーロッパ製と思われる金製を含む指輪3点出土[長崎・築町遺跡]
		この頃、佐渡金山で栄えた相川町の雇女と呼ばれる女性の中に「耳に環のつきたる女もあり」との記録[『佐渡古実略記』]
		この頃、サンゴは海中の植物と考えられ、『大和本草批正』では「枝のみにて葉なし」と記述
	1634 (11)	オランダ人、将軍家光拝謁に際して望遠鏡などの他、真珠や貝をちりばめた銀渡金の大鏡、赤サンゴ(原木)5本を献上
	1636 (13)	伊達正宗、没。遺品に、印籠、ヨーロッパ製ブローチ、ペンダントなど[宮城・瑞鳳殿資料館、仙台市博物館]＊
	1638 (15)	幕府から総攻撃を受けた原城本丸からキリシタン遺品として金細工の精巧な十字架など出土
	1639 (16)	三代将軍家光の娘・千代姫、婚礼に際し、金銀の高蒔絵に切金、彫金、サンゴの象嵌を施した調度品を持参[愛知・徳川美術館]
		この頃以降、キリシタンと間違いられて迫害を受ける事を恐れ、ロザリオやロザリオ風首飾りをつける者いなくなる
江戸時代中期	1640 (17)	「三十六歌仙図額」描かれる[埼玉・仙波東照宮]＊
	1645 (正保2)	『毛吹草』刊。俳諧の書であるが参考に諸国名産も載せてあり、京都の特産として「玉細工」「目金」「数珠」とある
	1600代前半	「松浦屏風」にロザリオ風首飾りをした女性描かれる[奈良・大和文華館]
		「本多平八郎姿絵屏風」に印籠を腰から提げた若衆描かれる[愛知・徳川美術館]＊
		「歌舞伎草子」にロザリオ風首飾りをし、腰に袋物などを提げている男装の女芸人描かれる[愛知・徳川美術館]
		「阿国歌舞伎草子」に、阿国と話をするロザリオ風首飾りをした名古屋山三描かれる[奈良・大和文華館]
	1650 (慶安3)	『貞徳文集』刊。サンゴが緒締の玉に使われていたことを記録
	1655 (明暦1)	(~58)明暦頃、黄楊櫛や鯨鬚の笄用いられる[『我衣』]
	1661 (寛文1)	長崎・大村湾での真珠採取の請願が長崎商人からあり、大村藩これを許可
	1666 (6)	中村惕斎『訓家図彙』刊。巻11に梳櫛を小振りにしたような初期の挿櫛の図掲載
	1668 (8)	幕府、貿易品の騰貴抑制のため、唐蘭船に対しサンゴ、べっ甲など贅沢品の持ち込みを禁止(寛文8年の禁令)
	1670 (10)	この頃、久慈(岩手)のコハク細工師20余人[高山彦九郎『北行日記』]
	1672 (12)	長崎・大村藩、アコヤ貝の保護を育成をはかり計画的な真珠の採取始める

	社会・文化（●）・外国（■）
	●中国を除く外国船の寄港地を長崎・平戸に制限（1616） ●たばこ栽培禁止令（1616） ●二代目阿国、京都四条中島で歌舞伎興業（1617） ●長崎でキリシタン55人処刑（1622） ●イギリス、平戸商館閉鎖し撤退（1623） ●初代・中村勘三郎、江戸で歌舞伎興業（1624） ●イスパニアの通商申入れを拒絶（1624） ●幕府、諸国金銀奉行を置き鉱山開発奨励（1627）
IV-5	●踏絵盛んに行われる（1634頃） ●日本船の海外渡航禁止令（1635） ●島原の乱、起こる（1637） ■中国（明）で技術の百科全書『天工開物』刊（1637） ●長崎からポルトガル人を追放し来航を禁止（鎖国の完成）（1639）
 コラムIV-1  IV-4	●風流踊りを禁止（1641） ●オランダ商館、平戸から長崎・出島へ移転（1641） ■明滅び、清、北京に遷都（1644） ●江戸市中のかぶき者を取締る（1645） ●江戸の町人の絹着用禁止、調度などへの蒔絵・金銀箔の使用禁止（1649） ●頬かぶり、覆面および華美な衣服禁止（1656） ●徳川光圀『大日本史』編さん開始（1657） ●金座・銀座・両替商以外での金銀売買禁止（1665）

時代	年代	装身具・宝石類
江戸時代中期	1673（延宝1）	（〜81）延宝の頃、金銀の紙を材料とした反元結出る〔『近世女風俗考』〕
	1675（3）	随筆『遠碧軒記』成る。真珠につき「あこやの玉は、松浦殿の平戸にてもとる（中略）唐人たかくかふ、石の帯にもつくる。又指がねにもつくる、又服薬にもなる」と記す
	1676（4）	長崎代官・末次平蔵父子、サンゴ珠などの密貿易露見で隠岐へ流刑
	1678（6）	京都案内記『京雀跡追』に、四条坊門通りは「たま細工　目かね（めがね）や多シ」とある
	1680頃	延宝の末頃、江戸・浅草の豪商石川六兵衛の女房、南天模様の着物の実の部分にたくさんのサンゴを縫い付け、京都で衣装くらべ〔『喜遊笑覧』〕
	1681（天和1）	（〜88）天和・貞享までは鶴足の笄が最上の笄〔『我衣』〕
	1682（2）	井原西鶴『好色一代女』刊。べっ甲の挿櫛登場
	1684（貞享1）	西鶴『諸艶大鑑』刊。「天川の玉」の名で巾着の緒締用サンゴ玉登場
	1686（3）	西鶴『好色五人女』刊。財宝としてサンゴ玉登場
		西鶴『好色一代男』刊。象牙の挿櫛、笄登場
	1687（4）	『女用訓蒙図彙』刊。この頃、箸と笄の区別がなく、同書も箸を笄として図を掲載＊
	1688（元禄1）	西鶴『好色盛衰記』刊。装身具につき「今の女昔しなかった事どもを仕出して身をたしなむる物の道具数々なり」として、笄、挿し櫛など挙げる
		元禄初年、櫛、箸姿の菱川師宣「見返り美人図」描かれる〔東京国立博物館〕＊
		（〜1704）元禄中頃、京から笄髷流行し、笄が全国的に普及〔『歴世女装考』〕
		（〜1704）元禄頃から、べっ甲やべっ甲蒔絵の櫛・笄が用いられる〔『我衣』〕
		（〜1704）元禄頃から、刀の外装である鐔・小柄・目貫など装飾的になる
	1690（3）	『人倫訓蒙図彙』刊。櫛を挿した水茶屋の女性描かれる。櫛挽、印籠師、紙入師の他、錺師、銀師などの図も掲載。また、笄につき「竹、角、象牙、鯨のひれをもって造る」とある
	1694（7）	西鶴『西鶴織留』刊。サンゴ玉で飾った髪飾り登場
	1697（10）	1668年（寛文8）のサンゴ、べっ甲持ち込み禁止令解除。この年以降、サンゴ、べっ甲の輸入が本格化〔『阿蘭陀船入港並記事之事』〕
	1600代末	長崎の俗謡の一節に「鉛の指輪」とある。唐人屋敷の中国人が安価な指輪を少年達にくばっている光景を唄ったもの
	1704（宝永1）	櫛・笄に対し、2月「金銀のかなもの無用」との禁令（元禄17年の禁令）
		（〜16）宝永から正徳頃の松野親信「立美人図」に銀杏形の1本脚箸見える
	1708（5）	近松門左衛門『傾城反魂香』刊。印籠の緒締用サンゴ玉登場
		西川如見『増補華夷通商考』刊。ダイヤモンドについて「ギヤマンテ、デヤマンとも言う。金剛石、菩薩石の類なり」と記す
	1710（7）	中国船から指輪輸入（『寧波船帰帆荷物買渡帳』）
	1711（正徳1）	（〜16）正徳頃、後の山高形櫛の元となる親歯の細いべっ甲薄櫛登場（享保頃まで流行）＊
		（〜16）正徳頃、金銀粉を蒔いた厚手の木櫛も流行〔『我衣』〕
		（〜16）正徳頃から上部に耳掻きが付き、足が二股に分かれた箸が出始まる〔『我衣』〕

社会・文化（●）・外国（■）

●三井高利、江戸に呉服店（越後屋呉服店）開業（1673）

●江戸浅草の豪商・石川六兵衛の女房の服装華美につき夫婦ともども家財没収、江戸追放（1681）
●江戸の婦女に華美衣服禁止令（1683）
●八百屋お七、放火罪で火刑（1683）
●東山天皇即位、徳川綱吉の献金で220年ぶりに大嘗祭挙行（1687）
●江戸市中に衣服制限を再令（1688）

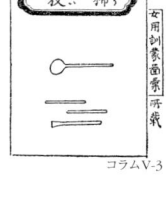

■ブラジルで金鉱発見されゴールドラッシュ（1694）
■清、紫禁城大和殿完成（1695）

■北ビルマでヒスイ発見（1700頃）
●職人の金銀使用を禁止（1704）
●貝原益軒『大和本草』刊（1709）

時代	年代	装身具・宝石類
		(~36)正徳・享保頃、若い女性の間で両端の反った角状笄が流行[『我衣』他]
		(~36)正徳・享保頃、べっ甲松葉簪、銀製の輪が中央にある簪始まる[『歴世女装考』他]
	1712頃（2）	寺島良安『和漢三才図会』刊。宝石類についての記述多く、真珠、べっ甲、サンゴなどにつき記述。ダイヤについては硬さを強調し「玉石・磁器を彫りうがつと泥を彫るように意のままに彫れる」と解説
江戸時代後期	1716（享保1）	(~36)『秘事指南車』で象牙の粉を使った練りサンゴ（模造サンゴ）の作り方を詳しく紹介
		(~36)享保頃、べっ甲の上等な櫛は五両、七両と高騰し一般の女性には花嶺の花となる[『我衣』]
		(~36)べっ甲高値のため、蒔絵や切金（金銀の薄板）で装飾した木櫛流行[『我衣』]＊
		(~41)享保・元文頃、山高形の薄く親歯が広い黒斑のべっ甲櫛（山高櫛）流行。笄も同様の素材で片側の幅が少し狭いものが流行[『玳瑁亀図説』]
		(~41)奥村利信「櫛売り」の行商姿描く[東京国立博物館]
	1720（5）	西川如見『長崎夜話草』刊。長崎土産として「玉細工」「造珊瑚珠」など取り上げる
	1723（8）	西川祐信、様々な階層の女性を描いた『百人女郎品定』刊。両端の反った角状笄や、櫛を2枚挿す「二枚櫛」の姿描かれる＊
		西川祐信、『絵本常盤草』刊。「二枚櫛」風俗や銀杏形、菱形、丸形の1本脚簪の姿描かれる
	1730（15）	享保末頃からビイドロ（ガラス）笄流行[『我衣』]
	1732（17）	『万金産業袋』刊。すでに「トンボ玉」という言葉使われる
	1736（元文1）	(~41)元文頃、竹に銀箔を置いた笄や鶴足笄を模した馬の骨の笄も用いられる[『我衣』]
		(~44)元文・寛保頃、梅の小枝に金銀の色紙や短冊をつけた簪が舞妓たちに流行[『我衣』]
	1741（寛保1）	(~44)べっ甲高値のため、「朝鮮べっ甲」と呼ばれた水牛にべっ甲の黒斑を入れた擬いものの櫛・笄登場[『我衣』]（『歴世女装考』ではその時期を少し後の安永の初めとする）
	1743（3）	大型のべっ甲櫛・笄、贅沢な作りの金銀蒔絵櫛など禁止（寛保3年の禁令）
	1748（寛延1）	(~64)寛延・宝暦頃から利休形と呼ばれる山形横長櫛流行[『玳瑁亀図説』]
		(~81)寛延から安永頃、べっ甲琴柱簪、べっ甲松葉簪流行[『玳瑁亀図説』]＊
		(~81)寛延から安永頃、銀脚のサンゴ玉簪流行[『当世かもし雛形』他]
	1751（宝暦1）	(~64)宝暦頃から、象牙の櫛・笄流行。蒔絵のものもある[『賤のをだ巻』]
		(~64)宝暦頃から、紋入り銀簪流行。銀簪などを専門とする錺職（金銀錺職）も登場
	1762（12）	平賀源内、江戸・湯島で物産会（東都薬品会）開催。この時、ダイヤモンドの指輪出品される
	1763（13）	平賀源内『物類品隲』刊。前年の物産会に出品されたダイヤの指輪につい

社会・文化（●）・外国（■）
●新井白石『西洋紀聞』（初稿）成る（1715）
●徳川吉宗、将軍となる（1716）
●唐船密貿易を厳禁（1718）
●近松門左衛門『心中天の綱島』初演（1720） ●江戸で本草学盛ん（1721頃）
●倹約令布告（1724）
■清、乾隆帝（高宗）即位（1735） ■英、ガラード創業（1735）
●『仮名手本忠臣蔵』初演（1748） ●女羽織着用禁止（1748） ■イタリアで、ポンペイ遺跡の発掘始まる（1748）
■大英博物館、創立（1753） ●田村藍水・平賀源内、江戸湯島で始めての物産会開催（1757） ●為永一蝶『歌舞伎事始』刊（1762）

時代	年代	装身具・宝石類
		て「蛮産デヤマン（中略）ソノ大サ二分許　是ヲ指彊ニ着ク」と記録
	1764（明和1）	明和元年の書き付けのある長崎・大村湾の真珠伝わる［水産総合研究センター養殖研究所］
		（～81）明和・安永頃、縮緬の丸ぐけ紐で髷を飾る「髷かけ」始まる［『近世女風俗考』『歴世女装考』］
		（～81）明和・安永頃、銀覆輪櫛始まる［『玳瑁亀図説』］
		（～81）明和・安永頃、べっ甲の光輪櫛・笄始まる［『玳瑁亀図説』］＊
		（～81）明和・安永頃、べっ甲差込簪始まる［『玳瑁亀図説』］
	1770（7）	中国船から指輪1960個輸入［『唐船貨物改帳』］
	1771（8）	『抜参夢物語』に、飾り立てた髪飾りにつき「女の風俗は、天地開けてより今ほど美麗なる事はなし、天窓のさし物は弁慶を欺く」とある
	1772（安永1）	（～81）安永頃、政子形（別名・鎌倉形）の櫛流行［『玳瑁亀図説』］＊
	1775（4）	（～76）ツュンベリー（スウェーデン人）の旅行記に、日本人はコハクのことを「ナンブ」（南部藩のこと）と呼ぶと記す。また日本人は「白い木目のはいった赤瑪瑙」をたばこ入れの留め具や印籠の緒締に使うと記す［『江戸参府随行記』］
	1777（6）	谷川士清『和訓栞』（前編巻）刊。「ぎやまんの条」で、ダイヤモンドについて「阿蘭陀より持ち帰る。近世の物は多く白し。金剛石なるものは是なり」と紹介
江戸時代後期	1779（8）	『当世かもし雛形』刊。玉簪姿や「二枚櫛」「三枚櫛」姿の女性たち描かれる
	1770代	（～80年代）この頃から、腰提げたばこ入れ流行
	1780（9）	佐藤信季『漁村維持法』に「伊勢真珠の名世に高し」とある
		安永の末期、たばこ入れの前金具の原形である「対鋲」登場
	1781（天明1）	『装剣奇賞』刊。輸入された耳輪が緒締として用いられたことが記してある。また、トンボ玉の絵なども載っている
		（～89）天明頃から牝牛の角を用いてべっ甲の模造品作られる［『歴世女装考』］
		（～89）天明の中頃から馬爪を用いてべっ甲の模造品作られる。透き通り具合や照は牛の角に勝る［『歴世女装考』］
		（～1801）天明・寛政頃、燈籠鬢の影響で櫛・笄一層大型化。
		（～1801）天明・寛政以降、白甲のべっ甲が好まれるようになる＊
		（～1801）天明・寛政年間に、長崎・大村藩、真珠貝保護養殖法制定
	1787（7）	山東京伝『古契三娼』刊。黄楊櫛の人気なく、深川では懐具合が悪いことを「黄楊」といったと記す
	1788（8）	平賀源内『平賀鳩渓実記』刊。この頃流行の、銀でふちを飾った伽羅の櫛（源内櫛）につき、吉原の一流の遊女に挿してもらって宣伝したことを記す
	1789（寛政1）	老中・松平定信による「寛政の変革」により、華美な髪飾りへの取り締まり強化される。2月に金銀・蒔絵の櫛・笄の禁止（天明9年の禁令）、3月にも同様の禁令（寛政1年の禁令）
		中山竹山『草茅危言』成る。べっ甲につき「玳瑁は、往昔一旦禁ありし、その禁網をゆるみを伺い、鼈甲と名をつけて」用いたと記す
		（～1801）寛政年間に白牡丹（銀座）創業

社会・文化（●）・外国（■）

●柄井川柳『誹風柳多留』(初編)刊(1765)

V-12

●木内石亭『雲根志』(前編)刊(1773)

コラムIII-4

■アメリカ13州、独立宣言発表(1776)

■仏、ショーメ創業(1780)

■北ビルマのヒスイ、友好貿易関係成立後中国(清)に入る(1784)

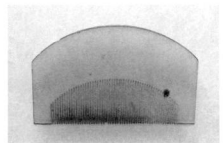

●木内石亭『曲玉問答』刊(1786)

コラムV-5

■イギリス、『タイムズ紙』創刊(1788)

■フランス、革命起こり立憲国民議会成立(1789)
■ワシントン、アメリカ初代大統領になる(1789)

時代	年代	装身具・宝石類
江戸時代後期	1790（2）	櫛は銀100匁（一匁は小判1両の60分の1）以上禁止、笄・簪もそれに準じると金額まで示して禁止。（寛政2年の禁令） 松前藩士・蠣崎波響、アイヌ風俗を描いた「夷酋列像」12図完成。「ニンカリ」と呼ばれるアイヌの耳飾り姿も描かれる 尼伊（大阪心斎橋）創業
	1794（6）	桂川甫周、大黒屋光太郎と磯吉の漂流体験記『北槎聞略』編さん。ロシアで見た「戒指」、「耳環」につき絵入りで紹介。結婚指輪や金剛石（ダイヤ）についても記述
	1795（7）	大型の髪飾りへの禁令。町人に限らず武家方まで対象を広げる（寛政7年の禁令） （～96）喜多川歌麿「美人気量競　五明樓　瀧川」に手首に飾り紐を巻き、小指に指輪をしている女性描かれる[仏・ギメ東洋美術館]
	1700代後半	（～1800年代）清朝の乾隆帝（1736-96）時代に作られたと思われる乾隆ガラスの指輪が長崎・唐人屋敷跡から出土[長崎市教育委員会]
	1801（享和1）	（～04）初代・歌川豊国の美人画「猫を抱く美人」に黒い幅広の指輪描かれる （～04）歌麿『當世女風俗通　北国の契情』に指輪描かれる[江戸東京博物館]＊
	1802（2）	縮緬の色布（髷かけ）を禁止し、吉野紙を染めた縮緬紙をすすめる（享和2年の禁令） 森山孝盛『賤のをだ巻』成る。象牙の櫛・笄の流行について記す
	1804（文化1）	（～18）文化頃、大坂で婦女の間で指輪、銀の平打簪流行[『摂陽奇観』] （～18）紙入れに鎖の飾りがつく[[『続飛鳥川』]] （～18）文化前後から、耳掻き簪の耳の部分が大型化[『玳瑁亀図説』他] （～30）文化・文政頃、両天簪用いられる[『近世風俗志』]＊ （～30）文化・文政頃からの笄は、全体に厚く、上下同形の角棒状（片側に多少丸み）[『玳瑁亀図説』他] （～30）文化・文政以降、簪大いに発達し、びらびら簪、銀平打簪、その他様々な簪が登場＊
	1810（7）	風俗見聞録随筆『続飛鳥川』成る。帯締、鎖飾りのある紙入の発生について記す
	1811（8）	『進物便覧』刊。江戸土産として丸角の袋物、京伝（山東京伝の店）のたばこ入れなど紹介 幕府、百科事典『厚生新編』の翻訳を開始。ダイヤ、真珠、他の各種宝石についても記述。指輪は「指環」と表記
	1812（9）	土佐沖（高知）で初めてサンゴ発見される。月灘村の漁師の釣糸に偶然引っ掛かったもの
	1813（10）	土佐（高知）の地理・歴史・産物などを記録した『南路志』編さんされる。土佐のサンゴにつき「色赤く、縦に紋理あり、大いなるものは廻り一寸五分（約4.5センチ）もありて、稀なり」と記す 芝翫香（大坂）創業。歌舞伎役者・中村芝翫の好みの白粉を芝翫香と名付けて売り出す この頃以降、帯留が用いられ始める。最初は遠出の時などに男性と老女

	社会・文化（●）・外国（■）
	■フランス、第一共和制（1792）
	●寛政の女髪結取締令（1795）
	■ナポレオン、イタリア遠征（1796） ■ナポレオン、エジプト遠征（1798）
 V-46	●木曽（長野）で「お六櫛」と呼ばれる安価な木の櫛作られ始める（1802） ●小野蘭山『本草綱目啓蒙』刊（1803〜06）
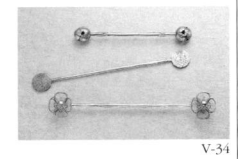 V-34	●山東京伝、木曽の名物「お六櫛」（櫛）を題材にした『於六櫛木曾仇討』刊（1807） ■ロンドンにガス灯点灯（1807）
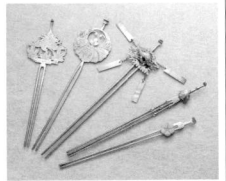 V-33b	●化粧法を書いた佐山半七『都風俗化粧伝』刊（1813）

時代	年代	装身具・宝石類
江戸時代後期		が使用[『我衣鈔』]
	1814（11）	『甲斐国志』成る。山梨の水晶産地など記す
	1818（文政1）	（～30）文政頃の英泉の美人画に「なんでもほしがる」娘として簪を手にした娘描かれる[東京・ポーラ文化研究所]
	1820（3）	櫛代は銀百匁まで、笄・簪もそれに準じるとの倹約令出る（文政3年の禁令）
	1821（4）	銀の櫛・笄、その他の銀器類などを作ることを禁じる（文政4年の禁令）
	1822（5）	北川雪麿作・歌川国安画『小柳縞婀娜帯止』刊。ここでは帯締を帯止（帯留）と呼んでいる
	1823（6）	葛飾北斎『今様櫛𥝱雛形』刊。櫛ときせるの図案約150種を載せる
	1824（7）	身分不相応な髪飾り類を禁止（文政7年の禁令）
		『江戸買物独案内』刊。越川屋、宮川など評判の袋物商・小間物商を紹介
	1825（8）	芸者などの華美な衣服や大型櫛などを禁止（文政8年の禁令）
		『我衣鈔』刊。帯留の発生について記す
	1826（9）	前年の文政8年の禁令違反で、江戸の芸者22人が処罰される
		長崎・出島の医官シーボルト、長崎・大村湾の真珠につき、日本人は真珠を一般に「貝の玉」といい、最上種のものを「真珠」と呼ぶと記す[『江戸参府紀行』]
	1829（12）	ガラス技法書『玻璃精工全書』にルビーに関する記述。金で紅色に発色させる金赤ガラス解説の項に、その色「舶来のロベイン石（ルビー）のごとき」とある
		文政末の歌川国安「通俗水滸伝豪傑百八人之壱人　見立入雲龍公孫勝」に大振りの帯留描かれる[東京・太田記念美術館]
		文政末（あるいは天保初め）、中は馬爪で表を薄いべっ甲で包んだ「つつみ」「きせ」と呼ばれたべっ甲模造品作られる[『近世風俗志』]
		（～32）曲亭馬琴、読本『近世説美少年録』に「玳瑁の櫛笄、白銀の指䴅（中略）珍しげなく思われん」とある
	1830（天保1）	『嬉遊笑覧』刊。銀の「指の輪」が江戸で流行と記す。また箱迫の由来などについても記す
		（～44）天保頃、べっ甲の花笄が御殿女中の間で流行[『近世風俗志』]
		（～44）天保頃、黄楊の小櫛を鬢に挿す「横櫛」行われる[『近世風俗志』]
		（～44）天保頃から、サンゴ玉で飾った櫛や、棟をカットガラスやガラス絵で飾った櫛が人気＊
		（～54）天保・嘉永頃から、中差（簪）用いられる[『近世風俗志』他]
	1833（4）	浜松歌国編『摂陽奇観』成る。大阪での指輪流行記す
		老中・水野越前守忠邦「天保の改革」で身分不相応な髪飾り禁止（天保4年の禁令）
	1834（5）	この頃、京都の玉屋の番頭・高木弥助、甲州に来て研磨の技術伝える
	1838（9）	渡辺華山『校書図』で艶美な芸妓の指輪姿を描く[東京・静嘉堂文庫美術館]＊
		櫛・笄・簪・きせる・たばこ入れ、紙入れなど、主要装身具への金銀使用を禁止（天保9年の禁令）＊
	1841（12）	『玳瑁亀図説』成る。べっ甲の髪飾りの変遷を彩色図入りで解説

社会・文化（●）・外国（■）

●杉田玄白『蘭学事始』刊（1815）

■ロシア、ウラル地方でプラチナ大鉱脈発見（1822）

●江戸両国の見世物でギヤマン（ガラス）の宝船が人気（1823）

■仏、モーブッサン創業（1826）

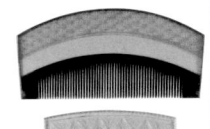

●葛飾北斎「富嶽三十六景」成る（1830頃）

●寺門静軒『江戸繁昌記』刊（1832〜36）

●歌川広重「東海道五十三次」刊行開始（1833頃）

■米、ティファニー創業（1837）

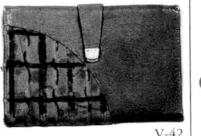

●天保の女髪結禁止令（1840）

時代	年代	装身具・宝石類
江戸時代後期		金銀を使った櫛・笄・簪および縮緬の色布(髷かけ)の禁止(天保12年の禁令)
	1842（13）	この頃、歌舞伎役者の紋を櫛や簪につけることが流行したことが市中取締記録にある
	1843（14）	櫛・笄・簪の銀100匁以上の値段の品の禁止(天保14年の禁令)
	1845（弘化2）	べっ甲櫛・笄や銀簪禁止のため象牙などへ蒔絵を施したもの、また、真鍮・銅・鉄へ精巧な細工をしたものが出ていると市中取締記録にある
	1847（4）	山東京山『歴世女装考』成る。古代からの髪飾りなどの変遷を記す
		この頃、根掛が流行し始めていたことが市中取締記録にある
江戸時代末期	1848（嘉永1）	土佐(高知)の沖合で漁業中の船にサンゴがかかり奉行所へ届け出る[『清水浦分一役所控書』]
		小野蘭山『重訂本草網目啓蒙』刊。サンゴの偽物につき「鯨歯或は鹿角を用いて紅汁にて煮、偽る者あり」と記す
		(〜54)嘉永頃、砂金石大流行[『近世風俗志』]
		(〜54)嘉永頃、鶏卵で作ったべっ甲模造品作られる[『近世風俗志』]
		(〜54)嘉永頃、両天簪、小振りになって再び用いられる[『近世風俗志』]
		(〜54)嘉永頃から、腕守の流行始まる
		(〜54)嘉永頃から、櫛、その他の髪飾りは全体的に小振りになる
		(〜54)嘉永頃から、中心部分が細い笄や杵形笄出始める[『近世風俗志』]
		(〜54)嘉永頃から、根掛、髷止(位置止)、鹿の子止用いられる[『近世風俗志』]＊＊
	1850（3）	模造サンゴ、赤石玉作られる
	1851（4）	ジョセフ・ヒコ(浜田彦蔵)、アメリカで金銀の指輪、ダイヤモンド入りネクタイピン入手
	1853（6）	『近世風俗志(守貞謾稿)』刊。江戸期の装身具の変遷を詳しく記す
		『富山藩薬品会目録』に霞浦産真珠の出品記載
		嘉永になっても華美な髪飾りへの禁令は続いた(効果は疑問)。櫛・笄・簪への金使用の禁止、再び銀100匁以上の高価なものの禁止など(嘉永6年の禁令)
	1854（安政1）	江崎鼈甲器製造工場(長崎)創業
		『甲府買物独案内』刊。水晶細工所3軒など紹介
		河竹黙阿弥『都鳥廓白浪』初演。真珠が内障眼に効く秘薬として登場
	1856（3）	「浦上三番崩れ」と呼ばれる隠れキリシタン取り締まりの時、長崎奉行所、中国製の金銅製指輪を押収[東京国立博物館]
		ペリー提督『日本遠征記』刊。日本には「吾々の制作し得ないような宝石代用品がある。それは赤銅syakfdou」と記す
	1857（4）	この頃、三代・歌川豊国「江戸名所百人美女」の一枚に腕守姿の女性描かれる[東京・日本宝飾クラフト学院]＊
	1858（5）	長崎の江崎榮造、ロシア人の依頼でべっ甲製品を修理
		長崎海軍伝習所教育班長・カッテンディーケ、平戸近くの村で娘たちに指輪与える[『滞日日記抄』]

	社会・文化（●）・外国（■）
	●偽金銀造り取締令（1842） ●百姓・町人所有の金銀供出令（1842） ●町人の外は地味、内は派手な衣服の禁止（1843）
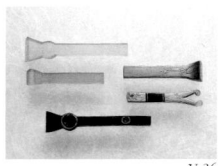 V-36 V-38	■カリフォルニアで金鉱発見、ゴールドラッシュ（1848） ■マルクス『共産党宣言』刊（1848） ●アメリカ艦、長崎に入港（1849） ●イギリス艦、浦賀に入港（1849） ●幕府、諸大名に沿岸防備を命ずる（1849） ■オーストラリアでオパール発見（1849）
	●からくり儀衛門こと田中久重、万年時計を作る（1851） ■ロンドンで第1回万国博覧会（1851） ■仏、ナポレオン3世即位、第二帝政（1852） ●江戸の女髪結（約1400人）の増加を取締り転業を指導（1853）
	●安政の大地震。幕府、焼けた金銀具や金箔を神仏具・装身具類へ使用することを禁止（1855） ■パリ万国博覧会（1855）
 V-50	■米、ニュージャージー州の川で真珠が発見され、パール・ラッシュ始まる（1857） ●日米通商条約（1858） ●安政の大獄始まる（1858） ■仏、ブシュロン創業（1858）

時代	年代	装身具・宝石類
江戸時代末期	1860（万延1）	鯖江藩（福井）の藩主、随筆集『安房守文庫』でロシア製腕輪を絵入りで紹介
		遣米使節、アメリカ女性のピアスに驚き「彼らは多くの野蛮国の女と同様に耳たぶを切って、金または銀の装飾品をつけている」と日本へ手紙を送る［『米紙』］
		遣米使節、大統領の館で金・銀・銅のメダル贈られる［『遣米使日記』］
		来日中のイギリスの園芸学者、帯留を見て「ドレスを締める金属製のバックル類は、見方によっては立派な骨董品である」と記す［『幕末日本探訪記』］
		この頃、久慈（岩手）のコハク（薫陸（くんろく））を和薬種として求める外国人が増え、鉱山開発進む
		この頃、異人風俗を描いた横浜絵と呼ばれる錦絵が江戸の版元から出版される。ネックレスやピアスをつけた外国女性描いたものもある
	1861（文久1）	（～64）文久年間に、高知の福島常吉、サンゴ細工と小売の店開く
	1862（2）	第1回遣欧使節、マルタ島（イギリス直轄地）で「宝石などの貴金属品」購入［『タイムズ紙』］
		遣欧使節、オランダ・アムステルダムのダイヤモンド研磨工場を日本人として初めて見学［『尾蠅欧行漫録』］
		遣欧使節、ロシアの鉱山学校でプラチナなどの貴金属やダイヤなどの宝石類を見学［『欧行記』］
		ロンドンで開催された第2回万国博覧会へ彫金細工・象嵌細工の刀装具など出品、高い評価を得る［オールコック『大君の都』］
		『大村郷村記』完成。大村藩（長崎）の真珠施政など記す
	1863（3）	スイス系商社のファーブル・ブランド商会、横浜に設立。武器、機械、時計などの輸入を始める。明治20年代にはジュエリーも取り扱う
		ジョセフ・ヒコ『彦蔵漂流記』刊。アメリカの結婚指輪の習慣についても記す
	1864（元治1）	第2回遣欧使節団に同行の女性、パリで指輪をつけた姿で写真に写る＊
	1865（慶応1）	（～67）慶応年間、長崎・大村藩、真珠を材料にした「真珠丸」（解熱剤）、「真珠膏」（目薬）などの和薬を処方し販売
	1866（2）	（～67）薩摩藩主・島津斉彬、領内で真珠産出を計画し大村湾（長崎）の真珠貝を移殖したが失敗に終わる（『大日本産業事蹟』）
	1867（3）	『西洋雑誌』の第1号でダイヤモンドの話を掲載。「カラットは秤量の名」とダイヤの重量単位であるカラットを日本で初めて紹介
		パリ万国博覧会に、日本は絹織物、象牙細工、水晶細工などのほか、櫛・簪・笄など髪飾り関連32点を出品
	1860代	幕末期の錦絵に、洋装でピアスとネックレス姿の日本女性を描いた光斎芳盛「穏補」と題された絵がある［神奈川県立博物館］＊
明治時代（初期）	1868（慶応4）（明治1）	神仏分離令により廃仏毀釈運動が起こり、ご神体の水晶玉が盛んに売られる
		英国ヴィクトリア女王、駐日英国大使・パークスを暴漢から守ったお礼として後藤象次郎らにダイヤモンド象嵌の剣を贈呈
	1869（2）	装剣金工の加納夏雄、大阪の造幣局で新貨幣の原型を彫刻
		英国のエジンバラ公（ヴィクトリア女王の第2王子）が天皇に謁見。ダイヤモンドが施されたかぎ煙草入れ（スナッフボックス）を献上

	社会・文化（●）・外国（■）
	●ジョセフ・ヒコ(彦蔵)、アメリカの通訳として長崎に帰航(1859) ●木村摂津守ら、咸臨丸で品川を出発、米国に向う(1860) ●遣米使節・新見正興ら、条約批准書交換のため米艦で渡米(1860) ●桜田門外の変(1860)
	●第1回遣欧使節の軍艦、品川を出航(1861) ■米、南北戦争(1861〜65) ■ロンドンで第2回万国博覧会(1862)
V-48	●イギリス艦隊、鹿児島湾侵入(薩英戦争)(1863)
穏補	●福沢諭吉『西洋事情』(初編)刊(1866) ●大政奉還、王政復古の大号令(1867) ■パリ万国博覧会(1867) ■南アフリカでダイヤモンド鉱山発見(1867)
	●鳥羽伏見の戦い(1868) ●江戸城開城(1868) ●築地居留地設置始まる(1868) ●版籍奉還(1868) ■スエズ運河開通(1868)

日本装身具文化史年表

時代	年代	装身具・宝石類
明治時代（初期）	1870（3）	甲府の水晶鉱山発掘熱高まる
	1871（4）	新貨幣鋳造のため禁止されていた金・銀・銅の売買が許可
		高知の珊瑚採取始まる
		「散髪、脱刀及び洋式の服を用いること勝手たるべし」（散髪脱刀令）の勅諭。装剣金工家の中には装身具へ転じる者出る
		明治政府、北海道のアイヌの同化政策として男の耳飾りと入墨禁止の布達
		仮名垣魯文『安愚楽鍋』で、腕守につき「うでまもりのぎんかな具をひけらかし」と描写
	1872（5）	太陽暦の採用により懐中時計の必要性高まる
		京都博覧会に神戸の外国商館、ダイヤモンド45個が入った金時計、指輪、耳飾りなど出品
		西洋式の大礼服、平常服の服制定められる。それに先立ち天皇大礼服用の金ボタン、皇后のブレスレット、髪飾りなどフランスから取り寄せる
		（〜6）大阪造幣局のお雇い技師・キンドル、貴金属検定を提案
		（〜6）この頃、東京茅場町の洋服商・柳屋店の引き札（広告）に「金銀或は玉石を以て装ひし牡丹指輪」とある
	1873（6）	ウィーン万国博覧会に「焼金製」（ヤキ、すなわち純金製）の指輪ほかの装身具を出品
		『新聞雑誌』に「金銀の指輪を掛ける者多し」とある
		岩倉使節団、オランダでダイヤモンドの研磨工場を見学
	1874（7）	甲府の土屋宗八の大福帳に水晶指輪の記録
		『新聞雑誌』に「婦女子等手の指に輪金を用いるは当今一般の流行なり」とある
		幸野楳嶺「妓女図」の芸妓、大型の帯留と赤い石の入った指輪を着用＊
		服部撫松『東京新繁昌記』刊。舶来品の「金環」（指輪）を売る店のことなど記す
	1875（8）	勲一等旭日章（勲章）が制定され、天皇佩用
		（〜81頃）『温知図録』の編纂。カフスの図案収録
		高畠藍泉『怪化百物語』刊。銀の指輪や舶来品の指輪のことなど記す
	1876（9）	大礼服及び軍人・官吏制服以外の帯刀を禁止（帯刀禁止令）。装身具へ転じる彫金家増える
	1877（10）	第1回内国勧業博覧会に指輪出品される
		島根県の特産として、メノウの指輪売られる
		この頃、入墨隠しとの風評が立ち、腕守消滅
	1878（11）	天野慶二郎（天野工場）創業
		村松万三郎、宮内省から受注
		『読売新聞』（6月18日）が「指切り髪切りや昔のことよ、今は指輪の取りかわし」という俗謡を挙げて、近頃流行のどどいつとしている
		井上馨夫人・武子、パリの宝石店で1カラットのダイヤ入り指輪購入
	1879（12）	天賞堂、印判店として銀座で創業
		『東京名工鑑』刊。明治初期の工芸家の装身具へのかかわりなど記録

社会・文化（●）・外国（■）
●華族が歯を染め、眉を剃ることを禁止（1870）
●廃藩置県（1871）
●新貨条例公布、円・銭・厘の新貨幣発足（1871）
●岩倉使節団を欧米に派遣、津田梅子、山川捨松らも米国へ同行（1871）
●『新聞雑誌』（木戸孝允）創刊（1871）
●西洋式の大礼服・通常服の服制定められる（1872）
●初の学制公布（1872）
●新橋・横浜間鉄道開通（1872）
■ウィーン万国博覧会（1873）
●女子師範学校設置（1874）
●『読売新聞』創刊（1874）
■スイス、ピアジェ創業（1874）
●森有礼、結婚式行う（1875）
■英、ロンドンにリバティ商会創業（1875）
●工部美術学校開校（1876）
●西南戦争（1877）
●銀座煉瓦街完成（1877）
●東京・上野で第1回内国勧業博覧会（1877）
■パリ万国博覧会でジャポニズム高まる（1878）
●『朝日新聞』創刊（1879）

VI-4

日本装身具史

時代	年代	装身具・宝石類
明治時代（中期―鹿鳴館時代）	1880（13）	この年の川柳に「ドラ息子胸にプラチナ時計かけ」
		横浜のコロン商会の広告に、金・銀・プラチナ・鎖り飾り物類が見える＊
	1881（14）	服部金太郎、服部時計店を創業
		村松万三郎、第2回内国勧業博覧会に指輪等を出品
	1883（16）	鹿鳴館落成、夜会でジュエリー用いられる
		大山巌が山川捨松に婚約指輪を贈る
	1884（17）	植田商店（現・ウエダジュエラー）創業
	1885（18）	婦人束髪会の結成。提案されている束髪用の髪飾りはリボンと花簪程度、そのためべっ甲の櫛・笄の値段下落
		田中商店（現・田中貴金属工業）創業
		ニュールンベルグ金工万国博覧会に日本からも金工作品出品
	1886（19）	この年の川柳に「首輪より指輪めがける今の猫（芸者）」
		村松万三郎、第一工場創業
		松山亀太郎（松山工場）創業
		皇后、「金剛石の歌」を華族女学校に下賜
	1887（20）	皇后用ティアラと三連ダイヤモンドネックレスがプロセイン王国（現・ドイツ）より届けられる
		平塚雷鳥の父、ドイツでサイン用指輪作る
		大阪の渋谷自由堂、ダイヤモンド売り出す
明治時代（後半期）	1888（21）	この頃、丸嘉、日本橋で創業（昭和4年銀座移転）
		天賞堂、輸入時計の販売開始
		山田美沙『花ぐるま』に登場する紳士の指に「黄玉石（トパーズ）」の指輪
		この頃、二分金を曲げた指輪用いられる
		この頃、日本近海産サンゴの買付けに来日するイタリア商人増える
	1889（22）	東京美術学校開校。加納夏雄、彫金の初代教授に就任
		和田維四郎『寶玉誌』刊。日本で最初の宝石専門図書
		皇后、ダイヤモンドのティアラとネックレスで正装して撮影される
		宮崎三昧『二夫婦』に「金剛石入りの指輪」登場
		川上音二郎、オッペケペー節で「金の指輪に金時計」を風刺
		この頃、セルロイド製模造サンゴ「東玉」発売される
	1890（23）	皇后に謁見したイギリス駐日公使夫人、皇后着用のダイヤのティアラ、ネックレスを賞賛
		天賞堂、『国民之友』に初めて絵入り指輪広告掲載
		この頃、中村商店創業（後の細沼貴金属工業）。明治末には工場（金工社）も設立
	1891（24）	村松万三郎、プラチナの溶解に成功
		天賞堂、ダイヤ、サファイア、ルビー、エメラルド、オパール入り指輪の広告
		天賞堂、金縁メガネ、金製磁石（時計鎖提げ用）発売広告
		浅草・凌雲閣（12階建）で開催された美人写真コンテストの賞品に金時計と指輪

	社会・文化（●）・外国（■）
	●入れ墨の施行禁止（1880） ●上野公園で第2回内国勧業博覧会（1881） ●コンドル設計の東京帝室博物館竣工（1882）
	●爵位を定めた「華族令」発布（1884） ■伊、ブルガリ創業（1884） ■スペイン、カレライカレラ創業（1885）
	●華族女子の正装が洋服となる（1886） ■米、ティファニー、ティファニー・セッティングを発表（1886）
	●『国民之友』創刊（1887）
	■セシル・ローズ、南アフリカにデ・ビアス・コンソリデーテッド・マインズ社創業（1888）
	●大日本帝国憲法発布（1889） ■パリ万国博覧会、エッフェル塔建造（1889）
	●教育勅語（1890） ●帝室技芸員制度の設置。加納夏雄ら選出（1890） ●第3回内国勧業博覧会。会場そばに「ダイヤモンド珈琲店」出店（1890） ●帝国ホテル開業（1890）

時代	年代	装身具・宝石類
明治時代（後半期）	1892（25）	古在紫琴、女学雑誌に『こわれ指環』発表 尾崎紅葉『二人女房』に登場する紳士の指に「実印を彫りたる黄金の指輪」 この頃から、帯留は従来のパチン式から紐通し式が主流になる 山崎亀吉、清水商店創業（後の山崎商店） 尾崎紅葉『三人妻』でダイヤの指輪始めて登場
	1893（26）	シカゴ・コロンブス世界博に懐中時計鎖（村松万三郎作）、真珠入り腕輪など出品、賞讃される＊ 御木本幸吉、半円真珠の養殖に成功 『風俗画報』、櫛の流行品として「お初形」「政子形」を挙げる＊＊ 『東京百事流行案内』刊。流行の髪飾り、指輪、時計鎖などを絵入りで解説。また新橋の芸妓がダイヤモンドの金指輪を2本持っていることも紹介
	1894（27）	優秀な卒業生へ贈る「恩賜の銀時計」、陸軍士官学校で始まる 日本初のリボン製織所設立
	1895（28）	天賞堂、第4回内国勧業博覧会に際し図案を一般募集。優等賞は赤銅地ダイヤ入り指輪の図案
	1896（29）	パリのジュエラー、リュシアン・ガイヤール、日本から金工・七宝の職人を招きジュエリー制作
	1897（30）	（〜1902）尾崎紅葉『金色夜叉』を『読売新聞』に連載。ダイヤが話題になる
	1898（31）	平出鏗二郎『東京風俗志』上巻成る（発行は翌年）。この頃の金の高彫指輪、宝石入指輪、プラチナ象嵌金指輪など記録。腕輪も登場
	1899（32）	御木本真珠店（現・ミキモト）開業
	1900（33）	御木本真珠店、パリ万博に半円真珠を出品 尚美堂（大阪）創業 日本金工協会設立、村松万三郎ら有力貴金属技術者も参加
	1902（35）	この年刊行の『東京風俗志』下巻で、キリスト教式結婚式の様子とそこで用いられている指輪について記す
	1903（36）	小林豊造、欧米の貴金属業界を視察のため文部省より派遣される
	1904（37）	この頃、結婚指輪が売り出される （〜38）この頃、天野工場、鉄型により帯留や高彫指輪を量産
	1905（38）	御木本幸吉、真円真珠の養殖に成功（赤潮被害の貝の中から5個発見） 大隈重信、『婦人画報』創刊号でピアスをしない日本女性をたたえる この頃、束髪が年配者にまで広がる
	1906（39）	ネックレスタイプの「首掛け式懐中時計鎖」流行（大正初めまで）
	1907（40）	御木本金細工工場操業 『時事新報』が美人コンテストを開催。賞品に天賞堂製300円相当の指輪など この頃、曲線的なアール・ヌーヴォー様式の指輪売り出される この頃、和服に襟留（ブローチ）流行＊ この頃、女学生の間でリボンの流行始まる＊
	1908（41）	『読売新聞』夏期流行の小間物としてヒスイ玉の根掛け、中国で彫刻されたヒスイを使った帯留と報じる 『時事新報』新春号付録に岡田三郎助画「ゆびわ」（後に「ダイヤモンドの女」

	社会・文化（●）・外国（■）

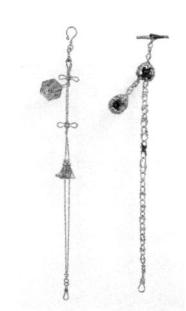

●『風俗画報』創刊（1892）
■『ヴォーグ』創刊（1892）

コラムVI-2

●日清戦争（1894-95）

●京都で第4回内国勧業博覧会（1895）

VI-18a

■アテネで第1回オリンピック（1896）
●金本位制実施（1897）
■英、ヴィクトリア女王、即位60周年記念式典（1897）

VI-18b

「ハイカラ」という言葉流行し始める（1898）
●岡倉天心ら「日本美術院」結成（1898）
●この頃ショール流行（1899）
●ボーア戦争始まる（1899）
●津田梅子、女子英学塾設立（1900）
■パリ万国博覧会。ルネ・ラリック、グランプリ。アール・ヌーヴォーの最盛期（1900）
■英、ヴィクトリア女王、没。（1901）
■仏、ベルヌイ、合成ルビー開発（1902）
●大阪で、第5回内国勧業博覧会（1903）
●日露戦争（1904-5）
●三越呉服店、デパートメントストアー宣言　（1904）
■デンマーク、ジョージ・ジェンセン創業（1904）
●『婦人画報』創刊（1905）
●ポーツマス講和条約（1905）
■伊、ブルガリ創業（1905）
■仏、ヴァン・クリーフ＆アーペル創業（1906）
●文展、創設（1907）
●『演芸画報』創刊（1907）
●203高地髷流行（1907）

VI-23a

VI-21

時代	年代	装身具・宝石類
明治時代（後半期）		に改題）掲載
		湯川巌『寶石及貴金属』刊。流行し始めたヒスイにつき「軟玉に似たる石にして世人両者を同一種と考ふる者多し」と記す
	1909（42）	農商務省、宝石の計量を「カラット」で行うことを規定
		永井荷風、『見果てぬ夢』（11月執筆）で近頃著しく目につくものとして「柔い緑の色のヒスイの珠」と記す
	1910（43）	御木本真珠店、ロンドンで開催の日英博覧会に真珠製唐団扇出品
	1911（44）	天賞堂、ダイヤモンドジュエリーなどを含んだ本格的輸入宝飾品カタログ発行
		御木本真珠店、久米武夫と小林豊造工場長を欧米（パリ、ロンドン、ニューヨーク）に派遣し洋風デザインと技術を研究
		御木本の小林豊造工場長、アントワープからダイヤモンド研磨機を持ち帰る
大正時代	1912（明治45）（大正1）	明治天皇を悼む赤銅製喪章と簪、黒リボン目立つ＊
	1913（2）	三越呉服店、「12ヶ月指輪」（誕生石指輪）を売り出す
		農商務省「図案および応用作品展」（農展）。御木本真珠店ほか、ジュエリー図案を出品
		御木本真珠店、ロンドンに卸売支店開設
		この頃、前髪を7：3（または6：4）に分けた女優髷流行。それに伴い、束髪櫛、束髪簪も盛んになる
	1914（3）	この頃、立爪（ティファニー型）売り出される
		この頃、新ダイヤ（模造石）などの入った直線的デザインのセセッション式と呼ばれる束髪用髪飾り流行
		（～15）日本髪用高級品として、べっ甲に金・銀・プラチナ象嵌の「金芝山」の櫛・笄や黒べっ甲に金銀模様を塗り込んだ櫛・笄流行。また、大衆向けには、つまみ細工の髪飾りも流行
	1915（4）	大正天皇即位の御大典にあわせ記念指輪、王冠形束髪櫛など売られる
		御木本真珠店、即位の礼に際し皇后陛下公式胸飾の用命を受ける＊
	1916（5）	鈴木敏『寶石誌』刊
		この頃、養殖真珠供給により真珠の指輪流行。ヒスイやピーシー（ピンク・トルマリン）の帯留も流行。宝石としてはダイヤが一番人気で、次にエメラルド、ルビー
	1917（6）	御木本真珠店、皇后用第二公式ティアラ制作
		東京貴金属品製造同業組合（山崎亀吉組会長）設立
		小林豊造、日本ダイヤ創業
		ロシア革命でプラチナが禁輸となる
		この頃前後、金製印面指輪（印台）流行＊
	1918（7）	（～20）第一次世界大戦による戦争景気でダイヤモンド等の売上増える（大正の宝石ブーム）
		この頃から、帯に提げる懐中時計用の「短鎖（たんぐさり）」流行（大正末まで）＊
	1919（8）	この頃、模造真珠作られ始まる（最盛期は大正13～4年頃。製造場所は大阪市内および近接地）

	社会・文化（●）・外国（■）
	●精工舎、十六型懐中時計「エンパイア」発表（1909） ●日韓併合（1910） ●帝劇、落成（1911） ●平塚雷鳥ら「青鞜社」を結成（1911）
 VII-1	■アメリカで誕生石が制定される（1912） ●三越呉服店、「今日は帝劇、明日は三越」のコピー（1913） ■第一次世界大戦（1914〜18） ●宝塚少女歌劇団初公演（1914）
 VII-2	●カフェーに白エプロン姿の女給登場（1915） ●『婦人公論』創刊（1916）
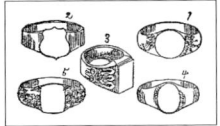 VII-5	●『主婦之友』創刊（1917） ●腕時計の普及始まる（1917） ■ロシア革命（ロマノフ王朝終焉）（1917）
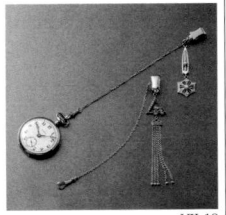 VII-18	●シベリア出兵（1918） ●スキーの普及始まる（1918）

時代	年代	装身具・宝石類
大正時代	1920（9）	この頃前後、様々な色の輸入人造石が各種装身具に盛んに用いられる
	1921（10）	ギメル・リング（双子指輪）が結婚指輪として売り出される
		日本髪用として水晶の櫛・笄、売り出される
		久米武夫『ダイアモンドと真珠』刊
	1922（11）	上野で開催された平和記念東京博覧会にイギリスから貴金属製品出品
	1923（12）	御木本真珠店、皇太子（昭和天皇）婚礼に際し、妃殿下用ティアラ、胸飾りなど一式制作
		岩田哲三郎『ダイヤモンド』刊。日本で最初のダイヤモンド専門書
		この頃、ホワイトゴールド製品出始める
		この頃、「耳かくし」という髪形大流行し、大形のピン（洋風簪）を挿す女性増える
		関東大震災以降、洋服が普及しペンダントも売り出される
		御木本真珠店、養殖真円真珠のネックレスを本格発売
	1924（13）	御木本真珠店、宮内省御用達となる。またパリでの訴訟で勝訴、養殖真珠が「真珠」として認められる
		奢侈品関税公布により宝石類の輸入税10割となりダイヤなどの密輸増える（昭和10年に1割に引き下げられる）
		この頃、洋装に真珠のネックレス姿の女性増える。ロングネックレスも流行
	1925（14）	この頃、細長の大型帯留流行
		大正末頃には、結婚指輪（甲丸）の習慣定着し、結納の第一位に置かれることが多くなる
昭和時代（初期〜戦中期）	1926（大正15）（昭和1）	この頃、断髪に帽子のモガ（モダンガール）目立つようになる。このスタイルには従来の髪飾り不要
		東京府商工奨励館に貴金属検定所を設置。「小槌」マークによる民間検定
		指輪など、アール・デコ様式のデザインが主流となる（昭和10年頃まで）
		フランス輸入品をヒントに三越が「ニュームピン」（アルミニューム製束髪簪）売り出す＊
	1927（2）	久米武夫『通俗寶石学』刊
	1928（3）	昭和天皇即位を祝う大礼奉祝博覧会、上野で開催。福引特等はダイヤ入りプラチナ指輪20本
		この頃、断髪にする女性増え、断髪用の髪留も用いられる
	1929（4）	造幣局、東京出張所を設置し貴金属製品の国家検定（日の丸マーク）を開始
		甲府、世界恐慌により水晶ネックレスの輸出に打撃
		この頃、結婚指輪とは別に、宝石入り指輪を婚約指輪として贈る習慣始まる
		この頃、女性の帽子にハットピン用いられる
	1930（5）	『日本装身寶飾史』刊。日本初の装身具・宝飾史
	1931（6）	

	社会・文化（●）・外国（■）
	■モナコ、レポシ創業（1920）
	■伊、ムッソリーニが政権を掌握（1922） ■ソビエト社会主義共和国連邦、成立宣言（1922） ●関東大震災（1923）
	●皇太子ご成婚（1924） ●普通選挙法（1924） ■南アフリカで世界最大級のプラチナ大鉱脈発見（1924）
	●「工芸済々会」結成。海野清、桂光春ら参加（1925） ●ダンス流行（1925） ■アール・デコ博覧会、パリで開催（1925）
	●津田信夫ら「日本工芸協会」設立（1926） ●ハンドバック普及（1926） ■伊、ウノ・ア・エレ創業（1926）
ニュームピン	●金融恐慌（1927） ●第8回帝展に第4部（工芸）設置（1927） ●北原千鹿（彫金）を中心に「工人社」結成（1927） ●モボ（モダンボーイ）・モガ（モダンガール）大流行（1927）
	●パーマネントをかける婦人増える（1929） ●ヘアースタイル「耳かくし」から「耳出し」へ（1929） ■ニューヨーク株式市場の大暴落、世界大恐慌起こる（1929）
	●金輸出解除（翌年再禁止）（1930） ●満州事変（1931） ●パーマ大流行（1931）

時代	年代	装身具・宝石類
昭和時代（初期〜戦中期）	1932（7）	前年末の金輸出再禁止により金価格暴騰。金の指輪や簪を地金商に売る者続出
		西岡薫祐『寶石の話』刊
	1933（8）	奥村博史、創作指輪7点を国展に出品
		田代曉舟『婦人装身具図案集』刊。和洋の装身具デザイン集
	1935（10）	山崎亀吉ら、日本白金協会設立
	1936（11）	この頃、ダイヤなどのクリップ、髪や襟・帽子などに用いられる
		この頃、耳出しのヘアースタイル流行で露出した耳にイヤリング（クリップ式）を付ける女性も現われる
		プラチナ製の「国防指輪」販売＊
		「白金章」（プラチナメダル）販売
		造幣局東京出張所、白金展覧会を日本橋三越で開催
	1937（12）	日中戦争以降の非常時の中で宝石貴金属への規制強まる
		白金、金ほか軍需関係品節約が決定
		金使用制限令で9金以上の装飾品禁止
		宝石などの贅沢品に対する物品税の施行
		御木本真珠店、パリ万国博に《矢車》出品
		沖縄で国防婦人会、「ジーファー」と呼ばれる簪の全廃をはかる。軍費として献納する「かんざし報国」へ＊
	1938（13）	銅（赤銅も含む）、鉛、亜鉛、錫の使用制限
	1939（14）	宝石類の輸入全面禁止
		新潟県姫川支流の小滝川でヒスイ原石発見
		（〜41）色も結び方も様々のリボンが流行
	1940（15）	奢侈品等製造販売制限規則（7.7禁令）公布。真珠、サンゴ、プラチノン、サンプラチナ以外の主要ジュエリーの製造販売禁止＊
		贅沢全廃委員会設けられ、東京市内に「贅沢は敵だ！」の立看板立つ。また「華美な服装はつつしみましょう。指輪はこの際全廃しましょう。」と書かれた警告カード配られる
		㊣（公定価格品）、㊵（価格停止品）、㊩（価格協定品）などの表示の義務化
		金製品の強制買い上げ
	1941（16）	
	1942（17）	（〜43）戦争激化により貴金属業者の転廃業続出
		（〜44）この頃、沖縄で大日本婦人会、5000本のジーファー（簪）を供出
	1944（19）	「日本美術及び工芸統制協会」が技術伝承のため、業界内から20名選び許可製品の製造を認める
		軍需省管轄で交易営団設立。貴金属業者がダイヤ、プラチナ、金を供出
		軍需省、プラチナの強制買上。新聞などで呼びかけ、違反者には罰則＊
	1945（昭20）	終戦から1週間程の『読売新聞』に「もうスカートをはいたり、首飾りや髪飾りをひけらかしている人がいる」との投書
		終戦後、進駐軍の土産品として真珠が異常人気。価格も急騰し一時は「真珠の値段一千倍」とまでいわれた＊

	社会・文化（●）・外国（■）
	■米、ハリー・ウィンストン創業（1932）
	●日本、国際連盟脱退（1933） ■ヒットラー、首相になる（1933） ■ヴァン・クリーフ＆アーペル、ミステリーセッティング開発（1935） ●皇道派の青年将校らクーデター（2.26事件）（1936）
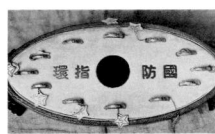 VII-28	●盧溝橋で日中両軍衝突、日中戦争始まる（1937） ●「愛国行進曲」流行（1937） ●双葉山、横綱になる（1937） ■パリ万国博覧会（1937）
 コラムVII-4	●国家総動員法発令（1938） ●9・18価格統制令、諸物価凍結（1939）
 VII-31	●日独伊三国軍事同盟（1940） ●国防色（カーキ色）の国民服制定（1940）
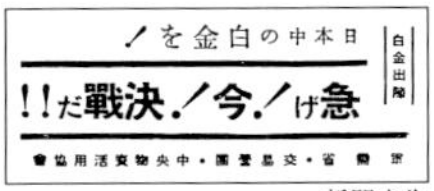 新聞広告	●真珠湾攻撃、太平洋戦争開戦（1941） ●金属回収令（1942） ●「欲しがりません勝つまでは」の標語流行（1942）
 VIII-1	●長崎、広島に原子爆弾投下。8月15日終戦（1945） ●9月8日、米軍の東京進駐始まる（1945） ●『日米会話手帳』ベストセラー（1945） ●「リンゴの唄」流行（1945）

時代	年代	装身具・宝石類
昭和時代（戦後期〜高度成長期）	1946（21）	甲府で真鍮の指輪・ブローチ・ペンダントなど作られ、東京他各地に出回る 連合軍総司令部（GHQ）により真珠の一般販売禁止され、米軍中央購買所（COP）へ一括納入 御木本真珠店、真珠の一般販売禁止のため銀器、七宝ほかの雑貨を販売 甲府の水晶製品や銀の指輪など進駐軍に売れる 模造真珠のネックレス売れる スタージュエリー（横浜）創業
	1947（22）	吉田謙吉による銀座の洋装女性風俗調査で、116人中30人がネックレス、32人がブローチ着用、リボンも流行 民間貿易再開記念切手に真珠や真珠のネックレス描かれる 服部時計店、和光として再スタート
	1949（24）	11月、農林商工省令により真珠取引制限廃止され一般販売再開 （〜50）クリップ式イヤリング用いられ始める
	1950（25）	朝鮮戦争特需も影響し真珠需要全盛 東京金属工芸組合連合会が三越本店で展示会。銀の指輪、イヤリング、ペンダントなど出品
	1951（26）	平和条約締結により供出ダイヤ、日本政府に返還される
	1952（27）	プラチナの輸入自由化
	1953（28）	金の使用販売自由になる 御木本真珠店目黒工場、キャスト（鋳造）による生産体制導入 久米武夫『寳石学』刊。
	1954（29）	「ローマの休日」主演女優・ヘップバーンの影響でボブスタイルのショートカット流行し、ヘアアクセサリー不振。代わりにイヤリング流行 田崎真珠、創業
	1955（30）	この頃から、合成石指輪売れ始める 小滝川・青海川（新潟）の硬玉ヒスイ産地が国の天然記念物指定 『婦人画報』掲載の御木本真珠店の真珠広告が雑誌広告電通賞を受賞
	1956（31）	UR（ウル）アクセサリー協会発足 この頃から、ホワイトゴールド（K14WG）製品出始める
	1957（32）	ダイヤの原石輸入開始、研磨販売
	1958（33）	3月にサンゴ、5月にヒスイを加えた日本式誕生石始まる 皇太子殿下、正田美智子さんとの婚約発表。ミッチーブームが起き、美智子さん着用のヘアーバンド、真珠のネックレスなどが注目される
	1959（34）	この頃から、昭和の宝石ブーム始まる（本格化は64年、東京オリンピック以降）。合成石、オパール、ヒスイ、アメシスト、サンゴなどの王冠透し・千本透しの指輪流行。ダイヤは小粒石（メレ）が主流で月形甲丸の五光留、角爪、一文字などの指輪が人気＊＊ 皇太子（平成天皇）ご成婚パレードで、妃殿下着用のダイヤとプラチナのティアラが注目される
	1960（35）	浅草の彫金材料店で、日本製の宝飾用鋳造機第一号のデモンストレーション

	社会・文化（●）・外国（■）
	●天皇の「人間宣言」(1946) ●日本国憲法公布 (1946) ●民間貿易再開 (1947) ●1ドルが360円に設定される (1949) ●湯川秀樹博士、ノーベル物理学賞受賞 (1949) ■朝鮮戦争勃発 (1950) ●彫金の内藤四郎ら「生活工芸集団」結成 (1951) ●映画「ローマの休日」大ヒット (1953) ●伊東絹子、ミス・ユニバースコンテストで第3位 (1953) ●社団法人日本工芸会発足 (1955) ■米、G・E社、人造ダイヤの製造に成功 (1955) ●『経済白書』で「もはや戦後ではない」と発表 (1956) ●日本デザイナークラフトマン協会発足 (1956) ●国連総会で日本の国連加盟可決 (1956) ■ソ連、人工衛星スプートニク1号打ち上げ成功 (1957) ●岩戸景気 (1958-61) ●フラフープ流行 (1958) ●皇太子ご成婚 (1959) ●伊勢湾台風 (1959) ●クラフトセンタージャパン（丸善）開設 (1959) ●日米新安保条約可決 (1960)

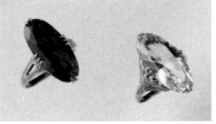

VIII-3a

VIII-4

時代	年代	装身具・宝石類
昭和時代（戦後期〜高度成長期）	1961（36）	宝石類、ダイヤモンドの全面的輸入自由化 この頃、真珠産業が「輸出の王」（『読売新聞』1月1日）として注目される。生産の98%がアメリカなどへの輸出。国内で売られているものも外国の観光客が主で国内需要はわずか1%程度
	1962（37）	
	1963（38）	崎川範行『宝石』刊。ベストセラーとなる
	1964（39）	日本ジュエリーデザイナー協会発足（2年後、日本ジュウリーデザイナー協会に変更） デラックスというコマーシャルコピーが流行し、指輪も従来の王冠透し・千本透しに代わり「デラ枠」登場 この頃、メキシコオパールの流行始まる
	1965（40）	ミュンヘンの国際工芸展（西ドイツ）に内藤四郎、菱田安彦、平松保城、山田禮子出品 ブリティッシュフェアー（英国博覧会）東京で開催。ゴールドスミス・ホールのモダンジュエリー紹介される 「現代ジュエリーデザイン展」（日本ジュウリーデザイナー協会）
	1966（41）	「巨匠ブラック宝石展」（新宿伊勢丹）＊ デ・ビアス、日本のダイヤモンド市場を調査 この頃からジュエリー産業活発化。「合成石から天然石」「金からプラチナ」の時代幕明け 戦時中の供出ダイヤの一般放出始まる（以後10年間継続） 野間清六『装身具』刊。古代から明治・大正まで装身具通史
	1967（42）	第14回「ダイヤモンド・インターナショナル賞」（デ・ビアス）に日本人デザイナー初入賞 「ダイヤモンド婚約指輪デザインコンテスト」（ダイヤモンド・インフォメーションセンター）
	1968（43）	菱田安彦『宝石デザイン』刊。世界と日本のモダンジュエリーを収録・紹介 この頃から、エメラルド、ルビー、サファイアが人気。真珠は不振、ミニスカート流行のためとの憶測流れる
	1970（45）	第1回「国際ジュウリーアート展」（日本ジュウリーデザイナー協会）
	1972（47）	この頃、イヤリングに代わり、耳に穴を開けてはめるピアスが流行し始める
	1973（48）	金地金輸入自由化（4月）に続き金製品も輸入自由化（7月）。金ブームで海外製品も流入 ティファニーが三越デパートと提携し、三越本店にオープン 第1回「パールデザインコンテスト」（日本真珠振興会）
	1975（50）	ミキモト、ベント・ガブリエルセン（デンマーク）、ジャン・バンドーム（仏）など8名の海外デザイナーの作品を販売
	1976（51）	第1回「プラチナ・デザイン・コンテスト」（プラチナ・プロモーション・サービス）
	1977（52）	「20世紀宝飾展」（フォルツハイム装身具美術館国際友の会） 東京国立近代美術館工芸館開館。平松保城作のブローチ、宮田宏平の指

社会・文化（●）・外国（■）
●高度経済成長始まる(1960) ■ソ連、世界初の地球有人飛行(1961)
■英、ロバート・ウエブスター『ジェムス』刊(1962) ■英、グラハム・ヒューズ『モダンジュエリー』刊(1963) ●東京オリンピック(1964) ●若者たちの間でワッペンブーム(1964) ●銀座に「みゆき族」登場(1964)
●いざなぎ景気(1965-70) ■米軍による北爆開始でベトナム戦争拡大(1965)
●ミニスカート流行し始め、翌年大ブーム(1966) ●新三種の神器、カラーテレビ・カー・クーラーが話題(1966)
●東大紛争(1968)
●大阪で日本万国博覧会(1970) ●沖縄がアメリカ統治から復帰(1972) ●第4次中東戦争によりオイル・ショック、ネオンサイン消える(1973)
●ロッキード事件(1976) ●国立民族学博物館(大阪)開館(1977) ●カラオケブーム始まる(1977)

「巨匠ブラック宝石展」カタログ表紙

日本装身具史

時代	年代	装身具・宝石類
昭和時代（戦後期〜高度成長期）	1978 (53)	輪など展示 「櫛かんざし展」（岡崎智予コレクション）フォルツハイム装身具美術館（ドイツ）で開催＊ ファッションとしてダイヤのジュエリーを購入する女性増え、小粒石輸入急増（8年間で6〜10倍） この頃、ループタイ（ボーロタイ）流行
	1980 (55)	「くし・かんざしと風俗絵」展（サントリー美術館） 日本政府、絶滅のおそれがある野生動植物を保護するワシントン条約に批准。ただし、べっ甲（玳瑁）は国内産業保護のため留保され一定量の輸入認められる
	1981 (56)	寺尾聡の歌う「ルビーの指輪」大ヒット。ジュエリー業界団体が感謝状とルビー入り指輪贈る この頃からデザイン性を重視したファッションリング流行し始める
	1982 (57)	ダイヤモンド婚約指輪取得率70％に達する
	1983 (58)	ダイヤモンドの関税撤廃
	1984 (59)	「今日のジュエリー・世界の動向」展（京都国立近代美術館、東京国立近代美術館） 「奇蹟のダリ宝石展」（大丸東京店、梅田店） 第1回「ジャパン・ゴールド・ジュエリー・フェア」（インターゴールド）
	1985 (60)	ミキモト真珠島　真珠博物館（三重県鳥羽市）開館＊ この頃、喜平タイプのチェーンの流行始まる（喜平ブーム）
	1986 (61)	11月11日、第1回ジュエリーデー（明治42年11月11日、カラット採用にちなみ） ベビーリング（バースデーリング）誕生
	1988 (63)	日本ジュエリーデザイナー協会、社団法人化。社団法人日本ジュエリー協会発足 ダイヤモンド輸入量334万カラット、過去最高 プラチナ消費世界一、世界の出産量100トンのうち70トンを独占 『日経流通新聞』のヒット商品番付でジュエリー（宝飾品）が東の横綱に 男女雇用機会均等法の施行以降、女性の社会進出が促進されジュエリーの自己購入増える 昭和末頃から、アンティークジュエリー、静かなブーム
平成時代	1989（昭和64）（平成1)	消費税（3％）導入で宝石貴金属製品の物品税なくなりジュエリー業への異業種参入増える
	1990 (2)	平成のジュエリーブーム。世界の生産量の30％のダイヤモンドを日本で消費（アメリカに次いで世界第2位）
	1991 (3)	バブル景気崩壊により、ジュエリー業界打撃。ダイヤ・色石などの輸入実績約30％減 シルバーブームの火付け役となったクロムハーツ、コム・デ・ギャルソンが日本に紹介（翌年、ユナイテッド・アローズが代理店となり日本市場参入）＊
	1992 (4)	榛東村耳飾り館（群馬県北群馬郡）開館

	社会・文化（●）・外国（■）
「櫛かんざし展」カタログ表紙	●ディスコブーム（1978） ■イラン・イラク戦争勃発（88年停戦）（1980） ●東京金取引所オープン（1982） ●プラザ合意、日本円の対ドルレート自由化（1985） ●バブル景気（1986） ●男女雇用機会均等法施行（1986） ●爪に花などを描くネールのおしゃれ始まる（1986） ●東京ドーム球場完成（1988） ●藤ノ木古墳発掘され金銅製の装身具など多数出土（1988）
真珠博物館外観	
VIII-18	■ベルリンの壁崩壊（1989） ●礼宮文仁、川嶋紀子さん結婚、秋篠宮家創設（1990） ■東西ドイツ統一（1990） ●バブル景気崩壊（1991） ■多国籍軍、イラク軍攻撃開始（湾岸戦争）（1991） ■ソ連解体（1991） ●リストラブーム　（1992）

時代	年代	装身具・宝石類
平成時代	1993（5）	皇太子御成婚でプリンセスのティアラ注目される＊
		この頃、女子高生の間でピアス流行
	1994（6）	日本ジュウリーデザイナー協会創立30周年記念展で「日本のジュウリーの歴史」展（麻布美術工芸館）
		ワシントン条約に付されていたべっ甲の留保を撤回。これ以降べっ甲材料（玳瑁(たいまい)）は全面的輸入禁止
		この頃、入れ墨風のタトゥーシール流行
	1995（7）	穐葉アンティークジュウリー美術館（栃木県那須郡）開館
		「コンテンポラリー・ジュエリー」展（東京国立近代美術館工芸館）
		「フランス宝飾芸術の世界展」（東京都庭園美術館）
	1996（8）	ティファニー銀座本店オープン
		伊豆高原アンティーク・ジュエリー・ミュージアム（静岡県伊東市）開館
	1997（9）	鼻や唇などに付けるボディピアス、若い男性の間で流行。へそ出しファッションの流行で若い女性のヘソピアスも目立つ
		この頃から、爪や付爪にペイントしたり、模造宝石で装飾するネイル・アート流行＊
	1998（10）	澤乃井櫛かんざし美術館（青梅市）開館
	1999（11）	この頃、若い女性を中心にビーズの手作りアクセサリーが人気
		この頃、若い女性の間でナイロン線を編んだボディー・ワイヤー・アクセサリー流行
	2000（12）	大阪・心斎橋にカルティエの大型店オープン
		「指輪」展（東京都庭園美術館）
		「ダイヤモンド展」（国立科学博物館）
		この頃、小粒のラインストーンを肌に張って楽しむスキンジュエリー若い世代に流行
	2001（13）	べっ甲材料の確保に向けて玳瑁の国内養殖の試験研究始まる
	2002（14）	この頃、クロスやチャームなど平和やお守りをモチーフにしたジュエリー流行
		ショーメ銀座本店オープン
		ブシュロン、銀座にオープン
		（〜3）「男も女も装身具」展（国立歴史民族博物館、他）
	2003（15）	カルティエブティック、銀座にオープン
		「ヨーロッパ・ジュエリーの400年」展（東京都庭園美術館）
		「煌きのダイヤモンド」展（東京国立博物館）
	2004（16）	金原ひとみ『蛇にピアス』で芥川賞受賞
	2005（17）	「日本のジュエリー100年」展（東京都庭園美術館）＊
		（〜6）「パール」展ーその輝きのすべて（国立科学博物館）

社会・文化（●）・外国（■）
●皇太子と小和田雅子さん結婚（1993）

コラムⅧ-2

●阪神・淡路大震災（1995）
●地下鉄サリン事件（1995）

●ルーズソックス流行（1996）

●消費税5%にアップ（1997）
■ダイアナ元英国皇太子妃、事故死（1997）

コラムⅧ-4

●三宅島で噴火（2000）

■アメリカで9・11同時多発テロ（2001）
●拉致被害者5人が北朝鮮から帰国（2002）
■EU市場統合完成（2002）

■米英両軍によるイラク侵攻開始（2003）

●「冬のソナタ」がヒット、韓流ブーム（2004）
●愛知万博開催（2005）
●ノーネクタイ、ノー上着スタイルの「クールビズ」を環境省が提案（2005）

「日本のジュエリー100年」展チラシ

◎年表作成にあたっては、「主要参考文献」に挙げた文献類のほか、『日本文化総合年表』（岩波書店）、『日本美術史年表』（美術出版社）、『年表・女と男の日本史』（藤原書店）、『化粧史文献資料年表』（ポーラ文化研究所）、『日本古代史年表』（吉川弘文館）、『近世生活史年表』（雄山閣）、『近代日本総合年表』（岩波書店）、『ファッションと風俗の70年』（婦人画報社）、『明治・大正家庭史年表』『昭和家庭史年表』（河出書房新社）、『日本宝石学年表』（宝石学会誌第20巻第1-4号）、『日本ジュエリー史年表』（東京ジュエラーズNo.16〜18、20〜22、25、28〜30）などを参考にした。

掲載作品データ

序章　旧石器時代

◎序-1　石製小玉類　北海道・湯の里4遺跡　北海道・知内町郷土資料館蔵
◎序-2　石製小玉　北海道・美利河1遺跡　北海道・今金町教育委員会　ピリカ旧石器文化館蔵
◎コラム序-1　槍先形尖頭器　長6.9cm　重文　群馬・岩宿遺跡　群馬・相澤忠洋記念館蔵
◎序-3　石製円盤（千枚岩）　三重・出張遺跡　三重・大台町教育委員会
◎序-4　ヘッドバンド装着復元図（ロシア・レンコフカ1号墳墓）　[右] 発掘された時の状態、[左] 復元図

第Ⅰ章　縄文・弥生・古墳時代

◎I-1　深鉢形土器　伝新潟・馬高出土　東京国立博物館蔵　写真提供：TNMイメージアーカイブ
◎I-2a　土偶　国宝　長野・棚畑遺跡　長野・茅野市尖石縄文考古館蔵
◎I-2b　土偶　高30.3cm　重文　群馬・郷原出土　個人蔵　写真提供：東京国立博物館
◎I-2c　大型板状土偶　重文　青森・三内丸山遺跡　青森県教育庁文化財保護課蔵
◎I-2d　遮光器土偶　重文　宮城・恵比須田出土　東京国立博物館蔵　写真提供：TNMイメージアーカイブ
◎I-2e　合掌する土偶　重文　青森・風張1遺跡　青森・八戸市博物館蔵
◎コラムI-1　土偶　高18.1×幅9.8×厚3.5cm　埼玉・滝馬室出土　東京国立博物館蔵　写真提供：TNMイメージアーカイブ
◎I-3　木製櫛　重文　漆塗り　福井・鳥浜貝塚　福井県立若狭歴史民俗資料館蔵
◎I-4　木製櫛　漆塗り　埼玉・後谷遺跡　埼玉・桶川市教育委員会
◎I-5a　骨角製装身具一簪　重文　宮城・沼津貝塚　宮城・東北大学文学研究科考古学研究室蔵
◎I-5b　ヘアーピン　高8.4cm　宮城・沼津貝塚　宮城・東北歴史博物館蔵　写真提供：東京国立博物館
◎I-6　玦状耳飾り　[右] 蛇紋岩製　高 5.2cm [左] 軟玉製　重文　大阪・国府18(Ⅳ-3)号遺跡　大阪・関西大学博物館蔵
◎I-7　耳飾り　重文　群馬・茅野遺跡　群馬・榛東村耳飾り館蔵
◎I-8　耳飾り　径9.1cm　重文　群馬・千網谷戸遺跡　群馬・桐生市教育委員会　写真撮影：小川京一郎
◎I-9　[上段右4個] ツノガイ管状品、[その下段3個] イモガイ製品、[右下段2列] タカラガイ、[左下段2個] バイガイ穿孔品。牙製はサメ、クマの歯が素材で、[上段中央2個] は古い時期の牙製品　長野・栃原岩陰遺跡　長野・北相木村考古博物館蔵　写真提供：至文堂
◎I-10　ヒスイの大珠　高11.1cm　山梨・三光遺跡　山梨・笛吹市教育委員会
◎I-11　ヒスイの勾玉、首飾り　青森・上尾駮遺跡35号土坑出土　青森県埋蔵文化財調査センター
◎I-12　貝輪 [右上] 長8.8cm　熊本・轟貝塚、愛知・吉胡貝塚　大阪府立近つ飛鳥博物館蔵
◎I-13　腕輪 [右上] 長11.0cm　愛知・吉胡貝塚　大阪府立近つ飛鳥博物館蔵
◎I-14　木製腕輪　赤色漆塗り　重文　青森・是川中居遺跡　青森・八戸市縄文学習館蔵
◎I-15　骨角製指輪　宮城・二月田貝塚　塩釜女子高等学校蔵　宮城・東北歴史博物館保管
◎I-16　石製指輪　石川・北塚遺跡　石川・金沢市埋蔵文化財センター
◎コラムI-2　指の骨と歯のネックレス　群馬・八束脛遺跡　群馬・みなかみ町教育委員会＋群馬県立歴史博物館
◎I-17　結歯式竪櫛　竹製朱漆塗　三重・納所遺跡　三重県埋蔵文化財センター
◎I-18　刻歯式竪櫛　木製赤彩　滋賀・服部遺跡　滋賀・守山市教育委員会
◎I-19　湾曲結歯式竪櫛　木製赤彩　石川・野本遺跡　石川県埋蔵文化財センター
◎I-20　簪　木製朱漆塗　大阪・安満遺跡　大阪・高槻市埋蔵文化財調査センター
◎I-21　簪　骨製　愛知・朝日遺跡　愛知県埋蔵文化財センター
◎コラムI-3　埴輪—女子（巫女）　高68.5cm　重文　群馬・大泉町大字古海　東京国立博物館蔵　写真提供：TNMイメージアーカイブ
◎I-22　胴部人面付土器　愛知・亀塚遺跡　愛知・安城市歴史博物館蔵
◎I-23　口縁部人面付土器　茨城・女方遺跡　東京国立博物館蔵　写真提供：TNMイメージアーカイブ
◎I-24　牙・骨・角などで作ったアクセサリー　[左上] 長20.3cm　愛知・朝日遺跡　愛知県埋蔵文化財調査センター　写真提供：大阪府立弥生文化博物館
◎I-25　玉類　碧玉、水晶、ガラス　[左] 長2.2cm　福岡・高木遺跡　福岡県教育委員会　写真提供：大阪府立弥生文化博物館
◎I-26　ヒスイの勾玉と碧玉製管玉　重文　福岡・吉武高木遺跡　文化庁蔵　福岡市博物館保管　写真提供：大阪府立弥生文化博物館
◎I-27　ガラス管玉とガラス小玉　重文　佐賀・二塚山遺跡26号土壙墓出土、同22号土壙墓出土　佐賀県教育庁　佐賀県立博物館保管

◎I-28　トンボ玉　長崎・原の辻遺跡3号甕棺墓出土　長崎県教育委員会
◎I-29a　連珠状に繋いだコハク玉　北海道・滝里安井遺跡P-22号墓出土　北海道・芦別市教育委員会　星の降る里百年記念館蔵
◎I-29b　I-29aのコハク玉を繋ぐ前の状態
◎I-30　ゴホウラ、イモガイ製貝輪の利用部位による分類図　[上]ゴホウラ立岩型　[下左]イモガイ縦型　[下右]イモガイ横型
◎I-31　立岩型貝輪　重文　福岡・立岩遺跡　福岡・飯塚市歴史資料館蔵
◎I-32　貝輪(貝釧)　重文　鹿児島・広田遺跡　千葉・国立歴史民俗博物館蔵
◎I-33　円環型銅釧　径7.0cm　佐賀・宇木汲田遺跡38号甕棺墓出土　佐賀県立博物館蔵　写真提供：大阪府立弥生文化博物館
◎I-34a　銅釧　長7.1cm　兵庫・田能遺跡　兵庫・尼崎市教育委員会
◎I-34b　木棺墓に葬られた人物の左腕に、I-34aの銅釧をつけて発見された状態　写真提供：兵庫・尼崎市教育委員会
◎I-35　イモガイ貝輪を模した銅釧　長約8.5cm　重文　佐賀・千々賀庚申山遺跡　大阪歴史博物館蔵
◎I-36　有鉤銅釧　長9.6cm　福井・西山公園遺跡　東京国立博物館蔵　写真提供：TNMイメージアーカイブ
◎I-37　円形の鉄製腕輪と青銅製腕輪　群馬・有馬遺跡　群馬県教育委員会　写真提供：群馬県埋蔵文化財調査事業団
◎I-38　貝製指輪　沖縄・宇堅貝塚　沖縄・うるま市教育委員会
◎I-39　青銅製指輪　静岡・登呂遺跡　静岡市立登呂博物館蔵
◎I-40　銀製指輪　佐賀・惣座遺跡　佐賀市教育委員会
◎I-41　金製冠飾り(透彫方形盤)　重文　奈良・新沢千塚126号墳　東京国立博物館蔵　写真提供：TNMイメージアーカイブ
◎I-42　金銅製馬形飾り付冠　茨城・三昧塚古墳　茨城県立歴史館蔵
◎I-43　鳥形飾り金銅製冠(復元品、原品は国宝)　奈良・藤ノ木古墳　奈良県立橿原考古学研究所付属博物館蔵
◎コラムI-4　藤ノ木古墳の家形石棺内の遺物出土状態　写真提供：奈良県立橿原考古研究所付属博物館
◎I-44　金の耳飾り　長15.3cm　国宝　熊本・江田船山古墳　東京国立博物館蔵　写真提供：TNMイメージアーカイブ
◎I-45　金の耳飾り　長6.9cm　国宝　熊本・江田船山古墳　東京国立博物館蔵　写真提供：TNMイメージアーカイブ
◎I-46　ガラス小玉付き金銅製耳飾り　[右上]径2.4cm　大阪・富木車塚前方部第Ⅲ主体出土　大阪市立美術館保管　高石市教育委員会へ寄託中　写真提供：大阪府近つ飛鳥博物館
◎I-47　首飾り(勾玉、管玉、小玉など)　[ガラス小玉]径0.5cm　重文　兵庫・宮山古墳第3主体出土　兵庫・姫路市教育委員会　写真提供：姫路市埋蔵文化財センター
◎I-48　トンボ玉(ガラス玉)　径1.2cm　香川・中東出土　東京国立博物館蔵　写真提供：TNMイメージアーカイブ
◎I-49a　雁木玉(ガラス玉)と金箔玉(ガラス玉)　[右]高0.9cm　重文　奈良・新沢千塚126号墳　東京国立博物館蔵　写真提供：TNMイメージアーカイブ
◎I-49b　銀の空玉　玉径0.8cm　重文　奈良・新沢千塚126号墳　東京国立博物館蔵　写真提供：TNMイメージアーカイブ
◎I-50　金製勾玉　和歌山・車駕之古趾古墳　和歌山市教育委員会
◎I-51　硬玉製勾玉　重文　大阪・黄金塚古墳　東京国立博物館蔵　写真提供：TNMイメージアーカイブ
◎I-52　馬形青銅製帯鉤　岡山・榊山古墳　宮内庁
◎I-53　金銅製帯金具(銙・鉸具)　奈良・新山古墳　宮内庁
◎I-54　金銅製帯金具　京都・穀塚出土　東京国立博物館蔵　写真提供：TNMイメージアーカイブ
◎I-55　金銅製鈴付大帯　長105.0cm　重文　群馬・綿貫観音山古墳　文化庁蔵　群馬県立博物館保管
◎I-56　碧玉製車輪石　京都・西車塚古墳、東京国立博物館蔵
◎I-57　金製腕輪　径6.7×7.1cm　重文　奈良・新沢千塚126号墳　東京国立博物館蔵
写真提供：TNMイメージアーカイブ
◎I-58　銀製釧(金環付)　長径7.3cm　滋賀・田上羽栗町出土　東京国立博物館蔵　写真提供：TNMイメージアーカイブ
◎I-59　金製指輪　国宝　福岡・沖ノ島祭祀遺跡　福岡・宗像大社蔵
◎I-60　金製指輪　重文　奈良・新沢千塚126号墳　東京国立博物館蔵　写真提供：TNMイメージアーカイブ
◎I-61　金箔で覆った指輪　埼玉・牛塚古墳　埼玉・川越市教育委員会
◎I-62　金製指輪　重文　奈良・新沢千塚126号墳　東京国立博物館蔵　写真提供：TNMイメージアーカイブ

第Ⅱ章　飛鳥・奈良時代

◎Ⅱ-1a　女子群像(部分)　高松塚古墳壁画西壁　国宝　文化庁蔵　奈良・明日香村教育委員会保管　写真提供：奈良文化財研究所飛鳥資料館
◎Ⅱ-1b　男子群像(部分)　高松塚古墳壁画東壁　国宝　文化庁蔵　奈良・明日香村教育委員会保管

写真提供：奈良文化財研究所飛鳥資料館
◎II-2　飛鳥寺塔心礎出土埋蔵品　奈良・飛鳥寺蔵
写真提供：奈良文化財研究所飛鳥資料館
◎II-3　救世観音像　木造・箔押し　像高179.9cm
国宝　奈良・法隆寺蔵　写真提供：奈良国立博物館
◎II-4a　天寿国曼荼羅繡帳(部分)―女性　羅・綾・平絹製刺繡　88.8×82.7cm　国宝　奈良・中宮寺蔵
写真提供：奈良文化財研究所飛鳥資料館
◎II-4b　天寿国曼荼羅繡帳(部分)―男性　羅・綾・平絹製刺繡　88.8×82.7cm　国宝　奈良・中宮寺蔵
写真提供：奈良文化財研究所飛鳥資料館
◎コラムII-2　金銀工房跡出土品　[右]金を溶かしたるつぼ、[左]銀を溶かしたるつぼ、[下]金銀片など　奈良文化財研究所飛鳥資料館蔵
◎II-5　聖徳太子二王子像(部分)　紙本着色　101.7×53.7cm　宮内庁
◎II-6　孝明天皇(在位1846-66)の冕冠(参考品)　上部冕板(方形の枠)から玉類がすだれ状に下がる　宮内庁
◎II-7　礼冠残闕(鳳凰形、日光形、葛形、花枝形ほか)　奈良・正倉院蔵　写真提供：便利堂
◎II-8　吉祥天女像(部分)　麻布着色　53.0×31.7cm　国宝　奈良・薬師寺蔵　写真提供：奈良国立博物館
◎II-9　瑞雲形銀釵(簪)　長14.7×幅6.0cm　重文　東京国立博物館蔵　写真提供：TNMイメージアーカイブ
◎II-10　鳥毛立女屏風(樹下美人の屏風)(部分)　6扇とも136×56cm　奈良・正倉院蔵
◎II-11　紺玉帯(ラピスラズリ飾りの革帯)　長158×幅3.3cm　奈良・正倉院蔵
◎II-12　佩飾(玉佩)　奈良・正倉院蔵　写真提供：便利堂
◎II-13　刀子(小刀)　鞘の長13.8cm　奈良・正倉院蔵
◎II-14　瑠璃(ガラス)魚形佩飾品　[右端の魚]長7.3×幅3.0cm　奈良・正倉院蔵
◎II-15　香袋　奈良・正倉院蔵　写真提供：便利堂
◎II-16　金銀(銀に金めっき)花盤　径61.5×高13.2cm　奈良・正倉院蔵
◎II-17　平螺鈿背八角鏡　径27.4cm　奈良・正倉院蔵
◎コラムII-7　不空羂索観音菩薩立像頭部　脱活乾漆造・漆箔　像高362.0cm　国宝　奈良・東大寺蔵　写真提供：東京国立博物館
◎コラムII-8　玳瑁螺鈿八角箱の蓋　径39.2×高12.7cm　奈良・正倉院蔵

第Ⅲ章　平安・鎌倉・室町時代

◎III-1　仲津姫命像　木造彩色　像高36.0cm　国宝　奈良・薬師寺蔵　写真提供：奈良国立博物館
◎III-2　佐竹本三十六歌仙絵断簡　小大君像(部分)　重文　奈良・大和文化館蔵
◎III-3　銀装革帯(菅公遺品)　国宝　大阪・道明寺天満宮蔵
◎III-4　牙笏(菅公遺品)　長36.0×幅5.8cm　国宝　大阪・道明寺天満宮蔵
◎III-5　玳瑁装牙櫛(菅公遺品)　国宝　大阪・道明寺天満宮蔵
◎III-6　梨子地螺鈿金装飾剣　長104.8cm　国宝　東京国立博物館蔵　写真提供：TNMイメージアーカイブ
◎III-7　紫式部日記絵巻(五島本第二段)　国宝　東京・五島美術館蔵
◎III-8　年中行事絵巻「内宴」　模本(原本は平安)(部分)　個人蔵
◎III-9　檜扇(古神宝類の内)　国宝　広島・厳島神社蔵　写真提供：京都国立博物館
◎III-10　懸守(七懸)　国宝　大阪・四天王寺蔵
◎III-11　伝源頼朝像(部分)　絹本着色　143.0×112.8cm　国宝　京都・神護寺蔵　写真提供：京都国立博物館
◎コラムIII-3　赤糸威大鎧(竹虎雀飾)　国宝　奈良・春日大社蔵
◎III-12　金地螺鈿毛抜形太刀　総長96.3cm　国宝　奈良・春日大社蔵
◎コラムIII-4a,b　梅蒔絵手箱(櫛箱)と紫檀螺鈿櫛(梳櫛)　国宝　静岡・三島大社宝物館蔵　写真提供：東京国立博物館
◎コラムIII-4c　政子形櫛図　『歴世女装考』より
◎III-13　石山寺縁起絵　巻五第一段(部分)　重文　滋賀・石山寺蔵
◎III-14　金銅装錦包懸守(一懸)　国宝　和歌山・熊野速玉大社蔵　写真提供：大阪市立美術館
◎III-15　彩絵檜扇(一握)　国宝　和歌山・熊野速玉大社蔵　写真提供：大阪市立美術館
◎III-16a,b　玉佩(二旒)　国宝　和歌山・熊野速玉大社蔵　写真提供：大阪市立美術館
◎III-17a,b　挿頭花　国宝　和歌山・熊野速玉大社蔵　写真提供：大阪市立美術館
◎III-18　絵元結　東京国立博物館蔵　写真提供：TNMイメージアーカイブ
◎III-19　平額(中央)ほか髪上具一式　東京国立博物館蔵　写真提供：TNMイメージアーカイブ
◎コラムIII-5　平額梅形飾り(心葉)　東京国立博物館蔵　写真提供：TNMイメージアーカイブ
◎III-20　武田信玄像(部分)　重文　和歌山県・高野山霊宝館蔵

第Ⅳ章　桃山・江戸初期

◎コラムIV-1　三十六歌仙額　三十六面の内「中務」(部分)　重文　埼玉・仙波東照宮蔵　写真提供：埼

玉県立歴史と民俗の博物館
◎IV-1　婦女遊楽図屛風(松浦屛風)　右隻(部分)　国宝　奈良・大和文華館蔵　写真撮影:入江宏太郎
◎IV-2　歌舞伎図巻(歌舞伎草子)　二巻の内下巻(部分)　愛知・徳川美術館蔵
◎IV-3　花下遊楽図屛風(部分)　狩野長信　紙本着色　148.6×355.8cm　国宝　東京国立博物館蔵　写真提供:TNMイメージアーカイブ
◎IV-4　本多平八郎姿絵屛風(部分)　重文　愛知・徳川美術館蔵
◎IV-5　菊蒔絵印籠　宮城・瑞鳳殿蔵
◎IV-6　支倉常長像　国宝　宮城・仙台市博物館蔵
◎IV-7　指輪　長崎・築町遺跡　長崎市教育委員会
◎IV-8　金製ブローチ　宮城・仙台市博物館蔵
◎IV-9　銀製服飾品(ペンダントヘッド)　宮城県・仙台市博物館蔵

第Ⅴ章　江戸中期・後期

◎V-1　櫛売(部分)　奥村利信　漆絵　細判　東京国立博物館蔵　写真提供:TNMイメージアーカイブ
◎V-2　鶴骨製蒔絵笄の表と裏　長22.4cm　東京国立博物館蔵　写真提供:TNMイメージアーカイブ
◎V-3　水茶屋の図(部分)　『人倫訓蒙図彙』より
◎V-4　遊女ム姿図(部分)　懐月堂度繁　紙本着色　93.1×42.3cm　東京国立博物館蔵　写真提供:TNMイメージアーカイブ
◎V-5　親歯の細い初期タイプの山高形櫛　べっ甲　幅12.0cm　東京・日本宝飾クラフト学院蔵
◎V-6　見返り美人図(部分)　菱川師宣　絹本着色　63.2×31.0cm　東京国立博物館蔵　写真提供:TNMイメージアーカイブ
◎V-7　「正徳のころのかんざし」の図　『歴世女装考』より
◎コラムV-3　「棅枝(こうがい)」の図　『女用訓蒙図彙』より
◎V-8　山高形櫛　べっ甲　幅11cm　東京・日本宝飾クラフト学院蔵
◎V-9　横長櫛　べっ甲　幅15.5cm　東京・日本宝飾クラフト学院蔵
◎V-10　政子形櫛(幅約13cm)の図　『玳瑁亀図説』より
◎コラムV-4　挽抜櫛(V-8の山高形櫛を斜め上から見る)
◎V-11　覆輪棟櫛　銀、べっ甲　幅14.6cm　東京・日本宝飾クラフト学院蔵
◎V-12　光輪櫛(幅約17cm)の図　『玳瑁亀図説』より
◎V-13　蒔絵の木櫛　幅11.5cm　東京・日本宝飾クラフト学院蔵
◎コラムV-5　白甲の櫛　幅11.3cm　東京・日本宝飾クラフト学院蔵

◎V-14　三枚櫛の図　『当世かもし雛形』より
◎V-15　月形櫛(幅約10.5cm)の図　『玳瑁亀図説』より
◎V-16　櫛の図案　葛飾北斎『今様櫛𥬤雛形』より
◎V-17　月文様櫛　三種　［上より］月雁秋草文様蒔絵鼈甲櫛　羊遊斎／月雁芦文様蒔絵鼈甲櫛　寛哉写／月雁秋草文様蒔絵鼈甲櫛　羊遊斎　東京・澤乃井櫛かんざし美術館蔵　写真撮影:藤森武
◎V-18　サンゴ玉で飾った櫛　二種　［上］蒔絵の木櫛、［下］真鍮棟べっ甲櫛　東京・日本宝飾クラフト学院蔵
◎V-19　カット・ガラス棟櫛　二種　東京国立博物館蔵　写真提供:TNMイメージアーカイブ
◎V-20　紐をくくりつけた利休形櫛　幅8.8cm　東京・日本宝飾クラフト学院蔵
◎V-21a　櫛　四種　すべて蒔絵の木櫛　［左上］幅12.6cm　東京・日本宝飾クラフト学院蔵
◎V-21b　櫛　六種　［上］4点は蒔絵のべっ甲櫛([左上]幅12.0cm)、[左下]象牙・サンゴ飾り蒔絵櫛、[右下]サンゴ飾り銀櫛(一部めっき)　東京・日本宝飾クラフト学院蔵
◎V-22　べっ甲薄形笄　長29.0cm　東京・日本宝飾クラフト学院蔵
◎V-23　角状笄の姿　西川祐信『百人女郎品定』(1723刊)より
◎V-24　木製笄　二種　蒔絵笄　長23.3cm、彫模様笄　東京・日本宝飾クラフト学院蔵
◎V-25　ビードロ(ガラス)の笄　三種　［上］長18.2cm　東京・日本宝飾クラフト学院蔵
◎V-26　銀製光輪笄　長22.7cm　東京・日本宝飾クラフト学院蔵
◎V-27　べっ甲角棒状笄　長16.7cm　東京・日本宝飾クラフト学院蔵
◎V-28　象牙・紫檀笄　長17.5cm　東京・日本宝飾クラフト学院蔵
◎V-29　象牙杵形笄　二種　［上］長14.8cm　東京・本宝飾クラフト学院蔵
◎V-30　べっ甲琴柱簪　二種　［上］長20.6cm　東京・日本宝飾クラフト学院蔵
◎V-31　べっ甲松葉簪　三種　［上］17.1cm　東京・日本宝飾クラフト学院蔵
◎V-32　浮世四十八癖　なんでもほしがる苦なしの癖(部分)　英泉　東京・ポーラ文化研究所蔵
◎V-33a　様々な簪　七種　［左上二種］べっ甲簪、[左下]べっ甲・サンゴ飾り挿し込み簪　、[右上から]べっ甲・サンゴ玉簪　長16.8cm、銀・サンゴ・瓢箪簪、銀(一部めっき)・サンゴ・玉簪、銀・紫水晶玉簪　東京・日本宝飾クラフト学院蔵
◎V-33b　銀簪　五種　［左から］鶴松図平打簪、桐図平打簪、鶴びらびら簪　長20.7cm、桐図3本脚簪、梅図挿し込み簪　東京・日本宝飾クラフト学院蔵

◎V-33c 変わり簪(釣瓶) 20.4cm 東京国立博物館蔵 写真提供：TNMイメージアーカイブ
◎V-34 両天簪 三種 すべて銀 [上]長17.5cm 東京・日本宝飾クラフト学院蔵
◎V-35 中差簪 四種 べっ甲中差簪 長17.3×厚0.9cm、べっ甲蒔絵中差簪、木製蒔絵中差簪、ビードロ(ガラス中差)簪 東京・日本宝飾クラフト学院蔵
◎V-36 髷止(位置止) 五種 [左上二種]べっ甲髷止[上]長8.5×厚0.9cm]、[右二種]べっ甲蒔絵髷止、[下]木製蒔絵髷止 東京・日本宝飾クラフト学院蔵
◎V-37 夏美人図(一幅、部分) 二代・歌川春貞 絹本着色 97.8×36.0cm 京都府立総合資料館蔵 写真提供：京都文化博物館
◎V-38 鹿の子止 二種 [左]真鍮・サンゴ鹿の子止 幅3.2cm、[右]銀・サンゴ鹿の子止 幅5.5cm 東京・日本宝飾クラフト学院蔵
◎コラムV-6 糸巻図二所物(小柄・目貫) 後藤延乗(後藤家十三代) 銘「延乗」 愛知・徳川美術館蔵
◎V-39a 印籠 二種 [左]紅葉桜蒔絵印籠 8.2×5.5cm、[右]牧場蒔絵印籠 10.0×4.9cm 東京国立博物館蔵 写真提供：TNMイメージアーカイブ
◎V-39b 掛軸象嵌鞘形印籠(反対側に掛軸の図) 鞘銅製鍍銀、金象嵌 6.6×4.8cm 東京国立博物館蔵 写真提供：TNMイメージアーカイブ
◎V-40a 独酌牙彫根付 線刻銘「一虎」 高3.8cm 東京国立博物館蔵 写真提供：TNMイメージアーカイブ
◎V-40b 小犬牙彫根付 線刻銘「懐玉政次(方印)」 高3.0cm 東京国立博物館蔵 写真提供：TNMイメージアーカイブ
◎V-40c 蛸壷牙彫根付 線刻銘「光広」 高5.2cm 東京国立博物館蔵 写真提供：TNMイメージアーカイブ
◎V-40d 饅頭形布袋彫金根付 陽刻銘「乗意(方印)」 鏡蓋銅製鍍銀薄肉彫 径3.9cm 東京国立博物館蔵 写真提供：TNMイメージアーカイブ
◎V-41 金唐革腰差したばこ入れ一式(江戸期の様式をもつ明治期の作) 袋―金唐革、煙管筒―象牙、煙管―彫金 長30.4cm 東京国立博物館蔵 写真提供：TNMイメージアーカイブ
◎V-42 紙入れ 二種 東京国立博物館蔵 写真提供：TNMイメージアーカイブ
◎V-43 筥迫 二種 東京国立博物館蔵 写真提供：TNMイメージアーカイブ
◎V-44 江戸芸北国他所行田舎娘の内 北国他所行の図(部分) 歌川国貞 東京・静嘉堂文庫蔵
◎V-45 帯留(バチン留)の図 二種 『鶯真似双紙』より
◎V-46 當世女風俗通 北国の契情(部分) 喜多川歌麿 江戸東京博物館蔵 写真提供：東京都歴史文化財団イメージアーカイブ
◎V-47 芸妓図 (一幅、部分) 渡辺崋山 絹本着色 110.2×42.5cm 天保9(1838) 重文 東京・静嘉堂文庫美術館蔵
◎V-48 第二回遣欧使節池田筑後守に同行の女性(部分) ナダール ガラス湿板からのモダン・プリント 25.9×19.6cm 1864 神奈川・川崎市市民ミュージアム蔵
◎V-49 腕守 四種 総長20.0cm、21.2cm、25.7cm、30.6cm 東京国立博物館蔵 写真提供：TNMイメージアーカイブ
◎V-50 江戸名所百人美女の内(部分) 三代・歌川豊国 東京・日本宝飾クラフト学院蔵
◎V-51 砂金石の簪二種と笄 [上]16.9cm 東京・日本宝飾クラフト学院蔵

第Ⅵ章　明治時代

◎Ⅵ-1 結婚指輪(ペリー提督遺品) 19世紀 東京国立博物館蔵
◎Ⅵ-2 頭髪入りブローチ(ペリー提督遺品) 19世紀 東京国立博物館蔵
◎Ⅵ-3 明治天皇像 グイード・モリナーリ キャンヴァスに油彩 95.7×74.5cm 明治30(1897) 東京都庭園美術館蔵
◎Ⅵ-4 妓女図 幸野楳嶺 明治6(1873) 京都府立総合資料館蔵 写真提供：京都文化博物館
◎Ⅵ-5 装身具図案(純金製彫刻指環) 山川孝次 石川・宗桂会蔵
◎Ⅵ-6 鈕鈿金銀象眼入彫物の図 岸雪浦(図画) 起立工商会社出品 紙本着色 19.0×26.0cm 明治10(1877) 『温知図録』より 東京国立博物館蔵 写真提供：TNMイメージアーカイブ
◎コラムⅥ-2 [左]時計鎖(婦人用、シカゴ万博出品) 村松万三郎・香川勝廣 金、銀 長33.0cm 明治26 [右]時計鎖(男子用、シカゴ万博出品) 村松万三郎・沢田寿永 金、銀 長30.3cm 明治26(1893) いずれも東京国立博物館蔵
◎Ⅵ-7 薩摩藩英国留学生(古写真) 鹿児島・尚古集成館蔵
◎Ⅵ-8 横浜・コロン商会 佐々木茂市編『日本絵入り商人録』より 天地24cm 明治19(1886)
◎コラムⅥ-3 銀側懐中時計 レッツ商会 個人蔵
◎Ⅵ-9a 輸出されたジュエリー 四種 [上]薩摩焼きバックル、[下右]薩摩焼きバックル、[下中]赤銅に金象嵌ブローチ、[下左]銀製バックル 東京・日本宝飾クラフト学院蔵
◎Ⅵ-9b 横浜貿易商『武蔵屋』の銘が入った銀製バックルの紙箱 東京・日本宝飾クラフト学院蔵
◎Ⅵ-10 森有礼アルバム中の女性像 東京・石黒コレクション保存会蔵
◎Ⅵ-11 大日本婦人束髪図解 明治18(1885) 東京・日本宝飾クラフト学院蔵
◎Ⅵ-12 昭憲皇太后像 グイード・モリナーリ キャン

ヴァスに油彩　95.9×74.5cm　明治30(1897)　東京都庭園美術館蔵
◎VI-13a,b　本駒菖蒲革腰差したばこ入れ　梅に鉈図表金具と松図裏座　香川勝廣、謡曲鉢の木彫黄楊筒　加納鉄哉　東京・たばこと塩の博物館蔵
◎VI-14　都の花（部分）　明治22(1889)　東京・日本宝飾クラフト学院蔵
◎VI-15　皇太后陛下御名代竹田宮妃常宮昌子内親王殿下　東京・ポーラ文化研究所蔵
◎VI-16　髪型を紹介した絵はがき　[左から]高髷、桃割れ、伊賀むすび　東京・日本宝飾クラフト学院蔵
◎VI-17　半京形櫛（幅9.2cm）と笄（長16.3cm）　べっ甲　三越呉服店製　東京・日本宝飾クラフト学院蔵
◎VI-18a　櫛と笄　三組　一角（いっかく）のお初形櫛（幅8.5cm）と笄（長9.4cm）、螺鈿蒔絵の半京形櫛と笄、セルロイド製のお初形櫛と笄　東京・日本宝飾クラフト学院蔵
◎VI-18b　櫛　四種　半京形金覆輪（真珠入り）べっ甲櫛　幅7.6cm、政子形蒔絵櫛、月形蒔絵櫛、角製鬢櫛　東京・日本宝飾クラフト学院蔵
◎VI-19　銀（一部金めっき）簪　五種　サンゴ・マラカイト・松葉脚簪、彫金玉松葉脚簪、サンゴ・蛙股脚簪、平打蛙股脚簪、平打サンゴ入り蛙股脚簪　長15.1cm　東京・日本宝飾クラフト学院蔵
◎VI-20　笄　三種　一つ巴銀笄　長16.0cm、高砂蒔絵笄、花透し彫金めっき銀笄　東京・日本宝飾クラフト学院蔵
◎VI-21　明治の女学生像（絵はがき）　東京・日本宝飾クラフト学院蔵
◎コラムVI-6　象牙小判文彫櫛　尾崎谷斎　野村正治郎衣装コレクションの内　千葉・国立歴史民俗博物館蔵
◎VI-22　バチン式打出し帯留　二種　金・銀桐図帯留（金具部分幅1.9cm）、銀・菊図帯留（金具部分幅2.7cm）　東京・日本宝飾クラフト学院蔵
◎VI-23　貴婦人用ブローチ（襟留）之一班　大西錦綾堂カタログ『美術之栞』より　東京・日本宝飾クラフト学院蔵
◎VI-24　伯爵板垣退助令嬢良子像　『婦人画報』明治41(1908)年6月号より
◎VI-25　彫金指輪　三種　[左]18金製菊図指輪　[右]純金製小槌図指輪　いずれも東京・日本宝飾クラフト学院蔵　[下]銀製雪牡丹図指輪　個人蔵（明治期の伝統を受け継ぐ大正-昭和初期の作）
◎コラムVI-7　植田商店広告　『服装新聞』明治37(1904)年6月号より

第VII章　大正・昭和初期・戦中期

◎VII-1　赤銅製喪章の広告　『演芸画報』大正元(1912)年9月号より

◎VII-2　正装した貞明皇后　宮内庁
◎VII-3　束髪簪　一対　べっ甲、金、プラチナ、真珠、ダイヤモンド　高11.8×幅4.8cm　大正2(1913)-6(1917)　御木本真珠店　三重・真珠博物館蔵
◎VII-4　隈川宗雄像　黒田清輝　キャンヴァスに油彩　74.2×60.5cm　大正5(1916)　東京大学総合研究博物館蔵
◎VII-5　金製印面付指輪の広告　『演芸画報』大正6(1917)年2月号より
◎VII-6　束髪櫛を付けた女優（絵はがき）
◎VII-7　束髪櫛・簪　四種　べっ甲束髪櫛　幅11.5cm、螺鈿べっ甲束髪櫛、べっ甲束髪簪、メノウと緑石付束髪簪　東京・日本宝飾クラフト学院蔵
◎VII-8　大型のスペイン櫛とイヤリング、ブレスレットを付けた女優（絵はがき）
◎VII-9　櫛・簪　四種　兎図角櫛（幅7.9cm）・笄（長15.5cm）、花紋金覆輪べっ甲櫛・笄、花紋金のせべっ甲櫛・笄、紫陽花螺鈿べっ甲櫛・笄　東京・日本宝飾クラフト学院蔵
◎VII-10　螺鈿宝尽くし図櫛・笄（長14.7cm）　豊川楊渓　螺鈿、べっ甲　明治-大正　個人蔵
◎VII-11　彫金櫛・笄・簪　鈴木美彦　片切彫四君子文様櫛（長9.6cm）・笄（長16.6cm）　べっ甲、銀裏菊文様平打簪　銀に金鍍（めっき）　長18.8cm　個人蔵
◎VII-12　笄　四種　[左から]金・ホワイトゴールド・真珠車両天、20金輪笄　長14.9cm、水晶車両天、ホワイトゴールド・真珠龍足両天　東京・日本宝飾クラフト学院蔵
◎VII-13　簪　五種　金・ヒスイ玉簪、銀・金・赤銅簪　長13.7cm、銀平打透し彫り簪、銀平打ち透し彫り簪、銀・金めっき平打透し彫り簪　東京・日本宝飾クラフト学院蔵
◎VII-14　根掛　五種　金・真珠根掛け、彫金根掛け、ピーシー（ピンク・トルマリン）玉根掛、ヒスイ玉根掛、アメシスト玉根掛　東京・日本宝飾クラフト学院蔵
◎VII-15　ピーシー（ピンク・トルマリン）製装身具の広告　『新演芸』大正7(1918)年7月号より
◎VII-16　帯留　三種　ヒスイ彫刻帯留、サンゴ彫刻帯留、銀・真珠横長帯留　長13.7cm　東京・日本宝飾クラフト学院蔵
◎VII-17　様々な素材による帯留　四種　鉄・ダイヤモンド帯留、[左]木製鎌倉彫帯留、[右]陶磁器帯留、銀打出し帯留　東京・日本宝飾クラフト学院蔵
◎VII-18　時計鎖（短鎖）　二種、羽織紐　二種　金・プラチナ・真珠短鎖、金・オパール・真珠短鎖、金・プラチナ・真珠羽織紐、プラチナ・鉄・ダイヤモンド羽織紐　長12.9cm　東京・日本宝飾クラフト学院蔵
◎VII-19　結婚指輪の広告　『演芸画報』大正10(1921)年9月号より
◎VII-20　様々な素材による指輪　五種　プラチナ・金・ダイヤモンドねじ梅指輪、金・真珠・菊爪指輪、金・

合成ルビー指輪、金・アメシスト指輪、金・オパール指輪　東京・日本宝飾クラフト学院蔵
◎VII-21　池田侯爵三令嬢　『婦人画報』大正14(1925)年9月号より
◎VII-22　伯爵樺山愛輔令嬢　『婦人画報』昭和3(1928)年3月号より
◎VII-23　水晶製の長いネックレスを付けた女性(絵はがき)
◎VII-24　指輪　二種　プラチナ、ダイヤモンド、サファイア　昭和初期　いずれも東京・丸嘉蔵
◎VII-25a　束髪簪　ホワイトゴールド、ヒスイ　長11.4cm　個人蔵
◎VII-25b　指輪　ホワイトゴールド、ヒスイ　尼伊製　東京・日本宝飾クラフト学院蔵
◎VII-26　ダブル・クリップ・ブローチ　プラチナ、真珠、金具はホワイトゴールド　幅6.4cm　御木本真珠店　個人蔵
◎VII-27　束髪簪　二種　[右]バラをモチーフにした束髪簪　長15.6cm、[左]草花をモチーフにした束髪簪　長12.8cm　いずれもセルロイド、模造石　大正末-昭和初期　東京・日本宝飾クラフト学院蔵
◎VII-28　国防指輪と称される白金指輪　『工業日本と其資源』商工協會　昭和12(1937)刊より
◎VII-29　帯留「矢車」　真珠、ダイヤモンド、エメラルド、ホワイトゴールド　縦3.8×横8.5cm　昭和12(1937)　御木本真珠店　三重・真珠博物館蔵
◎VII-30　昭和15(1940)年10月7日から施行された七七禁令
◎VII-31　指輪と帯留二種　サンプラ・ヘマタイト指輪、サンプラ・真珠・オパール・オニキス帯留　径3.8cm、サンプラ・真珠帯留　東京・日本宝飾クラフト学院蔵
◎コラムVII-4　ジーファー　銀　長14.8cm　東京・日本宝飾クラフト学院蔵

第VIII章　戦後・平成から現代

◎VIII-1　進駐軍関係者の滞日記念として作られた銀製の土産品　桜に富士山図シガレット・ケース　銀、赤銅ほかの切り嵌め象嵌　幅11.2cm　昭和27(1952)／七福神図カフス・ボタン　銀　各3.7cm／指輪　真珠、銀　いずれも東京・日本宝飾クラフト学院蔵
◎VIII-2　「楽屋」浅草・国際劇場　昭和24(1949)　撮影：林忠彦
◎コラムVIII-1　吉田謙吉『女性の風俗』(河出新書1955刊)より
◎VIII-3a　合成石の指輪　五種　金(一部ホワイトゴールド)、シンセティック　昭和30代　いずれも日本宝飾クラフト学院蔵
◎VIII-3b　石座裏側に用いられた王冠透かし、千本透かし細工(石はメノウ)
◎VIII-4　五光留のプラチナ・ダイヤモンド月形甲丸指輪　東京・日本宝飾クラフト学院蔵
◎VIII-5　戦時期に供出されたカラー・ダイヤモンドの標本　東京・国立科学博物館蔵
◎VIII-6　桔梗形爪のプラチナ・ダイヤモンド指輪『宝石読本』昭和44(1969)第26号より
◎VIII-7　新しいカジュアル・ファッションとアクセサリー『装苑』昭和45(1970)年9月号より
◎VIII-8　奥村博史　指輪　銀・ヒスイ指輪、銀・ラピスラズリ指輪　東京・日本宝飾クラフト学院蔵
◎VIII-9　富本憲吉(金具は増田三男)　陶磁器の装身具　指輪／タイタック／赤地金彩ペンダント　径3.8cm／ペンダント　径4.2cm／ペンダント　径3.8cm　いずれも個人蔵
◎VIII-10　菱田安彦　ブローチ二種と帯留　ブローチ　金　幅10.4cm／ブローチ　金、アメシスト　高8.6cm／帯留　金、アメシスト　幅5.1cm　いずれも昭和40代　個人蔵
◎VIII-11a　平松保城　頚の飾り　アルミニウム、金箔　24.7×23.0×9.3cm　平成6(1994)　作者蔵
◎VIII-11b　三代・宮田藍堂(宏平)　美豆波乃女Ⅰ(装身具)　蝋型鋳金　高2.5×幅6.7×厚3.0cm　昭和52(1977)　東京国立近代美術館蔵
◎VIII-11c　中山あや　ペンダントU-001　銀、組紐　高1.5×幅5.3×長38cm　昭和51(1976)　東京国立近代美術館蔵
◎VIII-11d　飯юли一朗　ポケット形ブローチ・Brooch　東京藝術大学蔵　写真撮影：タケミアート
◎VIII-12　後藤年彦　ブレスレット　銀に金鍍(めっき)、トルコ石　高7.0cm　昭和32(1957)　東京藝術大学蔵
◎コラムVIII-2　オープンカーから沿道の人々に手を振られる皇太子殿下、同妃殿下　平成5(1993)年6月9日　写真提供：共同通信社
◎VIII-13　デ・ビアス社サマーキャンペーン広告『れ・じょわいよ』平成元(1989)年9月号より
◎VIII-14　バラブローチ　高約10cm　ウエダジュエラー
◎VIII-15　ネックレス　18金、南洋真珠、ダイヤモンド　昭和60(1985)　ミキモト
◎VIII-16　舟串盛雄　作品No.1、作品No.2、作品No.3　セメントその他の複合メディア　6×4.5×0.4cm　昭和59(1984)　京都国立近代美術館蔵
◎VIII-17　河口龍夫　痕跡(3点組作品の内　男性と女性が組んだ腕)　昭和59(1984)　京都国立近代美術館蔵　写真撮影：斉藤定
◎VIII-18　ブレスレット　22金イエローゴールド、ダイヤモンド　クロムハーツ
◎コラムVIII-4　奥畑美奈　eyes　アクリル樹脂、アクリル、人毛、スワロフスキー　高0.7×長2.3×幅2.1cm　平成18(2006)　写真提供：EXHIBITION SPACE　写真撮影：鈴木仁志

主要参考文献

概論、通史、個別史など

●単行本

『装身具』(日本の美術No.1) 野間清六、至文堂、1966年

『日本装身寶飾史』日本寶飾時報社、1930年

『装いのこころ』樋口清之、日本書籍、1979年

『装いと日本人』(日本人の歴史 第六巻) 樋口清之、講談社、1980年

『装身具史』樋口清之、装道きもの学院出版局、1972年

『装身と化粧』(江馬 務著作集 第四巻) 江馬 務、中央公論社、1976年

『日本服飾史』江馬 務、雄山閣、1929年

『日本の美術 工芸(染織・服飾)』(文化財講座) 岡田 讓、他編、1983年

『結髪と髪飾』(日本の美術No.23) 橋本澄子、至文堂、1968年

『日本の髪形と髪飾りの歴史』橋本澄子、源流社、1998年

『女の装身具』(日本の美術No.396) 長崎 巖、至文堂、1999年

『男の装身具』(日本の美術No.395) 小松大秀、至文堂、1999年

『日本服飾史』北村哲郎、衣生活研究会、1973年

『きもの文化史』河鰭実英、鹿島出版会、1966年

『衣服の歴史』(河出新書) 後藤守一、河出書房、1956年

『服飾』(日本の美術No.26) 日野西資孝、至文堂、1968年

『日本服飾美術史』(上・下) 渡辺素舟、雄山閣、1973年

『衣服で読み直す日本史』(朝日選書) 武田佐知子、1998年

『日本嚢物史』(復刻版) 井戸文人、思文閣、1974年

『古代翡翠文化の謎』森 浩一編、新人物往来社、1988年

『日本の翡翠 その謎を探る』寺村光晴、吉川弘文館、1995年

『真珠の文化史』杉山二郎、他、学生社、1990年

『真珠の事典』松井佳一、北隆館、1965年

『真珠の博物誌』松月清郎、研成社、2002年

『日本人と珊瑚』深田典子、日本珊瑚組合・高地県珊瑚協同組合、1968年

『珊瑚』(ものと人間の文化史91) 鈴木克美、法政大学出版局、1999年

『玳瑁考―長崎のべっ甲を中心にして―』越中哲也、純心女子短期大学付属歴史資料博物館、1992年

『水晶宝飾史』篠原方泰編、甲府商工会議所、1968年

『琥珀誌』田村栄一郎、資料出版くんのこ会、1988年

●展覧会カタログ

『翡翠展―東洋の至宝』国立科学博物館、2004年

『「パール」展―その輝きのすべて』国立科学博物館、2005年

序、第Ⅰ章(旧石器－古墳時代)

●単行本

『古代の装い』(歴史発掘4) 春成秀爾、講談社、1997年

『装身具』(日本の原始美術9) 町田 章、講談社、1979年

『縄文時代の装身具』(日本の美術 No.369) 土肥 孝、至文堂、1997年

『弥生時代の装身具』(日本の美術 No.370) 岩永省三、至文堂、1997年

『古墳時代の装身具』(日本の美術 No.371) 町田 章、至文堂、1997年

『黄金細工と金銅装』(日本の美術 No.445) 河田 貞、至文堂、2003年

『古代の装身具』斎藤 忠、塙書房、1963年

『武器 装身具』(日本原始美術大系5) 講談社、1978年

『古代人の化粧と装身具』原田淑人、刀水書房、1986年

『玉とヒスイ―環日本海の交流をめぐって』藤田富士夫、同朋舎出版、1992年

『装身具と骨角製漁具の知識』(考古学シリーズ13) 江坂輝彌・渡辺 誠、東京美術、1988年
『玉』(考古学ライブラリー52) 藤田富士夫、ニュー・サイエンス社、1989年
『衣食住の考古学』金関 恕・春成秀爾編、岩波書店、2005年
『特集 装身の考古学』(季刊考古学 第5号) 雄山閣、1983年
『特集 古墳には何が副葬されたか』(季刊 考古学 第28号)雄山閣、1989年
『古代の技術』小林行雄、塙書房、1962年
『日本古玉器雑攷』梅原末治、吉川弘文館、1971年
『斑鳩 藤ノ木古墳 概報』奈良県立橿原考古学研究所編、吉川弘文館、1989年
『斑鳩 藤ノ木古墳 第二・第三次調査報告書』奈良県立橿原考古学研究所編、便利堂、1993年
『飛鳥時代の古墳』奈良国立文化財研究所飛鳥資料館編、同朋舎出版、1981年

●展覧会カタログ
『卑弥呼の宝石箱―ちょっとオシャレな弥生人―』大阪府立弥生文化博物館、1998年
『青いガラスの煌き―丹後王国が見えてきた―』大阪府立弥生文化博物館、2002年
『黄泉のアクセサリー―古墳時代の装身具―』大阪府立近つ飛鳥美術館、2003年
『北陸の玉 古代のアクセサリー』福井県立博物館、1994年

第Ⅱ-Ⅳ章(飛鳥-江戸初期)

●単行本
『日本書紀』(上・下) 宇治谷孟訳、講談社、1988年
『続日本書紀』(上・中・下) 宇治谷孟訳、講談社、1992年、1995年
『萬葉集』(一〜五)(新潮日本古典集成)新潮社、1976年〜1984年
『万葉集の服飾文化』(下) 小川安朗、六興出版、1986年
『万葉集―時代と作品』(NHKブックス) 木俣 修、日本放送出版協会、1966年
『奈良朝服飾の研究』(本文編・図録編) 関根真隆、吉川弘文館、1974年
『有職故実』(塙選書)河鰭実英、1960年
『古代の服飾』(日本歴史新書) 猪熊兼繁、至文堂、1962年
『仏舎利と経の荘巌』(日本の美術 No.280) 河田 貞、至文堂、1989年
『正倉院の宝物』関根眞隆、保育社、1988年
『正倉院への道 天平美術への招待』関根真隆、吉川弘文館、1991年
『平安朝のファッション文化』鳥居本幸代、春秋社、2003年
『新猿楽記』(東洋文庫) 藤原明衡、平凡社、1983年
『平安朝の女と男 貴族と庶民の性と愛』(中公新書)服藤早苗、中央公論社、1995年
『平安時代國民工藝の研究』渡辺素舟、東京堂、1943年
『王朝絵巻と装飾経』(日本美術全集第8巻 平安の絵画・工芸Ⅱ) 中野政樹、他、講談社、1990年
『装束の日本史』(平凡社新書) 近藤好和、平凡社、2007年
『わびと黄金』(日本文化の歴史 第9巻) 学習研究社、1969年
『南蛮美術』(日本の美術 19巻) 岡本良知、平凡社、1965年
『南蛮美術』(日本の美術34)坂本 満、吉村元雄、小学館、1974年
『南蛮史料の発見』(中公新書) 松田毅一、中央公論社、1964年
『黄金とクルス』(人間美術8)坂本 満、学習研究社、1990年
『フロイスの日本覚書』(中公新書) 松田毅一、E・ヨリッセン、中央公論社、1983年
『伊達政宗の遣欧使節』松田毅一、新人物往来社、1987年
『伊達政宗グラフティー』白井孝昌、新人物往来社、1987年
『刀剣』(日本の美術No.6) 佐藤寒山、至文堂、1966年
『甲冑』(日本の美術No.24) 尾崎元春、至文堂、1968年
『鎧をまとう人びと』藤本正行、吉川弘文館、2000年

『中国五千年　女性装飾史』周汛・高春明、京都書院、1993年
『韓国の服飾』杉本正年、文化出版局、1983年

●論文・雑誌記事
『天平美人の装身具』東野治之、文明のクロスロード(Museum Kyushu)68号、2001年

第Ⅴ章(江戸中期・後期)

●単行本
『江戸結髪史』金沢康隆、青蛙房、1998年
『原色浮世絵大百科事典　風俗』遠藤　武、大修館書店、1980年
『結うこころ　日本髪の美しさとその型(かたち)』村田孝子、ポーラ文化研究所、2000年
『日本の女装』吉川観方、故實研究会出版部、1976年
『当世かもし雛形』(日本風俗図絵第十一輯)安部玉腕子、日本風俗図絵刊行会、1915年
『百人女郎品定』(日本風俗図絵第三輯)西川祐信、日本風俗図絵刊行会、1914年
『近世風俗志(守貞謾稿)(二)』(岩波文庫)喜田川守貞、岩波書店、1997年
『嬉遊笑覧(1)』(日本随筆大成　別巻)喜多村筠庭、吉川弘文館、1979年
『近世女風俗考』(日本随筆大成3)生川春明、吉川弘文館、1975年
『歴世女装考』(日本随筆大成6)山東京山、吉川弘文館、1975年
『我衣』(燕石十種　第一巻)曳尾庵南竹、中央公論社、1979年
『賤のをだ巻』(燕石十種　第一巻)森山孝盛、中央公論社、1979年
『続飛鳥川』(日本随筆大成　第二期第10巻)吉川弘文館、1974年
『玳瑁亀図説』(復刻版)金子直吉編、東京鼈甲組合連合会、1982年
『人倫訓蒙図彙』(東洋文庫)平凡社、1990年
『物類品隲』(生活の古典双書)平賀源内、八坂書房、1972年
『和漢三才図会　7・8』(東洋文庫)寺島良安、平凡社、1987年
『長崎海軍伝習所の日々』(東洋文庫)カッテンディーケ、平凡社、1964年
『ダイアモンド』岩田哲三郎、嶋商店出版部、1923年
『アメリカ彦蔵自伝(一)』(東洋文庫)平凡社、1964年
『印籠と根付』(日本の美術No.195)荒川浩和、至文堂、1982年
『刀装具』(日本の美術No.64)加島　進、至文堂、1971年

●展覧会カタログ
『くし・かんざし・化粧具—江戸の巧芸』サントリー美術館、1990年

●論文・雑誌記事
『近世装身具変遷考(一)』遠藤　武、被服文化32号、1955年
『初代歌川豊国の美人画に見る服飾描写』福田博美、文化女子大学紀要32、2001年
『日本人の指輪好きはいつからか』露木　宏、JEWEL　No.331・333・335・337、2002～2003年
『江戸時代中期・後期の指輪と西洋装身具』露木　宏、ジェモロジイ第406～411号、2003～2004年

第Ⅵ-Ⅷ章(明治-現代)

●単行本
『ジュエリーの歩み100年』露木　宏・関　昭郎、他、美術出版社、2005年
『写真にみる日本洋装史』遠藤　武・石山　彰、文化出版局、1980年
『幕末維新・明治・大正美人帖』ポーラ文化研究所編、新人物往来社、2003年
『指輪　古代エジプトから20世紀まで』東京都庭園美術館監修、淡交社、2000年
『近代日本の身装文化』高橋晴子、三元社、2005年
『装身具の歩み』日本ジュウリーデザイナー協会、2000年
『服飾近代史』遠藤　武編、雄山閣、1969年
『衣と食の歴史』青木英夫・大塚　力、雄山閣、1969年
『明治文化史　風俗編』開国百年記念文化事業

会編、洋々社、1954年
『明治文化史　生活編』開国百年記念文化事業会編、洋々社、1955年
『洋髪の歴史』青木英夫、雄山閣、1971年
『ファッション化社会史〈昭和編〉』柳 洋子、ぎょうせい、1983年
『明治の時計』小島健司、校倉書房、1988年
『広告で語る天賞堂と銀座の100年』天賞堂、1979年
『宝石百年　貴金属宝石業界沿革史』若葉倶楽部、1966年
『御木本真珠発明100年史』ミキモト他、1994年
『ミキモト装身具100年史』ミキモト装身具、2008年
『明治事物起源(1〜8)』(ちくま学芸文庫)石井研堂、1997年
『東京百事流行案内』大川新吉、聚栄堂、1893年
『わたくしの指環』奥村博史遺作集刊行会編、中央公論美術出版、1965年
『東京風俗志』平出鏗二郎、八坂書房、1991年
『女性の風俗』(河出新書)吉田謙吉、河出書房、1955年
『明治東京逸聞史(全2巻)』(東洋文庫) 森 銑三、平凡社、1969年
『明治期万国博覧会美術品目録』東京国立文化財研究所編、中央公論美術出版、1984年
Shirley Bury, *Jewellery 1789-1910: The International Era*, Antique Collectors Club Ltd、1991年

●展覧会カタログ
『男も女も装身具―江戸から明治の技とデザイン―』国立歴史民俗博物館編、2002年
『農商務省図案及応用作品展覧会図録』(第1回―第6回)、1913―1917年

●論文、雑誌記事
『近世婦人の装身具を見る』伊藤櫟堂、中央美術32〜35号、1936年
『指輪の流行―明治・大正期を中心に―』草野千秋、国際服飾学会誌No.18、2000年
『帯留の歴史と美』露木 宏、宝石の四季162号・163号、2002年

索引

◎装身具のアイテムを中心としたが、それに類するものや工芸品なども一部含む。

ア行

- アール・デコ・ジュエリー ･･････････ 134
- 青メガネ････････････････････････ 115
- アクセサリー ･･････････**19**, 145, 146, 152
- 足飾り ････････････････････････ 24
- アンクレット ･････････････････････ 20
- アンティーク・ジュエリー ･････････････ 151
- 石釧(いしくしろ)･･････････････ 24, 30
- 衣袋(いたい) ･･･････････････ 41, 55
- 位置止(いちどめ)･･････････････････ 95
- 一文字指輪 ････････････････････ 143
- 銀杏形(いちょうがた)･･････････ 82, 83
- 糸花(いとはな) ･･････････････････ 58
- イヤ・クリップ ･･････････････････ 135
- イヤリング ･･････････ 20, 114, **135**, 142, 143
- 入墨(いれずみ) ･･････････ 14, 102, 107
- 印籠(いんろう) ･･･ 67, 72, 75, **76**, 77, 81, **96**, 97
- うず ････････････････････････ 45
- 髻花(うず) ･･････････････ 36, 37, **45**
- 髻華(うず) ･･･････････････････ 36
- 釵(うず) ････････････････････ 37
- 団扇形(うちわがた)･･･････････ 82, 83
- 空玉(うつろだま) ･･･････････ 25, 27
- 腕飾り ･･･････････････････ 19, 39
- 腕釧(うでくしろ) ･･････････････ 107
- 腕守(うでまもり)････････････ 96, 102
- 腕輪 ･･ **17**, 19, **22**, 24, **30**, 33, 38, **42**, 44, 102
- 馬形帯鉤(うまがたたいこう) ･････････ 28
- 絵元結(えもとゆい) ･･･････････････ **66**
- 襟留(えりどめ) ･･････････････ 121
- 扇 ･･････････ **57**, 61, 62, 63, 65, 83
- 大型櫛 ････････････････････ 86
- 大メガネ ･･･････････････････ 115
- 緒締(おじめ) ･･････････ 76, **96**, **103**, 104
- 緒締玉 ･･･････････････ 76, 96, 97
- お歯黒 ････････････････････ 107
- お初形 ･･･････････････････ 117
- 帯 ･･･ 25, **28**, 40, 41, 46, 55, 70, 73, 76, 81, 96, 98, 100, 120, 131
- 帯飾り ･････････････････････ 24

カ行

- 帯金具 ･･････････････････ 24, 28
- 帯締(おびじめ) ･････････････ 100, 132
- 帯留(おびどめ) ･･････ 81, 96, **100**, **120**, **121**, 122, **129**, 131, 132, 134, 136, 138
- 貝釧(かいくしろ) ･･････････････ 17
- 懐中鏡(かいちゅうかがみ) ････････････ 99
- 懐中紙入れ ･････････････････ 116
- 懐中時計 ･･････ 106, **110**, 111, **115**, 121, 125
- 貝輪(かいわ) ･･･････ 17, 22, 23, 24, 30
- 鏡 ･･･････････････････ 24, **49**
- 鏡入れ ･･････････････････ 131
- 懸帯(かけおび) ･･････････････ **70**
- 花月差し(かげつざし) ･･････････ 127
- 懸守(かけまもり)･･････ 57, 58, 62, **63**
- 鉸具(かこ) ･･･････････････ 28, 45
- 籠打ち笄(かごうちこうがい) ･･･････ 128
- 挿頭花(かざし) ････ 44, **45**, 57, **58**, 63, **66**, 67
- 挿頭(かざし) ････････････････ 44
- 飾り櫛 ･･････**44**, 54, 61, 62, 70, 80, 124
- 飾太刀(かざりだち) ･････････････ 55
- 飾りピン ････････････････････ 142
- 鬘(かずら) ････････････ **44**, 50, 58
- 鬘(かずら) ･････････････････ 44
- 滑車形耳飾り ･････････････････ 16
- 甲冑(かっちゅう) ･･････････ **60**, 68
- 花紙入れ ･･･････････････････ 98
- 鹿の子止(かのこどめ) ･･･････････ 95
- カフスボタン ････････････････ 110
- 兜(かぶと) ････････････････ 59, **60**
- 紙入れ ･･････････････ 81, 96, **98**, 99
- 紙扇 ･･････････････････ 57, 61
- 髪飾り ････ 14, 19, **39**, **44**, 45, 50, **52**, **56**, 57, 59, 66, 70, 75, **80**, **81**, 82, 83, 84, 87, 88, 91, 92, 93, **94**, 95, 96, **103**, 107, 112, 116, 126, **127**, 128, 129, 131, 132, 136
- ガラス小玉 ･････････････ 19, 20, 27
- ガラス玉 ･･･････････ 20, 21, 25, 27, 38, **48**
- 革帯(かわおび) ･････････ 40, 41, 45, 54, 55

蝙蝠(かわほり) ··············57, 61	鎖 ···············72, 77, 93, 98, 122
変わり簪(かわりかんざし) ·············93	櫛 ·**14**, 15, **19**, **44**, 50, **54**, **56**, 57, **61**, 67, **80**,
カンカン帽 ·················114	**81**, **82**, **84**, **85**, **86**, **87**, 88, 90, 94, 95, 103,
簪(かんざし) ········14, **15**, **19**, 42, 54, 56, 57,	110, 116, **117**, 118, 120, 126, 127, 128, 131
62, 70, **80**, 81, **82**, **83**, 88, **91**, **92**, **93**,	管玉(くだだま) ··········19, **20**, 24, 27, 49
94, 95, **103**, 104, 107, 110, 116, 117,	首飾り ·········9, 17, 19, 20, 24, 27, 33, 38,
118, 120, 124, 128, 129, 138	39, **42**, 44, 73, 77
釵(かんざし) ··················57	絛帯(くみおび) ·················40
冠帽(かんぼう) ················36, 37	車両天(くるまりょうてん) ···········128
冠······24, 25, 33, 35, **36**, **37**, 39, 42, 44, 67	クロス ·················151, 152
木櫛(きぐし) ············44, 82, 85, 86	黒リボン ···················124
菊蒔絵印籠(きくまきえいんろう) ·······76, 78	勲一等旭日章 ·················107
木笏(きしゃく) ·················41	勲章 ···················**107**
煙管(きせる) ··············86, 110	牙笏(げしゃく) ···············41, 50
きせる入れ ···············97, 98	結婚指輪 ········122, 131, 145, 149
きせる筒 ···················**97**	玦状耳飾り(けつじょうみみかざり) ·······**15**
煙管筒(きせるづつ) ·············116	毛抜形太刀(けぬきがたたち) ·········59
喫煙具 ················115, 116	剣 ················25, 67, 113
記念指輪 ··················124	肩章 ···················107
牙玉(きばだま) ··················17	栲枝(こうがい) ·················83
ギメル・リング ···············131	笄(こうがい) ······15, 68, **80**, **81**, **82**, **83**, 85,
玉衣(ぎょくい) ··················37	86, **88**, **89**, **90**, 91, 93, **94**, 95, 96, 103,
玉冠(ぎょくかん) ···············42	117, 118, 120, 128, 131
玉杖(ぎょくじょう) ················24	香嚢(こうのう) ·················47
玉帯 ····················45, 54	香袋(こうぶくろ) ············**47**, 99
玉佩(ぎょくはい) ·····41, 42, 45, **46**, 61, 63, **65**	蝙蝠傘(こうもりがさ) ···········114, 115
魚袋(ぎょたい) ·················**55**	光輪櫛(こうりんぐし) ·············84
魚佩(ぎょはい) ············47, 48, 49	光輪笄 ···················90
切子玉(きりこだま) ···············27	国防指輪 ··················136
銀簪(ぎんかんざし) ··············**91**	心葉(こころば) ···············**67**
銀光輪櫛(ぎんこうりんぐし) ···········84	腰帯 ·················40, 41
銀細工櫛 ···················84	腰飾り ················19, **39**, 45
金鵄勲章(きんしくんしょう) ···········107	腰差し ····················97
金芝山(きんしばやま) ············127	小玉 ················20, 24, 27
金製冠飾り ··················25	小玉類 ··················9, 10
銀製釧(ぎんせいくしろ) ···········30	小柄(こづか) ···············68, 96
銀製垂飾金具(ぎんせいすいしょくかなぐ) ·····25	琴柱簪(ことじかんざし) ············91
銀製指輪 ··················23	コハク玉 ···················20
銀装革帯 ··················54	紺玉帯(こんぎょくたい) ············45
巾着(きんちゃく) ··············73	コンテンポラリー・ジュエリー ······147, **151**
金銅製冠 ···············25, 36	金銅製大帯 ··················28
金時計 ···················131	婚約指輪 ··················145
銀時計 ···················115	
金縁メガネ ·················115	

サ行

- サーベル ……………………………………107
- 釵子(さいし)………42, 54, **56**, 57, 58, 62, 67
- 提物(さげもの)……………………………**67**, 68
- 挿櫛(さしぐし)………………………44, 56, 81, 82
- 差込簪(さしこみかんざし)……………………91
- サングラス……………………………………145
- 三合鞘刀子(さんごうさやとうす)……………46
- 三枚櫛……………………………………85
- シガレット・ケース………………………140
- 耳栓(じせん)………………………………14, 15
- 笏(しゃく)……………39, **41**, 50, 54, 55, 59, 61, 67
- 赤銅製喪章(しゃくどうせいもしょう)………124
- 車輪石………………………………………24, 30
- 十合鞘刀子(じゅうごうさやとうす)……………46
- 十字架…………………………………72, 73, 77, 151
- 袖章(しゅうしょう)……………………………107
- 12カ月指輪…………………………………131
- ジュエリー……72, **106**, 108, 110, 112, 114, 116, 117, 120, **124**, 125, 131, 132, 134, **138**, **140**, 143, 144, **146**, 147, **148**, 149, **151**, 152
- 珠玉(しゅぎょく)………………………………37
- 数珠玉(じゅずだま)……………………………72
- 純金製指輪……………………………………122
- 商館時計……………………………………111
- 小合子(しょうごうす)………………………**47**, 49
- 小尺(しょうじゃく)……………………………47
- シルバー・ジュエリー………………………151
- 瑞宝章(ずいほうしょう)………………………107
- 梳櫛(すきぐし)………………………44, 61, 81
- 頭巾(ずきん)………………………39, 72, 74
- スペイン差し………………………………127
- 聖像……………………………………………72
- 石製円盤………………………………………10
- 石帯(せきたい)………………………52, **55**, 59, 61
- 象牙櫛……………………………………85
- 束髪簪(そくはつかんざし) ………………………124, 126, 127, 136, 138
- 束髪櫛……………………………124, **126**
- 束髪ピン……………………………………127
- 算盤玉(そろばんだま)…………………………27

タ行

- 袋(たい)………………………………………41, 55
- 大勲位菊花章頸飾(だいくんいきくかしょうけいしょく) ……………………………………107
- 大珠(たいしゅ)…………………………………17
- ダイヤモンド指輪……………………………145
- 丈長(たけなが)…………………………35, 94
- 太刀(たち)………………………**41**, **55**, **59**, 68
- 大刀(たち)……………………………………25
- 竪櫛(たてぐし)………………………………**14**, 19
- 経錦(たてにしき)………………………………25
- 伊達メガネ(だてめがね)……………………115
- タトゥー………………………………………152
- たばこ入れ……67, 68, 72, 75, 76, 81, 96, **97**, 98, 115, 116
- 玉簪………91, 93, 94, 117, 118, 128, 131
- 玉枕……………………………………………38
- 達磨形(だるまがた)…………………………117
- 短剣……………………………………………107
- チョーカー……………………………………116
- 対鋲(ついびょう)……………………………98
- 月形(つきがた)………………………………117
- 月形櫛……………………………………86
- 月形甲丸指輪…………………………………143
- 黄楊櫛(つげぐし)……………………………82
- 筒形銅製品……………………………………25
- 鐔(つば)……………………………………68, 96
- ティアラ………………………113, 114, 124, **149**
- 手玉(でだま)…………………………………38
- 鉄釧(てつくしろ)………………………19, 22
- 鉄剣(てっけん)………………………………24
- 手袋……………………………………………107
- 彫金櫛…………………………………………85
- 銅鏡(どうかがみ)………………………24, 25
- 銅釧(どうくしろ)………………………19, 22, 30
- 刀剣……………………………………………109
- 胴〆(どうじめ)………………………………100
- 刀子(とうす)…………………………**46**, 50
- 銅製大帯………………………………………25
- 頭部飾り………………………………………10
- スカル…………………………………………151
- 時計鎖……110, 112, 115, 120, 121, 131, 132
- 土製耳飾り……………………………………16

ドッグ・カラー ……………………116	檜扇(ひおうぎ)……………**57**, 61, 63, 65
鳥打(とりうち)……………………114	日陰蔓(ひかげかずら)………57, 58, 67
トンボ玉……………………27, 96	挽抜櫛(ひきぬきぐし)………………**84**
	ヒスイ玉………………20, 118, 129
	額(ひたい)……………54, 56, 57, 67
ナ行	蔽髪(ひたい)………………………57
中折(なかおれ)……………………114	額飾り…………………………10, 24
中差(なかざし)………………………94	一つ提げ………………………………97
中差簪…………………………………94	瓢箪(ひょうたん)………………73, 95
名護屋帯(なごやおび)………………73	平打簪(ひらうちかんざし)……93, 117, 129
棗玉(なつめだま)……………………27	平打びらびら簪………………………99
二枚櫛……………………………**85**	平額(ひらびたい)………57, 62, 66, 67
ネイル・アート……………………152	びらびら簪………………………91, 93
根掛(ねがけ)……95, 117, 119, 120, 129, 131	ぴらぴら簪……………………………91
ネクタイ……………………………107	領巾(ひれ)……………………………**42**
ネクタイピン…………………104, 125	覆輪棟櫛(ふくりんむねぐし)………84
根付提げ(ねつけさげ)………………97	袋物(ふくろもの)………………76, 98
ネックレス……9, 10, 14, 18, 20, 72, 73, 112, 114, 116, 122, **133**, 134, 143, 145	双子指輪(ふたごゆびわ)…………131
根付(ねつけ)………………76, **96**, **97**, 103	ブレスレット……14, 20, 107, 110, 114, 120, 145
ノセ文様……………………………128	ブローチ……72, **78**, 110, 116, 121, 131, 134, 136, **138**, 140, 143
	文化勲章……………………………107
ハ行	ヘアーピン……………………………15
ハイ・ジュエリー……………140, 150	べっ甲櫛……………………82, 84, 86, 128
佩飾品(はいしょくひん)………41, 47	べっ甲笄………………………………90
羽織紐の環(はおりひものかん)……120	べっ甲琴柱簪(べっこうことじかんざし)……91
箱迫(はこせこ)……………81, 96, 98, 99	べっ甲差込簪(べっこうさしこみかんざし)……91
筥迫(はこせこ)………………98, 131	べっ甲花笄……………………………91
肌守(はだまもり)……………………102	ヘッドバンド…………………………10
鉢巻(はちまき)……………………73, 75	紅板(べにいた)………………………99
パチン留………………………99, 100	冕冠(べんかん)………**42**, 45, 48, 49, 61
白金章(はっきんしょう)……………136	ペンダント……………………14, 72, **78**
バックル………………………………45	宝冠章………………………………107
花形飾り………………………………42	宝髻(ほうけい)………………………42
鼻紙袋…………………………………98	帽子……………………107, **114**, 132, 136
花簪……………………………………91	宝飾鏡…………………………………49
花笄……………………………………90	細帯……………………………………73
反元結(はねもとゆい)………………94	ボタン…………………………72, 107, 112
ハンド・バッグ……………………133	釦鈕(ほたん)………………………110
ピアス………………114, 135, 152	ボディー・ワイヤー………………152
ピアッシング…………………………152	ボディ・モディフィケーション……152
ビードロ………………………85, 90	
火打袋(ひうちぶくろ)………………68	

マ行

前金具 ·················96, **98**, 116
前差したばこ入れ ···················97
勾玉(まがたま)
　············17, 20, 24, **27**, 28, **33**, **35**, 49, 50
髷かけ(まげかけ) ···················95
髷止(まげどめ) ····················95
髷結(まげゆい) ····················95
政子形(またごがた) ·········61, 84, 117
松葉簪(まつばかんざし) ·········83, 91
マニキュア ··················133, 152
眉墨(まゆずみ) ···················107
丸玉(まるだま) ············27, 46, 49
回し帯 ··························61
三日月形 ······················86, 87
耳かき付き簪 ······················91
耳飾り ·······14, 15, 16, **20**, 24, 27, **33**, 35,
　　　　　　　　37, 38, 39, 42, 72
耳輪 ···························72
麦わら帽子 ·····················114
胸飾 ··························124
メガネ ····················114, 115
眼鏡(めがね) ····················120
目貫(めぬき) ·················68, 96
モダン・ジュエリー ······145, 147, 151
元結(もとゆい) ·······**56**, 59, 66, **94**, 95
モナカ櫛 ·······················128

ヤ行

山高形(やまたかがた) ··············84
山高形櫛 ····················82, 84
山高帽(やまたかぼう) ············114
有鉤銅釧(ゆうこうどうくしろ) ········22
指がね ··························77
指輪 ······17, **23**, 24, **30**, 72, **77**, 78, 81, 96,
　　100, **101**, 102, **104**, **108**, **110**, 112, 114, 120,
　　122, 125, 126, **131**, 132, 134, 138, 140, 143,
　　　　　　　　　　145, 146, 149
ゆび輪 ························100
横櫛 ·······················14, 15
横長櫛 ··························84
四つ足両天 ····················128

鎧(よろい) ··················59, **60**

ラ行

礼冠(らいかん) ········**42**, 45, 48, 49, 61
螺鈿鏡(らでんかがみ) ··············49
螺鈿櫛(らでんぐし) ················61
リヴィエール ···················113
利休形(りきゅうがた) ··············84
リップ・スティック・ケース ······140
リボン ··········119, **120**, 142, 143
両差(りょうざし) ··················94
両天簪(りょうてんかんざし) ·····93, **94**
ロザリオ ········71, **72**, **73**, 74, **77**
ローマ止め ····················142
ロング・ロープ ··················133

ワ行

輪金(わがね) ····················108
輪笄 ···························128
小櫛(をぐし) ·····················44

【カラー版】日本装身具史 ─ジュエリーとアクセサリーの歩み

発行日	2008年3月15日
編・著	露木　宏
執筆	井上洋一
	露木　宏
	関　昭郎
編集	大橋紀生
デザイン＋DTP	アロンデザイン＋松井博之
印刷・製本	富士美術印刷株式会社
発行人	大下健太郎
発行所	株式会社美術出版社
	東京都千代田区神田神保町2-38　稲岡九段ビル8階　〒101-8417
	TEL03-3234-2151[代表]
	FAX03-3234-9451
	振替00150-9-166700
	http://book.bijutsu.co.jp/

ISBN978-4-568-40071-7　C3070
禁無断転載
©Bijutsu Shuppan-Sha 2008
　　Printed in Japan

協力	日本宝飾クラフト学院
	佐藤絹枝
	深谷真太郎
	鈴木博樹
写真撮影	藤田　亮
	V-5, 8, 9, 10, 11, 12, 13, 15, 16, 18, 20, 21a, 21b, 22, 24, 25, 26, 27, 28, 29, 30, 31, 33a, 33b, 34, 35, 36, 38, 50, 51, コラム4, 5
	VI-3, 9a, 9b, 11, 12, 14, 16, 17, 18a, 18b, 19, 20, 22, 25
	VII-7, 9, 10, 11, 12, 13, 14, 16, 17, 18, 20, 23, 24, 25a, 27, 28, 31, コラム4
	VIII-1, 3a, 3b, 4, 8, 9, 10, 12, 13